GÎTES DU PASSANT[MD] AU QUÉBE

Bed & Breakfasts

Auber

Gîte

Maisons ampagne

Promenades à la Ferme

TABLES CHAMPÊTRES[MC]

1993

Éditions Ulysse
Montréal-Québec

Direction de projet
Odette Chaput
(Féd. Agricotours)
Claude Morneau
(Éd. Ulysse)

Traduction anglaise
Carol Wood

Mise en pages
Diane Harnois

Collaboration
Mathieu Arcand
Jacqueline Bell
Daniel Desjardins
Serge Fournier
Monique Jacques
Gérald Pomerleau
Martine Potvin
Huguette Saint-Germain

Illustrations intérieures
Marie-Annick Viatour

Page couverture
Jean-François Bienvenue

Collaboration spéciale
Ministère du loisir, de la chasse et de la pêche

Cartographie
Jean-François Bienvenue
Suzanne Châles
André Duchesne

Distribution:

Distribution Ulysse
4176 St-Denis
Montréal, Québec
H2W 2M5
☎ (514) 843-9882
Fax: (514) 843-9448

Belgique:
Vander
Av. Volontaires 321
B-1150 Bruxelles
☎ (02) 762 98 04
Fax: (02) 762 06 62

Allemagne:
Brettschneider Fernreisebedarf
D-8011 Poing bei München
Hauptstr. 5
☎ 08121-71436
Fax: 08121-71419

France:
Vilo
25, rue Ginoux
75737 Paris, CEDEX 15
☎ 1 45 77 08 05
Fax: 1 45 79 97 15

Suisse:
Diffusion Payot SA
p.a. OLF S.A.
Case postale 1061
CH-1701 Fribourg
☎ 41 37 83 51 11
Fax: 41 37 266 360

Espagne:
Altaïr
Balmes 69
E-08007 Barcelona
☎ (34-3) 323-3062
Fax: (34-3) 451-25 59

U.S.A.:
Ulysses Books & Maps
3 Roosevelt Terrace #13
Plattsburg, NY 12901
☎ (514) 843-9882
Fax: (514) 843-9448

OR

Publishers Distribution Service
6893 Sullivan Road
Grawn, MI 49637
☎ (616) 276-5196
Fax: (616) 276-5197

Tout autre pays, contactez Distribution Ulysse (Montréal), Fax: (514) 843-9448
Other countries, contact Ulysses Books & Maps (Montréal), Fax: (514) 843-9448

Information sur le réseau de la Fédération des Agricotours:
***Information concerning the Fédération des Agricotours network*:**

Fédération des Agricotours du Québec
4545, Avenue Pierre de Coubertin
C.P. 1000, Succursale M.
Montréal, Québec
H1V 3R2
(514) 252-3138

Bibliothèque nationale du Québec
Dépôt légal - Premier trimestre 1993
ISBN 2-921444-32-1 (Éd. française)
ISBN 2-921444-33-X (English Cover)

TABLE DES MATIÈRES/*TABLE OF CONTENTS*

INTRODUCTION/*INTRODUCTION*

Voilà enfin un guide qui vous offre plus de 360 gîtes magnifiques qui vous permettront de faire connaissance avec les régions du Québec, sa campagne, ses villes et ses habitants.

- Une escapade à l'Île d'Orléans?
- Une semaine de vacances sur la Côte Nord?
- Un week-end de ski dans les Laurentides?
- Un bon repas avec un groupe d'amis dans une Table Champêtre de l'Estrie?
- Une sortie familiale de quelques heures sur une ferme en Montérégie?

La fédération des Agricotours du Québec vous propose six formules pour vos vacances ou vos loisirs: Table Champêtre, Promenade à la Ferme, Gîte du Passant, Auberge du Passant, Gîte à la Ferme et Maison de Campagne.

Chacune des maisons du réseau fait l'objet de visites régulières par la fédération et doit donc répondre à des normes précises de sécurité, d'hygiène, de confort et de qualité d'accueil. D'ailleurs, une fois sur place, un panneau indiquant l'appartenance à Agricotours constituera pour vous l'assurance que les propriétaires sont membres de la fédération des Agricotours du Québec. De plus, pour toujours vous assurer d'une qualité, les maisons offrant le service d'hébergement doivent afficher dans les chambres, une attestation confirmant qu'elles ont été visitées par la fédération et qu'elles répondent ainsi à ses normes de qualité. Pour les Tables Champêtres, vous retrouverez une attestation dans la salle à manger de la maison.

Pour ce qui est du guide, il est facile à consulter. Les établissements sont classés par région touristique, puis par ordre alphabétique de municipalités à l'intérieur de chacune des régions, lesquelles sont précédées d'une carte.

La première section du guide, vous présente les Tables Champêtres et les Promenades à la Ferme. Cette section est suivie d'une liste des gîtes offrant les vacances à la ferme. Dans la troisième section du guide, vous trouverez, pour chacune des régions du Québec, les maisons offrant les quatre services suivants :

- le Gîte du Passant
- l'Auberge du Passant
- le Gîte à la Ferme
- la Maison de Campagne

Here, finally, is a guide offering more than 360 magnificent homes, giving you an opportunity to get to know Québec's regions, its countryside, its cities and its citizens.

- *A little jaunt to the Île d'Orléans?*
- *A week's vacation on the North Shore?*
- *A ski weekend in the Laurentians?*
- *A delicious meal with a group of friends at a Table Champêtre in the Eastern Townships?*
- *An afternoon family outing on a farm in Montérégie?*

The Féderation des Agricotours of Québec offers six different choices for your vacation and leisure time: Table Champêtre (Country Style Dining), Promenade à la Ferme (Farm Excursion), Gîte du Passant (Bed and Breakfast), Auberge du Passant (Country Inn), Gîte à la Ferme (Farm House), and Maison de Campagne (Country House).

Each establishment in the network is inspected regularly by the federation, and must conform to precise standards of security, hygiene, comfort and quality of service. On site, a panel indicating membership to Agricotours is your assurance that the owners belong to the Féderation des Agricotours de Québec. As well, for another guarantee of quality, each establishment offering accommodation must display a certificate in each room, stating that it has been verified by the Féderation, and is in keeping with their quality standards. For the Tables Champêtres, the certificate can be found in the dining room.

This guide is easy to use. The establishments are classified first by tourist region, with a map at the beginning of each section, then in alphabetical order by municipality within each region.

The first section of the guide presents the Tables Champêtres and the Promenades à la Ferme. This section is followed by a list of establishments offering Gîtes à la Ferme. In the third section of the guide, each region of Québec is listed, with the following four services listed:

- *Gîte du Passant*
- *Auberge du Passant*
- *Gîte à la Ferme*
- *Maison à la Campagne*

Pour savoir quel(s) service(s) offre(nt) chacune des maisons, voici la procédure à suivre :

A) Important de lire la définition des services aux pages 39, 40.

B) Vérifier l'identification du service offert dans la «bande noire». Exemple :

PERCÉ *Gîte du Passant* F A ℜ2

BIC *Gîte du Passant et Gîte à la Ferme* F A

MAGOG *Maison de Campagne* F M5

BROMONT *Auberge du Passant* F A ℜ2

Enfin, n'hésitez pas à compléter les fiches «Donnez vos impressions» à la fin de cette publication pour faire part de vos expériences. Nous avons besoin de vos observations, suggestions voire même vos critiques pour continuer à améliorer la qualité du réseau et des services offerts.

To see which services are offered by each establishment, follow these two simple steps:

A) Read the definition of the various services on pages 39, 40.

B) Check which service is identified in the "black bar" across the top of each listing. Example :

PERCÉ *Gîte du Passant* F A ℜ2

BIC *Gîte du Passant et Gîte à la Ferme* F A

MAGOG *Maison de Campagne* F M5

BROMONT *Auberge du Passant* F A ℜ2

Finally, do not hesitate to complete the "Customer Feedback" sheets at the end of the book to let us know how you enjoyed your Agricotours experience. We need your observations, suggestions and criticism to continue to improve the quality of the network and the services provided.

Société des traversiers du Québec

*À la longueur du fleuve et à longueur d'année**
6 traverses et 11 navires pour mieux vous servir.

*sauf l'hiver à la traverse de l'Ile-aux-Grues/Montmagny, qui est une traverse saisonnière.

- **Matane/Baie-Comeau/Godbout (2h15 min.) MINI-CROISIÈRE.**
  L'été, jusqu'à 6 départs par jour. (418)562-2500
- **Tadoussac/Baie Ste-Catherine (8 min.).**
  L'été, de jour, service aux 20 minutes. (418)235-4395
- **Ile aux Coudres/St-Joseph-de-la-rive (15 min.).**
  L'été, de jour, service aux 30 minutes. (418)438-2743
- **Ile-aux-Grues/Montmagny (25 min.).**
  Selon les marées. Informez-vous d'abord. (418)248-3549
- **Québec/Lévis (10 min.) INOUBLIABLE.**
  De jour, service aux 30 minutes. (418)644-3704 ou 837-2408
- **Sorel/St-Ignace-de-Loyola (10 min.) PANORAMIQUE.**
  L'été, de jour, service aux 30 minutes. (514)743-3258 ou 836-4600

N.B.: Les horaires mentionnés ci-haut sont partiels; la majorité des traversiers fonctionnent 24 heures par jour. Il est recommandé de s'informer avant votre départ.

Que ce soit pour des raisons d'affaires ou tout simplement pour un voyage d'agréments, faites comme près de 5 millions de personnes l'ont fait, offrez-vous, d'un autre point de vue, la beauté du paysage.

BAIE-COMEAU
MATANE
TADOUSSAC
BAIE-SAINTE-CATHERINE
SAINT-JOSEPH DE-LA-RIVE
ILE AUX COUDRES
ILE AUX GRUES
MONTMAGNY
QUÉBEC
LÉVIS
SOREL

LES TABLES CHAMPÊTRES */ *THE TABLES CHAMPÊTRES* *(COUNTRY STYLE DINING)*

Pour des rencontres entre parents et amis, pour souligner un anniversaire, pour marquer un événement spécial, pour célébrer des retrouvailles, les hôtes des Tables Champêtres offrent tout au long de l'année dans l'intimité de la salle à manger de leur maison de ferme, un repas soigneusement mijoté sur place. Les Tables Champêtres se distinguent aussi en ce qu'elles réservent à un groupe à la fois l'exclusivité des lieux, favorisant ainsi la détente et les échanges. Dans certaines circonstances, les hôtes feront partager à leurs visiteurs les plaisirs de la vie à la campagne en leur proposant une visite du domaine ou d'autres activités.

Le guide est conçu pour faciliter la recherche de votre Table Champêtre. Chacune est présentée sous sa région touristique et par ordre alphabétique des localités où elles sont installées. Bien que la majorité des tables fonctionnent à l'année, on y trouve un calendrier indiquant, dans certains cas, les mois de relâche. De plus, les propriétaires vous décrivent brièvement les traits distinctifs de leur maison, de leur décor, de leur environnement, de leur élevage ou de leur culture. Ils suggèrent également des repas d'un minimum de cinq services, conçus à partir de leur production et de leur l'élevage.

Dans ce guide sont ensuite indiqués le prix du menu présenté ainsi que le nombre de personnes admises en semaine et le week-end. Le repas n'est destiné qu'à un groupe à la fois, constitué de 6 à 20 convives, sur réservation seulement. Un itinéraire précis vous guidera dans vos déplacements.

LES MENUS

Tout n'est pas dit! Les menus présentés dans ce répertoire sont un exemple du type de repas servi. En plus du menu présenté, les hôtes peuvent vous offrir un éventail comportant d'autres menus à prix variables. Ces nouveaux menus sont toujours élaborés à partir des produits de la ferme.

APPORTEZ VOTRE VIN car il n'est pas disponible sur place.

***Marque de certification déposée.**

For getting together with family or friends, to celebrate a special event, or to commemorate a reunion, the Table Champêtre hosts offer meals carefully simmered in their own kitchens, in the intimacy of the dining room of their farmhouse, all year round. Tables Champêtres reserve only one group at a time, providing a unique opportunity to relax and talk. Sometimes, the hosts will share the pleasures of country life with their guests, taking you on a tour of the grounds, a walk in the woods, or some other activity.

The guide has been designed to help you find the right Table Champêtre for you. They are organised first within the tourist region, and then in alphabetical order of nearest municipality. Though most Tables Champêtres are open all year long, there is a calender for each listing indicating the months closed, when necessary. As well, the owners describe briefly the characteristics of their home, the decor, the surroundings, the animals, their crops. A meal with a minimum of five courses is also proposed, with everything made from their own farm produce.

The guide then indicates the suggested price for the menu, as well as the number of people allowed during the week and on the weekend. The meal is designed for one group at a time, with reservations only. Precise directions will help you find your way.

THE MENUS

The menus given in this guide are examples of the type of meal served. In addition to the menu presented, the hosts may offer you a variety of other menus with various prices. These new menus are always made with fresh farm products.

BRING YOUR OWN WINE because it is not available at the Table Champêtre.

****Mark of certification.***

RÉSERVATIONS

Vous devez réserver directement chez les hôtes. Il est toujours préférable de réserver quelques semaines à l'avance.

Un dépôt maximum de 50% peut être exigé pour confirmer une réservation.

Selon la période de l'année, des règles d'annulation souples peuvent s'appliquer. Il est conseillé d'en faire préciser les modalités par écrit. Cependant, si aucune convention écrite n'est produite, la politique d'annulation est la suivante: 30 jours et moins avant la date de réservation, le montant total du dépôt sera retenu.

Lors d'une annulation, il est conseillé de remettre la réservation à une date ultérieure afin de ne pas perdre son dépôt.

TARIFS (En vigueur du 1er avril 1993 au 31 mars 1994)

Pour les menus présentés au guide, les prix varient de 25 $ à 36 $ par adulte. Certaines tables offrent des prix pour enfants de moins de 12 ans.

Selon la Table Champêtre, il se pourrait que des frais soient demandés pour les personnes manquantes si le nombre de convives était inférieur à celui de la réservation.

PÉRIODE D'OUVERTURE

Pour chaque Table Champêtre, la période d'ouverture est représentée par l'indication suivante:

J F M A M J J A S O N D

Les mois noircis indiquent la fermeture de l'établissement.

RESERVATIONS

You must reserve with the hosts directly. It is always advisable to book several weeks in advance.

A deposit of a maximum of 50% of the total price may be required to confirm a reservation.

Depending on the time of year, flexible cancellation rules may apply. It is a good idea to get these specifications in writing. However, if no written agreement is produced, the cancellation policy is as follows: 30 days or less before the reservation date, the entire deposit amount is retained.

With a cancellation, it is advisable to postpone the reservation rather than lose the deposit.

***PRICES** (Valid from April 1st 1993 to March 31 1994)*

For the menus presented in the guide, prices vary from $25 to $36 per adult. Some establishments have special prices for children under 12.

In some establishments, there might be a fee if the number of guests is less than the number of places reserved.

OPENING PERIOD

For each Table Champêtre, the opening period is given in the following table:

J F M A M J J A S O N D

The months in black indicate the months the establishment is closed.

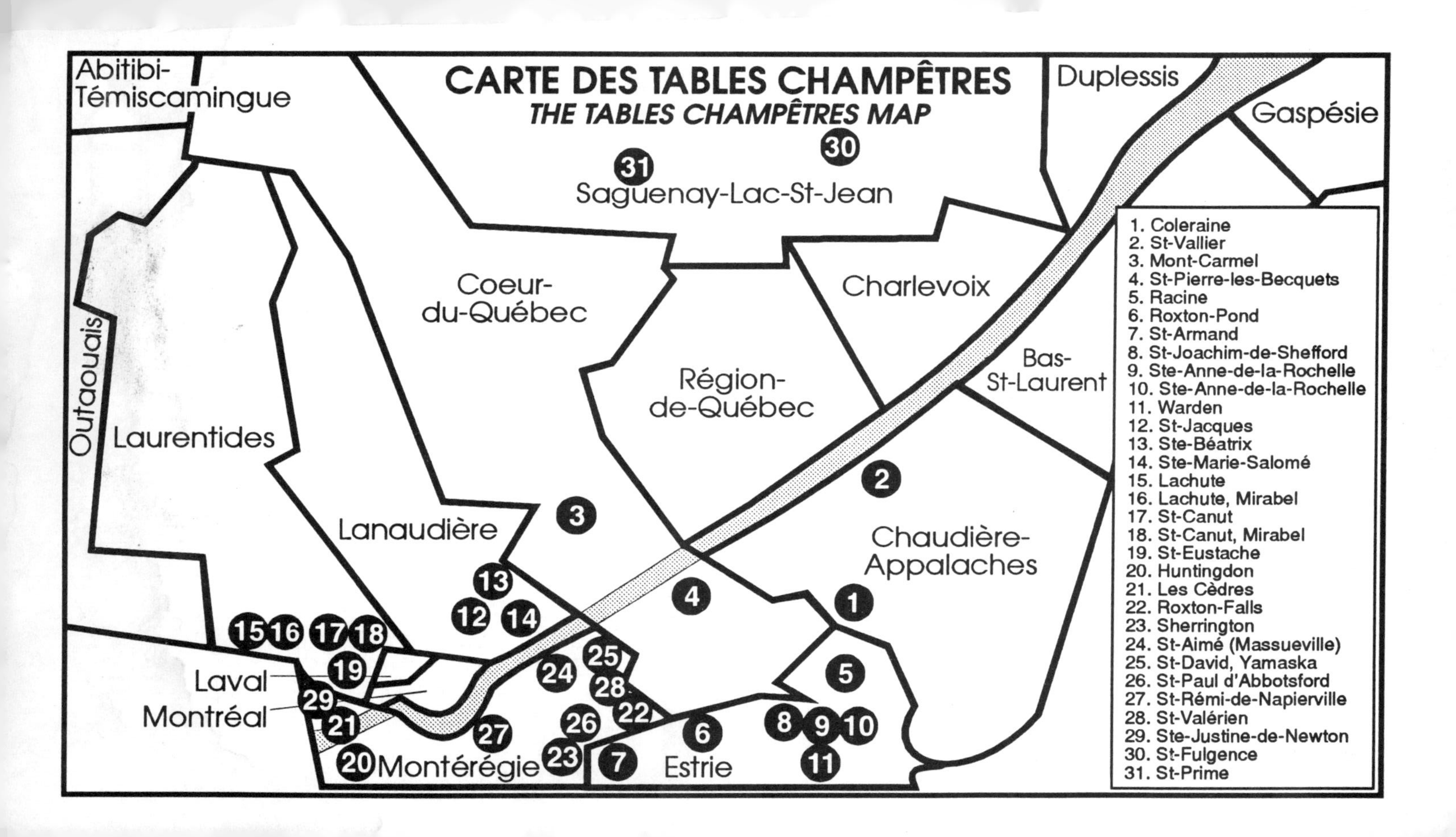
CARTE DES TABLES CHAMPÊTRES
THE TABLES CHAMPÊTRES MAP
Abitibi-
Témiscamingue
Saguenay-Lac-St-Jean
Duplessis
Gaspésie
Coeur-
du-Québec
Charlevoix
Bas-
St-Laurent
Région-
de-Québec
Outaouais
Laurentides
Lanaudière
Chaudière-
Appalaches
Laval
Montréal
Montérégie
Estrie
1. Coleraine
2. St-Vallier
3. Mont-Carmel
4. St-Pierre-les-Becquets
5. Racine
6. Roxton-Pond
7. St-Armand
8. St-Joachim-de-Shefford
9. Ste-Anne-de-la-Rochelle
10. Ste-Anne-de-la-Rochelle
11. Warden
12. St-Jacques
13. Ste-Béatrix
14. Ste-Marie-Salomé
15. Lachute
16. Lachute, Mirabel
17. St-Canut
18. St-Canut, Mirabel
19. St-Eustache
20. Huntingdon
21. Les Cèdres
22. Roxton-Falls
23. Sherrington
24. St-Aimé (Massueville)
25. St-David, Yamaska
26. St-Paul d'Abbotsford
27. St-Rémi-de-Napierville
28. St-Valérien
29. Ste-Justine-de-Newton
30. St-Fulgence
31. St-Prime

1 COLERAINE *Table Champêtre*

«Tatonka», mot amérindien signifiant «esprit du bison», vous invite à découvrir une bonne table bien particulière: le bison et le sanglier. Ces deux gibiers sont recommandés par les diététistes pour des régimes en faible teneur en gras. Apportez votre appareil photo et obser-vez ces animaux dans leur habitat.

De Montréal, aut. 20 est, sortie 228 direction Princeville/Thetford-Mines. À Black-Lake direction Coleraine. Prendre montée St-Julien, faire 3 km. Ou de Québec, aut. 73 sud sortie Vallée-Jct. Rte 112 direction Coleraine.

"Tatonka", an Amerindian word meaning "buffalo spirit", invites you to discover a unique type of cuisine: buffalo and wild boar. These two types of game are recommended by dieticians for fat-reduced diets. Bring your camera, and observe the animals in their habitat.

From Montréal, Hwy. 20 East, Exit 228 towards Princeville/Thetford-Mines. At Black Lake, towards Coleraine. Take Montée St-Julien, drive 3 km. Or from Québec City, Hwy. 73 South, Exit Vallée-Jct. Rte. 112 towards Coleraine.

TATONKA LTÉE
Eva Del Pilar et Jean-Marc Lemay
8336 chemin Couture
Coleraine G0N 1B0
(418) 423-7191

$ REPAS	# P./SEM.	# P./W.E.
$28	8-20	8-20

Terrine de bison
Pointe de tourtière de bison
Salade aux fines herbes
Rôti de bison ou sanglier
Navarin selon la saison
Légumes sautés au beurre nappés d'une sauce d'accompagnement
Tarte aux pacanes
Tarte aux pommes

J F M A M J J A S O N D

2 ST-VALLIER *Table Champêtre*

Ferme centenaire située dans une paisible campagne. Un élevage de lapins et de poulets fermiers, quelques chèvres et moutons qui courent dans les champs, un potager biologique et ici et là quelques champignons sauvages. Tout ce qu'il faut à la Mère à Pierre pour vous préparer une cuisine raffinée.

De Québec, aut. 20 est jusqu'à la sortie 348. Rte 281 sud, faire 3.8 km. Tourner à gauche sur le chemin d'Azur et faire 3.2 km. Maison grise et blanche au nord de la route.

Century-old farm located in peaceful countryside. Rabbit breeding, free-range chickens, some goats and sheep wandering around, an organic garden, and wild mushrooms here and there. Everything "la Mère à Pierre" (Pierre's mother) needs to prepare refined cuisine.

From Québec City, Hwy. 20 East to Exit 348. Rte. 281 South, drive 3.8 km. Turn left on Chemin d'Azur and drive 3.2 km. Grey and white house on the north side of the road.

LA MÈRE À PIERRE
Louise Rioux et Jean-Guy Théberge
340 chemin d'Azur
St-Vallier G0R 4J0
(418) 884-2660

$ REPAS	# P./SEM.	# P./W.E.
$28	8-20	8-20

Hors-d'oeuvre
Soupe du potager aux champignons des prés
Aumônière au coulis de tomates
Lapin à l'estragon ou
Coq aux groseilles
Jardinière de légumes
Salade multicolore
Gâteau aux noisettes
Mignardises

J F M A M J J A S O N D

3 MONT-CARMEL *Table Champêtre*

Un endroit exclusif! Afin de profiter des lieux, venez participer à une journée plein air avec vos enfants. Pêche à la truite, vélo de montagne, marche, jeux extérieurs en été; glissade, ski de fond, patin en hiver, puis...un savoureux repas musical, danse et détente autour d'un bon feu. Vous êtes chez vous chez nous.

De Montréal, aut. 40 jusqu'à Trois-Rivières, direction 55 sud puis reprendre aut. 40 est sortie Thibeau nord. Faire environ 12 km, prendre à gauche rang St-Félix. 1 km plus loin, à gauche la Mélèzière vous accueillera.

An exclusive place! To take full advantage of the setting, come and spend a day outdoors with your children. Trout fishing, mountain biking, walking, and games outdoors in the summer; tobogganing, cross-country skiing, and skating in the winter, then... a delicious musical meal, dancing and relaxing around a fire. You will feel at home with us.

From Montréal, Hwy. 40 to Trois-Rivières, towards the 55 South, then get back on Hwy. 40 East, Exit Thibeau North. Drive about 12 km, then go left on Rang St-Félix. 1 km further, on the left, "La Mélèzière" welcomes you.

LA MÉLÈZIÈRE
Hélène Turmel et Jacques P. Landry
580 rang St-Félix
Mont-Carmel G0X 3J0
(819) 375-1620

$ REPAS	# P./SEM.	# P./W.E.
$25-$30	10-20	16-20

Fines bouchées chaudes
Filet de truite en croûte
sur coulis d'épinards
Fondue suisse haute en couleurs
Truite au four à l'arôme délicat
Pommes de terre gratinées, champignons en fleurs,
tomates aux fines herbes,
carottes al dente en fagot
Salade verte
Poire au doux parfum ou
Crêpe à la crème sur coulis
Dernière douceur

J F M A M J J A S O N D

4 ST-PIERRE-LES-BECQUETS *Table Champêtre*

Face au fleuve St-Laurent, dans une superbe maison canadienne aux intérieurs victoriens, la caille fait les honneurs de notre table. Le repas peut être agrémenté d'une visite au potager et au bâtiment où vous pourrez contempler petits fruits, légumes variés et cailles. Pourquoi «La Margotte»? La poule caquette, le dindon glougloute et la caille margotte. Voilà! Au plaisir de vous recevoir.

De Montréal, aut. 40 est jusqu'à Trois-Rivières. Pont Laviolette, aut. 30 est, qui devient la rte 132 est. Continuer jusqu'à St-Pierre. Ou de Québec, aut. 20 ouest, sortie 253, rte 265 sud jusqu'à Deschaillons, et prendre rte 132 ouest.

Facing the St-Lawrence River, in a superb Canadian house with Victorian interiors, quail has a place of honour in our cuisine. The meal could be made even more enjoyable with a visit to our garden and the barn, where you will see berries, vegetables and quail. Why "la Margotte"? In french, this is the sound quails make - voilà! We will be happy to have you.

From Montréal, Hwy. 40 East to Trois-Rivières. Laviolette Bridge, Hwy. 30 East, which becomes Rte. 132 East. Continue to St-Pierre. Or from Québec City, Hwy. 20 West, Exit 253, Rte. 265 South to Deschaillons, take Rte. 132. West.

LA MARGOTTE
Louise Demers
203 Marie-Victorin,
St-Pierre-Les-Becquets G0X 2Z0
(819) 263-2878

$ REPAS	# P./SEM.	# P./W.E.
$25-30	8-20	8-20

Mousse de caille sur canapés
Crème de chou et d'épinard
Flan de citrouille
Terrine de caille
Salade en fête
Duo de cailles à l'estragon
Rutabagas au sirop d'érable
Couscous citronné
Sorbet aux canneberges
Fromages régionaux
Gâteau mousse

J F M A M J J A S O N D

5 RACINE *Table Champêtre*

Faites-vous la fête, à vous, à votre famille, à vos amis: venez festoyer chez-nous. Découvrez Racine et sa campagne, en toute saison si jolie, et nos produits cuisinés avec amour: chevreau, veau de lait, poulet de grain, légumes de notre potager biologique... Venez pêcher, promener, changer d'air, bien manger.

De Montréal, aut. 10 est sortie 78, rte 241 nord. À Waterloo, rte 243 nord. 3.8 km après Racine, tourner à droite sur le chemin Flooden. Faire 2.7 km. Maison rose à gauche.

A treat for you, your family and friends: a feast with us! Enjoy the year-round beauty of the countryside around Racine, and our own products, lovingly prepared: milk-fed veal, baby goats, free-range chickens, organically-grown vegetables from our garden. For fishing, walking, a change of scenery and good food.

From Montréal, Hwy. 10, Exit 78, Rte. 241 North. At Waterloo, take Rte. 243 North. 3.8 km past Racine, turn right on chemin Flooden. Go 2.7 km. Pink house on left.

LE GRAND FLOODEN
Louise Lauzon et Ivan Steenhout
295 chemin Flooden
Racine J0E 1Y0
(514) 532-2941

$ REPAS	# P./SEM.	# P./W.E.
$36	6-14	6-14

Crème de laitue
Mousse de foie de volaille et compote d'oignons et de rhubarbe
Truite de l'Abbaye
Sorbet au pimbina et à la vodka
Chapon farci au chevreau et à l'abricot
Croquettes de pomme de terre
Salade de saison
Fromages de chèvre
Marquise au chocolat et crème anglaise
Thé, café, infusion accompagné de madeleines et de coeurs à l'érable

J F M A M J J A S O N D

6 ROXTON POND *Table Champêtre*

Près de Granby, bovins et chevaux canadiens sont en pâturage sur cette terre biologique. Le cheval canadien vous offre une balade dans son "carosse", aux commandements chantés de son maître. C'est le langage de l'amitié, vieux de la génération de mes ancêtres. Salle à manger avec foyer. L'étalon canadien d'Ovila dans «Les filles de Caleb» est chez-nous.

À 30 min. de St-Hyacinthe et 60 min. de Montréal, Sherbrooke et Drummondville. Aut. 10 sortie 68, rte 139 nord. Face à l'église, rue Bullock et ch. Grande Ligne. C'est à 3.75 km. Ou aut. 20, sortie St-Hyacinthe et rte 137 sud.

Near Granby, Canadian cattle and horses graze on our organically cultivated land. The Canadian horse offers a ride in a carriage, following his master's directions as he calls them out. It's the language of friendship, as old as my ancestor's generation. Dining room with fireplace. The Canadian stallion belonging to Ovila in the series *Emilie* is at our place.

30 min from St-Hyacinthe and 60 min from Montréal, Sherbrooke and Drummondville. Hwy. 10 Exit 68, Rte. 139 N. Across from the church, Rue Bullock and Chemin Grande Ligne. It is 3.75 km away. Or Hwy. 20, the St-Hyacinthe Exit, and Rte. 137 S.

FERME QUÉBÉCOISE
Réal Sorel
788 chemin Grande Ligne
Roxton Pond J0E 1Z0
(514) 372-7744

$ REPAS	# P./SEM.	# P./W.E.
$34	10-20	10-20

Pain et charcuteries «maison»
Champignons délicieux
Velouté de légumes
Salade saisonnière
Rôti au choix: boeuf, veau, porc, etc., braisé au four à bois et sa sauce
Pommes de terre au four
Légumes assortis
Fromage et raisins
Délice glacé aux 2 chocolats
Gâteau fermière
Surprise maison

J F M A M J J A S O N D

7 ST-ARMAND *Table Champêtre*

Hum! Que ça sent bon, nous disent nos invités. Les odeurs alléchantes de la cuisine ne trompent pas. Tous nos petits plats, cuisinés avec nos produits de la ferme, tels: boeuf, veau, porc, sirop d'érable et récolte du potager, feront de votre repas un festin de roi. La table est prête, on vous attend!

De Montréal, aut. 10 est, sortie 22. Aut. 35 jusqu'au bout et rte 133 sud jusqu'au feu clignotant (Philipsburg) à gauche, ch. St-Armand jusqu'à la rte 235. À gauche, faire 2.5 km sur la rte 235.

Yum! Something smells good, say our guests. The mouth-watering smells wafting from the kitchen are only the beginning. All our little dishes, made with our farm products, such as beef, veal, pork, maple syrup, and garden vegetables, will transform your meal into a feast fit for royalty! The table is set, we're waiting for you!

From Montréal, Hwy. 10 East, Exit 22. Hwy. 35 to the end, then Rte. 133 South to the flashing light (Philipsburg), left, Chemin St-Armand to Rte. 235. Left, drive 2.5 km on Rte. 235.

FERME YOBÉ
Johanne Lebeuf et Yoland Dubé
1278 chemin Dutch, route 235
St-Armand J0J 1T0
(514) 248-4294

$ REPAS	# P./SEM.	# P./W.E.
$25	8-20	8-20

Apéritif maison
Fines bouchées
Crème du potager
Feuilleté de petits légumes à la coriandre
Escalopes de veau Cordon bleu
Pommes de terre «Rosti»
Légumes de saison
Marinades maison
Napoléon à l'érable et aux noix

J F M A M J J A S O N D

8 ST-JOACHIM-DE-SHEFFORD *Table Champêtre*

Près du Parc Yamaska, vous nous trouverez au bout d'un joli petit chemin, à la lisière du bois. Dans notre vaste salle à manger vitrée, vous jouirez d'une vue imprenable sur la nature. Agneau, oie, lapin, fines herbes et légumes du potager, fruits sauvages et du verger inspirent le menu. Un air au piano, un feu dans l'âtre ou une promenade couronnera ce repas raffiné.

De Montréal, aut. 10 est sortie 68, à droite vers Granby sur D. Bouchard, faire 28 km tout droit; à gauche sur la rte 241 nord, aller jusqu'à St-Joachim et à gauche à l'église, faire près de 1 km.

Near Parc Yamaska, you will find us at the end of a pretty little road, at the edge of the woods. You will have a beautiful view of the outdoors in our large glassed-in dining room. Lamb, goose, rabbit, fresh herbs, garden vegetables, wild fruit and fruit from the orchard inspire our menu. A little piano tune, a fire in the hearth or a walk would be the crowning touch for a refined meal.

From Montréal, Hwy. 10 East Exit 68, right towards Granby on D. Bouchard, drive 28 km straight ahead; left on Rte. 241 North, drive to St-Joachim and left of the church, drive nearly 1 km.

À L'ORÉE DU BOIS
Nicole Saint-Jacques et Frank Lenk
618 rang 1 ouest, C.P. 68
St-Joachim-de-Shefford J0E 2G0
(514) 539-1455

$ REPAS	# P./SEM.	# P./W.E.
$35	10-20	10-20

«Savouries», mousse de foie d'oie, crudités
Crème de courgettes
Quiche aux crosses de violon ou feuilles de nos vignes farcies
Sorbet rafraîchissant
Daube d'oie ou carré d'agneau ou civet de lapin*
Quenelles de pommes de terre
Primeurs du potager
Pain de notre fournée
Chutneys et gelées maison
Salade de verdure
Plateau de fromages
Gâteau viennois

**Moyennant un léger supplément*

J F M A M J J A S O N D

9 STE-ANNE-DE-LA-ROCHELLE *Table Champêtre*

Nos ancêtres Rosée et Ovide, des québécois pure laine, nous ont laissé en héritage cet amour des grands espaces et de la bonne bouffe. Dans leur maison, nous vous accueillerons. Sur le vieux poêle à bois, les petits plats mijotent doucement. Si vous en avez le goût, vous pourrez visiter l'étable, prendre une petite marche et admirer les étoiles!

De Montréal ou Sherbrooke, aut. 10, sortie 90. Rte 243 nord vers Waterloo et Ste-Anne-de-la-Rochelle. À gauche rang Ste-Anne nord sur 2.5 km, à droite rang 9 sur 2.3 km.

Our ancestors Rosée and Ovide, Québecois through and through, left us an inheritance of love for wide open spaces and good food. We welcome you in their house. Dishes simmer gently on the old wood stove. If you'd like, you could tour the stable, take a little walk and admire the stars!

From Montréal or Sherbrooke, Hwy.10, Exit 90. Rte. 243 North towards Waterloo and Ste-Anne-de-la-Rochelle. Left on Rang Ste-Anne North for 2.5 km, right on Rang 9 for 2.3 km.

FERME DES ANCÊTRES
Marjolaine Martin et Paul Brien
601 rang 9
Ste-Anne-de-la-Rochelle J0E 2B0
(514) 539-0191

$ REPAS	# P./SEM.	# P./W.E.
$28	10-20	10-20

Crudités et trempette
Velouté de l'ancêtre
Bouchées savoureuses
Porc parfumé à la pêche ou
Veau sauce crème et moutarde ou
Gigot de chevreau à la menthe sauvage
Petites carottes miel et persil
Pomme de terre en croûte
Petits pains de grand-mère Corine
Gelées et marinades maison
Verdure fruitée
Mousse du pays ou
Crème glacée maison
Gâteau à la pomme, sauce citron frais

J F M A M J J A S O N D

10 STE-ANNE-DE-LA-ROCHELLE *Table Champêtre*

Dans un décor splendide, des brebis qui paissent. Dans notre vaste salle à manger vitrée, se dresse la table pour les invités où l'agneau sera à l'honneur. Dans la cuisine, la chaleur du poêle à bois achève la cuisson, tout est fait maison. Et voilà, vous arrivez!

De Montréal ou Sherbrooke, aut. 10, sortie 90. Rte 243 nord vers Waterloo et Ste-Anne-de-la-Rochelle. À 2 km du village.

In splendid surroundings, sheep graze. In our large glassed-in dining room the table is set for our guests, where lamb will have a place of honour in our cuisine. In the kitchen, the heat from the wood stove puts the finishing touches on the cooking, and everything is home-made. A flash of headlights, and there you are now!

From Montréal or Sherbrooke, Hwy. 10, Exit 90. Drive North on Rte. 243, towards Waterloo and Ste-Anne-de-la Rochelle, 2 km from the village.

LE ZÉPHIR
Huguette et Claude Paquin
421 rue Principale est, route 243
Ste-Anne-de-la-Rochelle J0E 2B0
(514) 539-3746

$ REPAS	# P./SEM.	# P./W.E.
$30	10-18	10-18

Crudités et trempette à l'ail
Pâté de foie et
Rillettes d'agneau
Crème de persil
Tagine d'agneau et
Gigot au romarin
Légumes d'accompagnement
Salade de verdure
Pain et marinades maison
Île flottante au coulis de framboises
Tarte aux pommes à la française et fromage

J F M A M J J A S O N D

11 WARDEN *Table Champêtre*

Ferme centenaire située sur le haut d'un coteau. Nous sommes producteurs laitiers et élevons des veaux au lait et aux grains. L'hôtesse est artiste peintre et, sur place, une exposition des oeuvres de quelques peintres de la région. Notre cuisine est un mariage de veau, de pommes, de fromage et de cuisine hollandaise.

De Montréal, aut. 10 est, sortie 90. Rte 243 nord vers Waterloo, faire 8.9 km. Après la mairie blanche de Warden et le garage Shell, à gauche rue du Pont et faire 1.4 km. 2e ferme à droite.

Century-old farm located at the top of a hill. We are dairy farmers and raise veal on milk and grain. The hostess is a painter, and we have a small gallery of regional painters. Our cuisine is a harmonious blend of veal, apples, cheese and Dutch cuisine.

From Montréal, Hwy. 10 East, Exit 90. Rte. 243 North to Waterloo, drive 8.9 km. After the white Mayor of Walden Building and the Shell garage, left on Rue du Pont and drive 1.4 km. 2nd farm on the right.

LE DOMAINE DU PEINTRE
Danielle et Walter Verhoef
R.R. 3 Waterloo, 104 rue du Pont
Warden J0E 2N0
(514) 539-3475/(514) 539-1349

$ REPAS	# P./SEM.	# P./W.E.
$28	10-18	10-18

*Pâté de veau au brandy**
Gelée de menthe et géranium
Marinades et pain maison
Beurre et fromage maison
Croquettes de veau hollandaises
Velouté de veau fromagé
*Sorbet à l'orange sauce à la menthe**
*Veau crémeux à la ciboulette**
Pommes de terre à la provençale
Salade, brocolis au beurre
Hollies balls
Gâteau glacé au chocolat hollandais ou Renversé aux pommes sauce cognac

**Sujet à changement sur demande*

J F M A M J J A S O N D

12 ST-JACQUES *Table Champêtre*

Dans la belle région de Lanaudière, nous élevons des agneaux et nous produisons notre sirop d'érable. La maison ancestrale des Venne dit «Voyne», blanche et verte en déclin de cèdre vous attend. À notre table, l'agneau est roi et la bergère connaît tous les secrets de sa préparation. Une visite de la ferme vous permettra de voir le troupeau.

De Montréal, aut. 25 nord jusqu'à St-Esprit (40 km). Rte 158 est jusqu'à St-Jacques, à gauche rte 341 nord, c'est à 4.8 km de l'intersection de la rte 158.

In the beautiful Lanaudière region, we raise lamb and produce our own maple syrup. The ancestral home of the Venne family, also known as "Voyne", in green and white cedar, is ready for your visit. Lamb is featured in our cuisine, and the shepherd knows all the secrets of its preparation. You can see the herd on a tour of the farm.

From Montréal, Hwy. 25 North to St-Esprit (40 km). Rte. 158 East to St-Jacques, left on Rte. 341 North, it's 4.8 km from the intersection with Rte. 158.

BERGERIE VOYNE
Lise Savard et Mario Gagnon
2795 rang St-Jacques, route 341
St-Jacques J0K 2R0
(514) 839-6583

$ REPAS	# P./SEM.	# P./W.E.
$30	10-18	10-18

Assiette de charcuteries «maison»
Quiche aux poireaux
Potage saisonnier
Gigot d'agneau farçi et côtelette d'agneau aux fines herbes
Gelée de pomme et menthe
Légumes cuisinés
Salade du potager
Fondue à l'érable

J F M A M J J A S O N D

13 STE-BÉATRIX *Table Champêtre*

À quelque 25 km de Joliette, notre chaleureuse maison ancestrale vous accueille. Le panorama féérique de nos montagnes est au menu. À notre table vous dégusterez l'agneau succulent, pain et pâtisseries maison. Cuisine et esprit familial ont priorité chez-nous.

De Montréal, aut. 40 est, sortie 122. Aut. 31 nord et rue St-Charles Borrommée pour 24.7 km. Prendre la route Ste-Mélanie/Ste-Béatrix pour 12.7 km. Au rang St-Paul ouest, à gauche pour 400 mètres.

About 25 km from Joliette, our warm ancestral home welcomes you. The fairy-tale panorama of the mountains is reflected in our menu. At our table, you will taste succulent lamb, homemade bread and pastries. Home cooking and a family spirit are important at our place.

From Montréal, Hwy. 40 East, Exit 122. Hwy. 31 North and Rue St-Charles Borrommée for 24.7 km. Take Route Ste-Mélanie/Ste-Béatrix for 12.7 km. At Rang St-Paul West, left for 400 metres.

CHEZ MARIE LA BERGÈRE
Marie-Claude et Jean Champagne
211 rang St-Paul ouest
Ste-Béatrix J0K 1Y0
(514) 883-8613

$ REPAS	# P./SEM.	# P./W.E.
$32	8-16	10-16

Crudités et trempettes
Terrine de lapin
Galettes de sarrazin farcies
Velouté de carottes
Navarin d'agneau servi avec pommes de terre et légumes de saison
Pain de ménage et beurre à l'ail
Salade Béatrix
Tarte à la ferlouche et de l'érablière
Pudding de la bergère
Friandises Marie-Claude

J F M A M J J A S O N D

14 STE-MARIE-SALOMÉ *Table Champêtre*

Comme nous, venez goûter au calme de la campagne. La vue sur la plaine, les pâturages et le jardin biologique est agréablement attirée par les bouleaux et les pommiers près de la maison. Vous dégusterez une cuisine raffinée dans un décor élégant. La visite vous fera découvrir un élevage varié de petits animaux.

De Montréal, aut. 25 nord jusqu'à St-Esprit, rte 158 vers l'est jusqu'à St-Jacques. À droite faire 6 km. Ou aut. 40, sortie 108, rte 343 nord vers St-Gérard Magella, tourner à gauche, au pont faire 12 km.

Come and enjoy the calm of the country, as we do. Apple trees and silver birch near the house add to the view of the plain, the pastures and the organic garden. You will experience refined cuisine in an elegant decor. On a tour of the farm, you will discover we raise various small animals.

From Montréal, Hwy. 25 North to St-Esprit, Rte. 158 East to St-Jacques. Right drive 6 km. Or from Hwy. 40, Exit 108, Rte. 343 North towards St-Gérard Magella, turn left, at the bridge drive 12 km.

LA TABLE AMICALE
Carole et Pierre
991 chemin Montcalm
Ste-Marie-Salomé J0K 2Z0
(514) 839-6267

$ REPAS	# P./SEM.	# P./W.E.
$32	10-20	10-20

Mousse de lapin à l'échalotte ou
Quiche de poulet aux olives
Potage de saison
Chevreau braisé, sauce
à la menthe ou lapin braisé aux poireaux
Légumes du jardin
Riz aux fines herbes
Salade verte, sauce à l'ail
Fromage de chèvre
Roulé suisse chocolaté sur
coulis de fraises ou
Tourte bavaroise aux pommes
Délice aux fruits

J	F	M	A	M	J	J	A	S	O	N	D

15 LACHUTE *Table Champêtre*

À Lachute, un paisible domaine et sa pittoresque maison de bois vous offrent charme, confort et délices d'une table sans pareille où agneau et volaille sont à l'honneur. Salle à manger avec foyer. De bucoliques balades en forêt, au potager ou au pied de la chute ajouteront un cachet inoubliable aux plaisirs de la table.

De Montréal, aut. 15 nord, sortie 39 direction Lachute. Rte 158 ouest jusqu'à la rte 329 nord. Faire 1.5 km de l'intersection des routes 329 et 158.

In Lachute, peaceful grounds with a picturesque wood house offer charm, comfort, and delicacies featuring lamb and poultry. Dining room with fireplace. Pastoral walks in the woods, in the garden, or at the falls will add an unforgettable special touch to the pleasures of our cuisine.

From Montréal, Hwy. 15 North, Exit 39 towards Lachute. Rte. 158 West to Rte. 329 North. Drive 1.5 km from the intersection of Rtes. 329 and 158.

AU PIED DE LA CHUTE
Danièle et Yvan Deschênes
273 route 329
Lachute J8H 3X9
(514) 562-3147/(514) 621-3106

$ REPAS	# P./SEM.	# P./W.E.
$35	12-18	14-18

Bouchées miniatures
de bienvenue
Velouté de légumes
Tarte tiède aux tomates
et basilic
L'assiette de verdure
Gigot d'agneau parfumé
à la menthe ou poulet de grains
à la crème et cidre de pommes
Délices aux avelines
Gâterie au choix
Café chocolaté, thé, tisane et
douceur d'au revoir

J F M A M J J A S O N D

16 LACHUTE, MIRABEL *Table Champêtre*

À 45 min. de Montréal, venez partager l'intimité de notre maison datant de 1860. Le décor victorien créé autour de ses foyers, son piano et son mobilier vous plongeront dans l'ambiance feutrée d'autrefois. Plats cuisinés à partir de nos élevages de veaux et poulets de grain. Le vieux four cuit le pain de campagne et des produits de notre érablière.

De Montréal, aut. 15 nord, sortie 39 direction Lachute, rte 158 ouest. C'est à 20.7 km de l'autoroute.

45 minutes from Montréal, come and share the intimacy of our house built in 1860. The Victorian decor designed with the fireplaces, the piano and the furniture in mind, will surround you in an old-fashioned atmosphere. Dishes cooked with the veal and free-range chicken we raise. The old oven bakes farmhouse bread and products from our maple orchard.

From Montréal, Hwy. 15 North, Exit 39 towards Lachute, Rte. 158 West. It is 20.7 km from the highway.

LES RONDINS
Lorraine Douesnard et
François Bernard
3015 route 158, Lachute J8H 3W7
(514) 562-7215

$ REPAS	# P./SEM.	# P./W.E.
$35	10-20	14-20

Canapés pâté de foie maison
Tarte épinards-poireaux et sa
garniture
Crème d'asperge aux
fines herbes
Salade tiède à la chair
de volaille et vin blanc
Blanquette de veau
Sauté de légumes de saison
Fromage «La Longeraie»
Tartelette mousse au sirop
d'érable
Parfait maison
Mini gourmandises

J F M A M J J A S O N D

17 ST-CANUT *Table Champêtre*

Situé à 20 min. de St-Jérôme, loin de la route, c'est une maison centenaire qui vous accueille avec simplicité et chaleur. Selon la saison, on y déguste des plats mijotés sur le poèle à bois. Lapin ou sanglier sont offerts. Au plaisir de vous recevoir à notre table.

De Montréal, aut. 15 nord sortie 39 vers Lachute, faire 16 km. Surveiller l'écusson avec tête de cheval noir à droite. Maison blanche et bleue. Même sortie venant du nord.

Located 20 minutes from St-Jérome, far from the road, we will welcome you with simplicity and warmth in our century-old house. Depending on the season, different dishes are cooked on the wood stove. Rabbit and wild boar are offered. We will be happy to have you.

From Montréal, Hwy. 15 North Exit 39 towards Lachute, drive 16 km. Watch for the shield with the black horse's head on the right. White and blue house. The same exit coming from the North.

GOURMET CHAMPÊTRE
Nicole Courtemanche et Benoît Charette
4981 R.R. 158, St-Canut J0R 1M0
(514) 258-3764

$ REPAS	# P./SEM.	# P./W.E.
$30	10-20	10-20

Canapés mousse de foie maison
Potage panais et pomme
Mousse de lapin au poivre rose ou
Terrine de sanglier
Lapin en sauce et légumes de saison
Marinades maison
Salade verte
Fondant au chocolat sur coulis
Sorbet maison

J F M A M J J A S O N D

18 ST-CANUT, MIRABEL *Table Champêtre*

Le Chant des Cascades t'invite à prendre un temps d'arrêt. Offrez-vous le murmure des cascades et dégustez un copieux repas dans un décor des plus champêtre. Lapins, poulets et produits de l'érablière font le plaisir de notre table. Animation en musique. À bientôt.

De Montréal ou Mirabel, aut. 15 nord, sortie 39, rte 158, faire 7 km, sortie St-Canut vers rue McKenzie. Tourner à droite, franchir le pont de fer, à droite sur chemin Rivière du Nord et faire environ 4 km.

The "Chant de Cascades" invites you to stop off for a little while. Let yourself be tempted by the murmur of the falls and the taste of a generous meal in real country decor. Rabbits, chickens, and maple products make our table special. Musical activities. See you soon.

From Montréal or Mirabel, Hwy. 15 North, Exit 39, Rte. 158, drive 7 km, St-Canut Exit, towards Rue McKenzie. Turn right, cross the iron bridge, right on the Chemin Rivière du Nord and drive around 4 km.

AU CHANT DES CASCADES
Verna et Albert
11505 chemin Rivière du Nord
St-Canut, Mirabel J0R 1M0
(514) 436-4070

$ REPAS	# P./SEM.	# P./W.E.
$32	12-20	12-20

Velouté de légumes
Croustade aux oeufs
Fantaisies du jardin
Terrine de lapin
Lapin à l'érable
Brochette de pommes de terre
Rosette de légumes
Service fromages et fruits
Mosaïque des Cascades
Mousse à l'érable
Gâteau de monsieur
Thé, café, tisane
Et... la surprise des hôtes

J F M A M J J A S O N D

19 ST-EUSTACHE *Table Champêtre*

Dans le quartier des érables à St-Eustache, une belle grosse canadienne aux lucarnes éclairées surplombe ce grand potager à perte de vue. Ici, la culture maraîchère est axée sur l'auto-cueillette (fèves italiennes, piments, tomates, rappinni, oignons). Et l'élevage (lapins, faisans, pintades, oies, dindes australiennes) nous inspire dans l'élaboration de nos différents menus.

De Montréal, aut. 15 nord sortie 21, aut. 640 ouest, sortie 11, boul. Arthur-Sauvé. 5 km de la sortie, 8 maisons après la Pépinière Éco-Verdure du côté ouest.

In the maple country near St-Eustache, a beautiful big Canadian house with dormer windows overlooking a huge orchard which runs as far as the eye can see. Here our market gardening tends to be mostly you-pick-it (Italian beans, peppers, tomatoes, rappinni, onions). The animals we raise (rabbits, pheasants, guinea fowl, geese, Australian turkeys) are the inspiration behind our menus.

From Montréal, Hwy. 15 North, Exit 21, Hwy. 640 West, Exit 11. Blvd. Arthur-Sauvé. 5 km from the exit, 8 houses after the Pépinière Eco-Verdure (tree nursery) on the West side.

LE RÉGALIN
Alain Latour et Réjean Brouillard
991 boul. Arthur-Sauvé
route 148 ouest, St-Eustache
J7R 4K3 (514) 623-9668

$ REPAS	# P./SEM.	# P./W.E.
$32	8-20	8-20

Mousse de foies de volaille
Feuilleté de faisan au poivre vert
Crème de volaille amandine
Lapin aux abricots ou au cidre ou aux moules
Légumes de saison
Salade verdurette
Plateau de fromages québécois
Profiteroles au chocolat

J F M A M J J A S O N D

20 HUNTINGDON *Table Champêtre*

Au milieu des champs et des boisés, notre maison ancestrale vous attend. Randonnée en forêt, visite de la cabane à sucre, activités de plein-air... Notre élevage d'oies, pintades et canards vous offrira un concert inoubliable. Dans une athmosphère détendue, vous dégusterez des plats succulents. Les taxes sont incluses dans le prix.

De Montréal, rte 138 ouest direction Huntingdon. 8.6 km après Ormstown, tourner à droite à la montée Seigneuriale, faire 4.7 km, tourner à gauche c'est New Erin. Faire 1.3 km.

Nestled in fields and woods, our ancestral home awaits you. Walking in the forest, visiting the sugar shack, outdoor activities... We breed geese, guinea fowl, and ducks - an unforgettable concert of bird calls! In a relaxed atmosphere, taste our succulent dishes. Taxes are included in the price.

From Montréal, Rte. 138 West towards Huntingdon. 8.6 km after Ormstown, turn right at the Montée Seigneuriale, drive 4.7 km, turn left and you're at New Erin. Drive 1.3 km.

DOMAINE DE LA TEMPLERIE
Chantale Legault et Roland Guillon
312 New Erin,
Huntingdon J0S 1H0
(514) 264-9405

$ REPAS	# P./SEM.	# P./W.E.
$32	10-20	10-20

Canapés de chèvre chaud
Velouté en cachette
Assortiment de charcuteries:
cou d'oie farci, caneton fumé,
mousse de foie
Flan de truite,
sauce au poivre rose
Au choix: oie, canard, pintade,
lapereau
Pomme château,
bouquetière de légumes
Salade au coeur confit et noix
Délices de la Templerie:
choux croque-en-bouche,
tarte bourdaloue,
soufflé glacé à l'érable et calvados

J F M A M J J A S O N D

21 LES CÈDRES *Table Champêtre*

Ceci n'est qu'un menu type. Il y a beaucoup plus: viande chevaline, lapin, dinde traditionnelle ou canard. Nous vous laissons le choix. De l'entrée au dessert nous élaborerons le menu ensemble. Si la température le permet, nous offrons une randonnée en traîneau ou en voiture avec chevaux. Mentionnez-le lors de la réservation. Fermé le dimanche.

À 5 min. à l'ouest de Dorion et 10 min. à l'est de Valleyfield. De Montréal, aut. 20 ouest direction Toronto, sortie 26. ***Immédiatement*** *à gauche de la sortie.*

This is only a sample menu. There is much more: horse meat, rabbit, traditional turkey or duck. We let you choose. From the appetizer to the dessert, we will choose the menu together. If temperature permits, we can take a sleigh ride, or a trip in the horse-drawn carriage. Please mention it as you make your reservation. Closed on Sundays.

5 min West of Dorion and 10 min East of Valleyfield. From Montréal, Hwy. 20 West towards Toronto, Exit 26. ***Immediately*** *left of the exit.*

FERME DAOUST
Denise et René Daoust
843 chemin St-Féréol
Les Cèdres J0P 1L0
(514) 452-4523

$ REPAS	# P./SEM.	# P./W.E.
$26	8-20	14-20

Crudités, trempette fromage
Mousse de foie de canard
Soupe poulet jardinière
Quiche aux tomates et
fines herbes
Salade verte
Canard à l'orange
Macédoine de légumes variés
Pomme de terre mousseline
Tarte tatin flambée au rhum
Jardinière aux fruits
Gâteau fromage
Tarte au sucre avec
crème fouettée

J F M A M J J A S O N D

22 ROXTON FALLS *Table Champêtre*

Au milieu d'un rang, vous serez accueillis par votre hôte Pierrette dans sa maison centenaire, là où il fait bon se détendre, devant un feu de bois, dans une salle à manger intime où la nourriture d'antan règne. En saison, je vous propose les légumes du potager. Le boeuf de haute qualité et le lapin sont mes spécialités.

Aut. 20, sortie 147, rte 116 est jusqu'à Acton Vale. Aux feux de circulation à droite, rte 139 sud faire 7 km. À Roxton Falls, après le pont, tourner à droite rue St-André. Faire 3.8 km.

On a charming back road, you will be welcomed by your host Pierrette in her century-old house, where it feels to good to relax in front of the fire, in an intimate dining room, where old-fashioned good food is key. In season, there are vegetables from the garden. High quality beef and rabbit are my specialities.

Hwy. 20, Exit 147, Rte. 116 East to Acton Vale. Turn right at the traffic lights, Rte. 139 South for 7 km. At Roxton Falls, after the bridge, turn right on Rue St-André. Drive 3.8 km.

LA TABLE D'ANTAN
Pierrette B. St-Hilaire
1941, 9e rang
Roxton Falls J0H 1E0
(514) 548-2279

$ REPAS	# P./SEM.	# P./W.E.
$30	10-20	10-20

Pâté de campagne
Pain et marinades de la maisonnée
Potage aux légumes frais
Lapin aux herbes, sauce à la moutarde
Riz sauvage
Julienne de légumes ou
Filet de boeuf limousin aux petits légumes
Salade d'épinards, vinaigrette aux noix
Assiette de fromages et raisins
Sorbet à l'orange
Gâteau aux carottes

J F M A M J J A S O N D

23 SHERRINGTON *Table Champêtre*

Roselyne et Alain vous convient à partager avec eux un repas dont vous vous souviendrez longtemps. Producteurs de chèvres dans une région que l'on pourrait qualifier de jardin du Québec, ils ont tous les ingrédients nécessaires pour vous composer un repas mémorable.

De Montréal, aut. 15 direction U.S.A., sortie 21 direction Sherrington. Faire 6 km, lumière rouge à gauche, rte 219 sud, faire 2 km. À droite rue Pinsonneault jusqu'au bout, à gauche, faire 0.5 km.

Roselyne and Alain invite you to share a memorable meal with them. Goat breeders in the region which is sometimes called the garden of Québec, they have all the ingredients necessary to create a meal you will remember for a long time.

From Montréal, Hwy. 15 towards the U.S.A., Exit 21 towards Sherrington. Drive 6 km, left at the red light, Rte. 219 South, drive 2 km. Right on Rue Pinsonneault to the end, left, drive 0.5 km.

FERME MARIE-ROSELAINE
Roselyne et Alain
188 rang St-François
Sherrington J0L 2N0
(514) 454-3659

$ REPAS	# P./SEM.	# P./W.E.
$32	10-20	10-20

Amuse-gueules et crudités
Potage de saison
Fromage de chèvre
Pain maison
Charcuterie de chevreau
Salade verte, sauce à l'ail
Chevreau à la sauge, au romarin et au thym
Pommes de terre ou riz
Légumes frais
Gâteau aux noix cendré de la région
Friandise Roselyne

J F M A M J J A S O N D

24 ST-AIMÉ (MASSUEVILLE) *Table Champêtre*

À notre spécialité la chèvre angora, s'ajoute cette année le colin de Virginie et la perdrix Bartavelle, nous permettant de vous offrir un second menu tout aussi savoureux. Le tout se déroule dans l'atmosphère chaleureuse de la salle à manger de notre maison centenaire donnant sur la rivière. Visitez la chèvrerie, la volière et la boutique de produits maison.
À 30 min. de St-Hyacinthe. De Montréal, aut. 20 est, sortie St-Thomas d'Aquin. Rte 235 nord jusqu'à Massueville. Continuer sur la rte 235 nord et faire 3.5 km. Maison au toit rouge entourée d'arbres.

Along with our specialty of Angora goats, this year we have Virginia hake and Bartavelle partridge, allowing us to offer a second menu as delicious as the first. It all happens in the warm atmosphere of the dining room in our century-old house, which overlooks the river. Visit the goats, the aviary and the boutique of home-made products.
30 minutes from St-Hyacinthe. From Montréal, Hwy.20 East St-Thomas d'Aquin Exit. Rte. 235 North to Massueville. Continue on Rte. 235 North and drive 3.5 km. House with red roof surrounded by trees.

CHÈVRERIE L'ENSORCELAINE
Anne-Marie Dulude et Yves DeCelles
279 rang du bord-de-l'eau, route 235
St-Aimé (Massueville) J0G 1K0
(514) 788-2283

$ REPAS	# P./SEM.	# P./W.E.
$30	12-20	12-20

Bouillon de chevreau
Pâté de foie et roulé de porc farci de chevreau
Pâté en croûte de chevreau aux champignons
Salade aux saucissons de chevreau
Gigôt de chevreau
Légumes du potager
Fromages de chèvre
Beignets l'Ensorcelaine
Crème glacée maison

J F M A M J J A S O N D

25 ST-DAVID, YAMASKA *Table Champêtre*

À la petite ferme où nous élevons des porcelets et des chevaux de perche, la table est mise. Elle est garnie d'une multitude de petits-à-côtés, avant-goût d'un repas de qualité. En plus du porcelet, nous offrons aussi de la viande chevaline servie en fondue chinoise ou bourguignonne. En toute saison, un tour de voiture avec chevaux est offert sur demande. Bienvenue à la campagne où il fait bon se retrouver.
À 45 min. de St-Hyacinthe et à 30 min. de Drummondville. De Montréal, aut. 20 est sortie 170 Yamaska-Sorel, rte 122 ouest. Faire 24 km jusqu'à St-David. Au bout du chemin du village, tourner à droite, faire 2 km.

On the little farm where we raise suckling pig and draught horses, the table is set with many little side dishes, tastes of the quality meal to come. As well as suckling pig, we offer horse meat served in a Chinese or Burgundy fondue. Year round, carriage rides with the horses are available if reserved ahead of time. Welcome to the country, where life is good.
45 min from St-Hyacinthe, 30 min from Drummondville. From Montréal, Hwy. 20 E., Exit 170 Yamaska-Sorel, Rte. 122 W. Drive 24 km to St-David. At the end of the village, right, drive 2 km.

LA TABLÉE
Manon et Mario Laliberté
130 rang rivière David
St-David, Yamaska J0G 1L0
(514) 789-2305

$ REPAS	# P./SEM.	# P./W.E.
$26	10-20	10-20

Charcuteries maison:
Tête fromagée, cretons, saucissons
Velouté de carottes
Porcelet farci de la tablée
Légumes variés
Salade santé amandine
Tarte au suif Marie-Claire
Tarte aux fruits glacée

J F M A M J J A S O N D

26 ST-PAUL-D'ABBOTSFORD *Table Champêtre*

Pour toi et tes amis, qui aimez la vie à la campagne, et désirez passer quelques heures dans une ambiance familiale, pouvoir caresser agneaux, chèvres, lapins et autres animaux, marcher en pleine nature à travers champs et érablières pour ensuite terminer autour d'une bonne table, réchauffée par la chaleur du foyer. Alors n'hésitez plus, on vous attend chez nous entre amis.

Aut. 10, sortie 55, rte 235 nord. De la sortie, faire 5 km, 2e rang à droite.

For you and your friends, who love life in the country, and would like to spend some time in a warm atmosphere, patting the lambs, goats, rabbits and other animals, walking in the fresh country air across fields and maple groves, and finishing off around a table with a delicious meal, warmed by the fire. So don't hesitate, we will be happy to greet you as our friends.

Hwy. 10, Exit 55, Rte. 235 North. From the exit, drive 5 km, turn right on the second road.

LA PETITE BERGERIE
Pierrette et Michel Scott
1460 rang Papineau
St-Paul-d'Abbotsford J0E 1A0
(514) 379-5842

$ REPAS	# P./SEM.	# P./W.E.
$30	10-20	10-20

Pâté campagnard accompagné de crudités jardinières
Salade santé avec assiette champêtre
Velouté de chez nous
Crouté aux pommes de terre, sweet légumes avec veau et agneau bergère
Fromage et fruits vigniers
Petit péché d'Adam et Ève
Nuage à l'érable
Thé, café, tisane

J F M A M J J A S O N D

27 ST-RÉMI-DE-NAPIERVILLE *Table Champêtre*

À quelques minutes de Montréal, vous pourrez parcourir le sentier en forêt, découvrir la nature et admirer sur le lac canards et bernaches qui s'y ébattent. Vous aurez tout le loisir de goûter notre cuisine internationale et aussi de vous détendre dans un cadre naturel rappelant à chacun la beauté quotidienne des saisons. Autres choix de menu sur demande.

Du pont Champlain, aut. 15 direction USA sortie 42. Rte 209 sud direction St-Rémi. De l'église, faire 3.2 km, 1ère montée à droite rang St-Antoine. Ou du pont Mercier, rte 207 sud, rte 209 sud direction St-Rémi.

Several minutes from Montréal, you could walk along one of the forest trails, discover nature and admire the ducks and geese frolicking on the lake. You will have all the time you need to enjoy our international cuisine and relax in natural surroundings, which are a constant reminder of the everyday beauty of the seasons. Different menus available on request.

From the Champlain Bridge, Hwy. 15 towards the U.S.A., Exit 42. Rte. 209 South, towards St-Rémi. From the church, drive 3.2 km, first road going up on the right is Rang St-Antoine. Or from the Mercier Bridge, Rte. 207 South, Rte. 209 South, towards St-Rémi.

FERME KOSA
Lajos et Ada Kosa
1845 rang St-Antoine
St-Rémi-de-Napierville J0L 2L0
(514) 454-4490

$ REPAS	# P./SEM.	# P./W.E.
$35	10-20	10-20

Punch
Canapés variés
Potage aux poireaux et asperges
Surprise maison
Terrine de lapin aux kiwis
Pintade aux pommes, flambée au calvados
Légumes variés
Pommes de terre mousseline
Salade
Fromages variés et raisins
Framboisier au fromage blanc
Profiteroles au chocolat

J F M A M J J A S O N D

28 ST-VALÉRIEN *Table Champêtre*

Selon la saison, vous serez accueillis par nos jardins ou l'âtre de notre foyer. Le lapin est au menu ainsi que l'agneau, le chevreau ou les oiseaux fermiers. Pour égayer ou parfumer nos plats, nous cuisinons avec nos fleurs. Arrivez tôt, il y a tellement à voir.

À 20 min. de St-Hyacinthe ou de Granby. De Montréal, aut. 20 est, sortie 141 direction St-Valérien. Dans le village, prendre le chemin Milton et le 1er rang à droite. Ou aut. 10, sortie 68, rte 137 nord. Après Ste-Cécile, chemin St-Valérien à droite puis 2e rang à gauche.

Depending on the season, either our gardens or the hearth of our fireplace will charm you. Rabbit is on the menu, as well as lamb, baby goat or farm birds. To brighten up and flavour our dishes, we cook with our flowers. Come early, there is so much to see!

20 minutes from St-Hyacinthe or from Granby. From Montréal, Hwy. 20 East, Exit 141 towards St-Valérien. In the village, take Chemin Milton and the 1st road on the right. Or Hwy. 10, Exit 68, Rte. 137 North. After Ste-Cécile, Chemin St-Valérien right the 2nd road on the left.

LA RABOUILLÈRE
Pierre Pilon
1073 rang de l'Égypte, route 137
St-Valérien J0H 2B0
(514) 793-2329/(514) 793-4998

$ REPAS	# P./SEM.	# P./W.E.
$30	10-20	12-20

Punch
Pâté de foie sur canapés
Beignets de fleurs de courge
Velouté de tomate et basilic
Terrine de pintadeau
Pain et marinades
Sorbet sur hémérocalles
Râble de lapin farci,
sauce à l'estragon
Julienne de carotte et navet
Timbale d'asperge
Salade de cresson
Fromages
Fondue à l'érable

J F M A M J J A S O N D

29 STE-JUSTINE-DE-NEWTON *Table Champêtre*

Au pied du Mont Rigaud, notre petite maison de ferme ancestrale vous attend chaleureusement. Dégustez notre délicieux faisan et tous les autres bons plats préparés spécialement pour vous. Vous pourrez également visiter la faisanderie ainsi que le potager biologique. Soyez les bienvenus.

De Montréal, aut. 40 ouest, passer la sortie de Vaudreuil et prendre rte 540 ouest direction Toronto sortie #3. Rte 340 ouest, faire 14 km jusqu'à St-Clet. À l'arrêt, rte 201 nord, faire 1.4 km, à gauche sur Ste-Julie jusqu'au bout, à gauche faire 6.6 km.

At the foot of Mont Rigaud, our little ancestral farmhouse extends a warm welcome. Enjoy our delicious pheasant as well as all the other delectable dishes prepared especially for you. You could also tour the pheasant farm and the organic garden. Welcome.

From Montréal, Hwy. 40 West, drive past the Vaudreuil exit and take Rte. 540 West towards Toronto, Exit 3. Rte. 340 West, drive 14 km to St-Clet. At the stop, Rte. 201 North, drive 1.4 km, left on Ste-Julie to the end, left, drive for 6.6 km.

FERME LA GIROFLÉE
Carole DiSalvo et Michel Archambault
2120, 3e rang
Ste-Justine-de-Newton J0P 1T0
(514) 764-3533

$ REPAS	# P./SEM.	# P./W.E.
$28	10-20	10-20

Terrine de foie de faisan et
rillettes au poivre vert
Potage saisonnier
Feuilleté aux épinards
Faisan au cognac
Carottes persillées ou
Légume de saison
Riz aux fines herbes
Salade verte
Fromages
Crêpes «divines» au chocolat

J F M A M J J A S O N D

30 ST-FULGENCE *Table Champêtre*

Sur les bords du Saguenay dans une maison de ferme plus que centenaire, nous vous proposons une table garnie de légumes et de fines herbes fraîches. Spécialités régionales: gourganes, bleuets, salade verte au lait caillé. Et pourquoi pas un plat typiquement montagnais le «Maguchan»? Ici tout est fait maison: pain, vinaigres, huiles...
De Chicoutimi, pont Dubuc, rte 172 vers Tadoussac. C'est à gauche à 8 km du pont Dubuc.

On the shores of the Saguenay, in a farmhouse more than a century old, we offer a menu with fresh vegetables and herbs. Regional specialties: gourganes (a type of bean), blueberries, green salad with milk curds. And why not try a typical Montagnais dish, "Maguchan"? Here everything is home-made: bread, vinegar, oils...
From Chicoutimi, Dubuc Bridge, Rte. 172 towards Tadoussac. Left 8 km from the Dubuc Bridge.

LA MARAÎCHÈRE DU SAGUENAY
Adèle Copeman Langevin
2 rang St-Joseph, route 172
St-Fulgence G0V 1S0
(418) 674-9384/(418) 674-2247

$ REPAS	# P./SEM.	# P./W.E.
$25	10-20	10-20

Terrine aux pistaches
Pâtes fraîches à la crème et fromage de chèvre
Potage maraîcher
Filet d'agneau farci de champignons
Duxelles en croûte
Verdure du jardin
Dumplings aux pommes au sirop léger et crème douce

J F M A M J J A S O N D

31 ST-PRIME *Table Champêtre*

Aux abords du superbe Lac St-Jean, à notre ferme ancestrale, plaisirs du palais et de la table sont rois. Nos produits de la ferme sont cultivés et préparés avec amour de la terre et de la table. Chez-nous, le régal est assuré car les mets sont caresses gastronomiques. Bienvenue à la Chaudrée des Champs.
Au Lac St-Jean, rte 169 vers Roberval (à 8 km de St-Prime). Face à l'église, tourner à gauche vers le rang 3 puis à gauche vers la Chaudrée des Champs.

On the shores of the superb Lac St-Jean, on our ancestral farm, the pleasures of the palate and the table reign supreme. Our farm products are cultivated and prepared with a love for the earth and cuisine. At our place, delight is guaranteed, as each dish is a gourmet flourish. Welcome to the Chaudrée des Champs.
At Lac-St-Jean, Rte. 169 towards Roberval (8 km from St-Prime). Across from the church, turn left towards Rang 3 then turn left towards the Chaudrée des Champs.

LA CHAUDRÉE DES CHAMPS
Carol Delisle et Martyne Beaucage
460 rang 3
St-Prime G0W 2W0
(418) 251-3943

$ REPAS	# P./SEM.	# P./W.E.
$30	6-20	8-20

Terrine de poulet
Soupe potagère aux gourganes
Salade verte, vinaigrette moutarde
Lapin à l'érable et au cognac
Feuilletés de pommes de terre
Marinades maison et fromage frais local
Pastis à la rhubarbe et aux fraises

J F M A M J J A S O N D

LES PROMENADES À LA FERME/ *PROMENADES À LA FERME IN QUÉBEC (FARM EXCURSIONS)*

Des agriculteurs vous proposent des activités visant à apprivoiser la vie rurale, conçues autant pour des petits groupes que pour plusieurs personnes intéressées à passer quelques heures en pleine nature ou une journée à la ferme.

Qu'il s'agisse d'une sortie pédagogique ou d'une activité pour les membres d'une association, d'une rencontre familiale, d'un pique-nique entre amis, d'une excursion à bicyclette, ou à l'occasion d'une randonnée à la campagne ou d'un ralley en automobile, les fermiers participants offrent aussi bien aux enfants, aux familles, aux amis, qu'aux personnes de tous âges, un choix d'activités qui n'a de limites que celles de leur imagination. Ces visites donnent l'occasion, entre autres, de se familiariser avec la traite des vaches, l'élevage du lapin, la culture maraîchère, l'entretien d'un cheval, la levée des oeufs et la naissance des poussins, le monde des abeilles; elles permettent d'apprendre à identifier les légumes du potager et les plantes sauvages de même qu'à mieux connaître une foule d'animaux dont chèvres, moutons, paons, tourterelles... Des balades à dos de poneys, des randonnées en traîneau, un feu de camp, une épluchette de blé d'Inde, un méchoui sont autant de suggestions que les hôtes pourront vous offrir afin de rendre votre visite agréable et régénératrice.

RÉSERVATION ET ANNULATION

La réservation se fait directement à la ferme choisie. Un dépôt de 40% (minimum de 20.00$) peut être exigé pour la confirmation de votre réservation.

En cas d'annulation, les sommes d'argent prévues et reçues en guise de dépôt seront conservées par l'hôte à titre de dommages et intérêts liquidés, selon la règle suivante:

- Entre 16 et 21 jours, les frais de 10$ seront retenus;
- Entre 8 et 15 jours, 50% du dépôt sera retenu (minimum 20$);
- 7 jours et moins avant la date prévue, le montant total du dépôt sera retenu.

En cas de mauvais temps, contactez votre hôte au tout début de la journée afin de fixer une nouvelle date.

Farmers offer activities for experiencing life in the country, designed for both small and large groups interested in spending a few hours in the great outdoors, or a whole day on a farm.

Whether for a school trip, a get-together for members of an association, a family reunion, a picnic among friends, a bicycle trip, or a longer hike or car rally, the participating farmers offer children, families, friends, and people of all ages a range of activities limited only by the imagination. These excursions offer the opportunity to see facets of the country such as milking the cows, rabbit breeding, market gardening, the upkeep of horses, collecting eggs and raising chicks, the world of bees, as well as many other aspects of daily life on a farm. Visitors will learn to identify garden vegetables and wild plants, as well as a number of animals such as goats, sheep, peacocks, turtledoves... Pony rides, sleigh rides, campfires, corn on the cob, and barbecues are just some of the suggestions your hosts may provide to make your stay pleasant and rejuvenating.

RESERVATION AND CANCELLATION

Reservations should be made directly at the selected farm. A 40% deposit (minimum $20) might be required to confirm the reservation. In case of a cancellation, the money foreseen and received as a deposit will be kept by the host as damages and interests according to the following rules:

- *16 to 21 days' notice, a sum of $10 will be retained;*
- *8 to 15 days' notice, 50% of the deposit will be retained (minimum $20);*
- *7 days or less before the reservation date, the entire sum of the deposit will be retained.*

In case of bad weather, contact the host very early in the day to set a new date.

1 COLERAINE *Promenade à la Ferme*

FERME TATONKA LTÉE
Eva Del Pilar et Jean-Marc Lemay
8336 chemin Couture
Coleraine G0N 1B0
(418) 423-7191

14 km de/from Thetford Mines
75 km de/from Victoriaville
100 km de/from Sherbrooke

Tatonka, une ferme bien particulière. **Le sanglier et le bison dans leur habitat naturel ou en semi-captivité.**

De Montréal, aut. 20 est sortie 228 direction Princeville/Thetford Mines. À Black-Lake, direction Coleraine, prendre Montée St-Julien et faire 3 km. Ou de Québec, aut. 73 sud sortie Vallée Jonction. Rte 112 direction Coleraine.

Pour les groupes de 30 personnes et plus : à l'année (sur réservation)

Visite des bisons et sangliers pour un safari-photo et visite des installations du coral.
Tarif: 3,50 $ par personne et 2,50 $ par étudiant

Pour les familles et les petits groupes :

De mai à novembre:
Visite guidée des bisons et sangliers, du mercredi au dimanche de 9 H 00 à 12 H 00 et de 14 H 00 à 17 H 00.
Tarif: 5,00 $ par personne et 1,50 $ par étudiant accompagnant les parents

---

Tatonka, a unique farm. **Wild boar and buffalo in their natural habitat or in semi-captivity.**

From Montréal, Hwy. 20 East Exit 228 towards Princeville/Thetford Mines. At Black-Lake, towards Coleraine, take Montée St-Julien and drive 3 km. Or from Québec, Hwy. 73 South, Exit Vallée Jonction. Rte. 112 towards Coleraine.

For groups of 30 people or more: year round (with reservations)

Visit the buffalo and the wild boars for a photo-safari, and take a tour of the corral facilities.
Cost: $3.50 per person and $2.50 for students

For families and smaller groups:

From May to November:
Guided tours of the buffalo and wild boars, from Wednesday to Sunday from 9 a.m. to 12 p.m. and 2 p.m. to 5 p.m.
Cost: $5.00 per person and $1.50 per student accompanied by parents.

2 COATICOOK *Promenade à la Ferme*

FERME SÉJOUR NADEAU
Gisèle, Fernand, Martine et Brigitte
666 chemin Nadeau, R.R.3
Coaticook J1A 2S2
(819) 849-3486

5 km de/from Coaticook
38 km de/from Sherbrooke
45 km de/from Magog

Venez apprendre la vache, l'histoire et la transformation du lait. Faites le tour de notre ménagerie: poules, lapins, moutons, chèvres, chevaux, canards, oies, dindes. Montons en voiture pour une balade du côté de la rivière et du ruisseau, observons le troupeau de boeufs, jetons un oeil du côté du rucher et arrêtons-nous un moment près de la chute.

De Montréal, aut. 10 est, sortie 121. Aut. 55 sud, sortie 21, rte 141 sud jusqu'à Coaticook. Après les 1ers feux de circulation, tourner à droite sur rue Cutting, 1ère ferme à gauche.

Pour les groupes de 15 personnes et plus : à l'année

Pour les familles et les petits groupes : sur demande

1ère option:

- Visite de l'étable.
- La vie de la vache.
- L'histoire du lait.
- Transformation du lait.
- Dégustation de produits laitiers.
- Le soin des animaux.
- Balade en voiture.
- Jeux extérieurs.
- Repas froids ou chauds.*
- Épluchette de blé d'Inde.*
- Méchouis agneaux ou porc.*

2e option:

- Visite de la sucrerie.
- Explication fabrication du sirop.
- Dégustation.

Tarif: 5,00 $ par personne/
*** signifie: coût supplémentaire**

Come and learn about cows, the story and transformation of milk. Take a tour of our menagerie: chickens, rabbits, sheep, goats, horses, ducks, geese, turkeys. Let's go for a ride in the car along the river and the stream, watch the herd of cattle, take a look at the bees, and stop a while in front of the falls.

From Montréal, Hwy. 10 East, Exit 121. Hwy. 55 South, Exit 21, Rte. 141 South to Coaticook. After the first traffic lights, turn right on Rue Cutting, 1st farm on the left.

For groups of 15 people or more: year round

For families and smaller groups: with reservations

1st option:

- Tour of the stable.
- The life of a cow.
- The story of milk.
- The transformation of milk.
- Dairy product tasting.
- Animal care.
- Guided tour in the car.
- Outdoor games.
- Cold or hot meals*.
- Corn on the cob*.
- Lamb or pork barbecue*.

2nd option:

- Tour of the sugar shack.
- Explanation of how to make syrup.
- Tasting.

Cost: $5.00 per person
*** additional cost**

3 ROXTON POND *Promenade à la Ferme*

FERME QUÉBÉCOISE
Réal Sorel
788 chemin Grande Ligne
Roxton Pond J0E 1Z0
(514) 372-7744

20 km de/from Granby
30 km de/from St-Hyacinthe
80 km de/from Montréal
80 km de/from Sherbrooke

À la Ferme Québécoise on apprend et on s'amuse en grand. **Vous y verrez**: chevaux, poneys, boeufs, vaches, veaux, chèvres, chevreaux, moutons, agneaux, brebis, porcs, lapins, lapereaux, dindes, coqs, poules, poussins, oies, canards, pigeons, pintades, chiens, chats et **l'étalon d'Ovila de la série «Les Filles de Caleb».**

Aut. 10, sortie 68, rte 139 nord. Face à l'église, rue Bullock et ch. Grande Ligne. C'est à 3.75 km. Ou aut. 20, sortie St-Hyacinthe et rte 137 sud. Surveiller les indications pour Roxton Pond.

Pour les groupes de 30 personnes et plus : à l'année

Pour les familles et les petits groupes : sur demande

- Animation agricole sur différents thèmes: la traite des vaches comme à l'ancienne, le cheval canadien, la fabrication du harnais, l'érablière...
- Un contact avec la nature et les petits animaux.
- Des activités variées: balade en voiture à cheval, tour de voiture à foin, promenade à dos de poney.

Tarif: 4,75 $ par personne

- D'autres activités sont aussi proposées: la balade de nuit en voiture à cheval, l'épluchette de blé d'inde, la musique, le feu de camp, le méchoui...

Tarif: de 7,00 $ à 30,00 $ par personne

At the Ferme Québecoise, you can learn and have a great time. **You will see**: horses, ponies, steers, cows, calves, goats, kids, sheep, lambs, ewes, pigs, rabbits, bunnies, turkeys, roosters, chickens, chicks, geese, ducks, pigeons, guinea fowl, dogs, cats and **Ovila's stallion from the series *Emilie*.**

Hwy. 10, Exit 68 Rte. 139 North. Facing the church, Rue Bullock and Chemin Grande Ligne. It is 3.75 km away. Or Hwy. 20, St-Hyacinthe Exit and Rte. 137 South. Watch for signs for Roxton Pond.

For groups of 30 people or more: year round

For families and smaller groups: by request

- Agricultural activities with different themes: milking cows the old-fashioned way, Canadian horses, making a harness, the sugar shack...
- Contact with nature and small animals.
- Various activities: ride in a horse-drawn carriage, hay ride, pony ride.

Cost: $4.75 per person

- Other activities are offered: ride in a horse-drawn carriage at night, corn on the cob, music, campfire, barbecues...

Costs: from $7.00 to $30.00 per person

4 STE-CÉCILE-DE-MILTON *Promenade à la Ferme*

LES ÉCURIES EL POCO
Nicole et Armand Daunais
817 rang 5 Est
Ste-Cécile-de-Milton J0E 2C0
(514) 372-5466

18 km de/from Granby
22 km de/from St-Hyacinthe
60 km de/from Montréal
80 km de/from Sherbrooke

Apprentissage, découverte et loisirs sains qui plairont aux petits et grands. **El Poco, centre d'équitation, petite ferme, camp de jour et séjour pour jeunes.**

De Montréal, aut. 10 est sortie 68 direction Granby via rte 137. Ou aut. 20 sortie St-Hyacinthe, rte 137 direction Granby. De la rte 137, prendre 5e rang Ste-Cécile-de-Milton.

Pour les groupes de 25 personnes et plus : mai à novembre

Pour les familles et les petits groupes : 23 mai

- Visite de la mini-ferme et soins apportés aux différents animaux: chevaux, poulains, étalons, chevreaux, brebis, agneaux, lapins, dindes, coqs, poules, canards, oies, pigeons, chiens et chats.
- Visite de l'écurie et du manège intérieur, des chevaux et de leur entretien.
- Le travail du forgeron, la nourriture apportée aux chevaux.
- Comment longer un cheval aux trois allures.
- Comment seller son cheval.
- Un tour à cheval.
- Piste d'hébertisme.
- Cours d'équitation*.
- Initiation au canotage*.
- Vélo de montagne*.
- Chasse au trésor*.
- Orientation et survie en forêt*.
- Tir à l'arc et à la carabine*.

Tarif: 4,00 $ à 8,00 $ par personne/
*** signifie: coût supplémentaire**

Learning, discovery and healthy fun for people of all ages. **El Poco, horseback riding centre, small farm, children's camp (for one day or a longer stay).**

From Montréal, Hwy. 10 East, Exit 68 towards Granby via Rte. 137. Or Hwy. 20 St-Hyacinthe Exit, Rte. 137 towards Granby. From Rte. 137, take the 5th road Ste-Cécile-de-Milton.

For groups of 25 people or more: May to November

For families and smaller groups: May 23rd

- A tour of the mini-farm to see how to take care of various animals: horses, foals, stallions, kids, ewes, lambs, rabbits, turkeys, roosters, chickens, ducks, geese, pigeons, dogs and cats.
- Visit the stable and the interior riding ring, see the horses and how to take care of them.
- The blacksmith's work, feeding the horses.
- How to exercise a horse using all three gaits.
- How to saddle a horse.
- Outdoor exercise trail.
- Horseback riding course*.
- Introduction to canoeing*.
- Mountain biking*.
- Treasure hunt*.
- Orientation and survival in the forest.
- Archery and target practise.

Cost: $4.00 to $8.00 per person
*** additional cost**

5 OKA *Promenade à la Ferme*

PETITE MAISON DANS LA PRAIRIE
Huguette Merienne
2051 chemin Oka, route 344
Oka J0N 1E0
(514) 479-6372

23 km de/from St-Eustache
52 km de/from St-Jérôme
45 km de/from Montréal

Visitez notre basse-cour, découvrez nos aires de jardinage. Clochette et Persil, nos marionnettes ainsi que notre jardinier, M. Manche de Pelle, se feront un plaisir de discuter avec vous de la diversité ainsi que des modes de culture de nos légumes de jardin. Grand-mère Canne vous invite à écouter les potins de la basse-cour («Y paraît que l'oeuf de Mme LaTourelle...bla, bla, bla...»).

Aut. 640 ouest, jusqu'au chemin d'Oka (rte 344 ouest), sortie à votre droite jusqu'à 2051. Nous sommes situés au pied du Mont-Calvaire, tout près du parc Paul-Sauvé et du lac des Deux-Montagnes.

Pour les groupes de 25 personnes et plus : de juin à octobre (sur réservation)

- Théâtre de marionnettes.
- Visite de la basse-cour et des jardins.
- Histoire de l'épouvantail.
- Bricolage, danses et chants.
- Visite du Centre d'Interprétation de la Nature.
- Dégustation de maïs et crudités*.
- Cueillette de légumes*.
- Le cahier du petit fermier*.

Tarif: 4,50 $ par personne/
*** signifie: coût supplémentaire**

Come and visit our farmyard, discover our gardens. Clochette and Persil (Bell and Parsley) our marionettes, as well as our gardener Mr. Manche de Pelle (Mr. Spade Handle) will be happy to talk with you about the different kinds of vegetables in our garden, and how they grow. Grandmother Canne invites you to listen to the farmyard gossip ("It seems that Mme LaTourelle's eggs... blah, blah, blah...").

Take Hwy. 640 West, to the Chemin d'Oka (Rte. 344 West), exit on your right to 2051. We are located at the foot of Mont Calvaire, very near Parc Paul-Sauvé and Lac des Deux-Montagnes.

For groups of 25 people or more: from June to October (with reservations)

- Marionette puppet theatre.
- Farmyard and garden visits.
- The story of the scarecrow.
- Arts and crafts, dancing and singing.
- Visit to the Nature Interpretation Centre.
- Corn and fresh vegetable snack*.
- Picking vegetables*.
- The little farmers workbook*.

Cost: $4.50 per person
*** additional cost**

6 ST-BENOÎT, MIRABEL *Promenade à la Ferme*

INTERMIEL
Viviane et Christian Macle
10291 la Fresnière
St-Benoît, Mirabel J0N 1K0
(514) 258-2713: (téléphone et télécopieur)

15 km de/from St-Eustache
8 km de/from Oka
35 km de/from Lachute

À St-Benoît, visitez la plus grande surface apicole au Québec. Le tour guidé vous propose la visite de notre hydromellerie, un vidéo, des démonstrations et un safari abeilles en saison. L'accès à une salle de jeux éducatifs et à notre boutique est libre.

De Montréal, aut. 15 nord, sortie 20, aut. 640 ouest, sortie 11. Première route à gauche, boul. Industriel, puis quatrième à droite, chemin de la Fresnière. Faire 11 km.

Pour les groupes de 50 personnes et plus : ouvert à l'année (sur réservation)
Écoles: Visite éducative d'une durée de 2 heures.
Tarif: 4,50 $ (incluant collation et pot de miel)

Pour les familles et les petits groupes : ouvert à l'année (fin de semaine)
Visite guidée d'une durée d'une heure avec dégustation des produits de la ruche.
Tarif gratuit. Si dégustation d'hydromel: **tarif de 1,00 $ par personne**

- Film sur les différentes activités apicoles de la ferme.
- Interprétation de l'abeille.
- Observation de ruches vivantes.
- Manipulation par l'apiculteur d'une ruche en activité (saison estivale).
- Démonstrations des techniques de production de miel, pollen, gelée royale, cire.
- Visite de l'hydromellerie.
- Dégustation du vin de miel et de tous les produits de la ruche*.
- Salle de jeux éducatifs.
- Théâtre de marionnettes.
- Boutique d'exposition.
- Aire de pique-nique.
- Promenade en forêt.

Tarif école: 4,50 $ par personne/
*** signifie: coût supplémentaire**

At St-Benoît, come to the largest beekeeping area in Québec. The guided tour includes a visit to the "Honey Wine Cave", a video, demonstrations of our various products and a "Bee Safari" in season. Free entrance to the educational games room and our honey boutique.

From Montréal, Hwy. 15 North, Exit 20, Hwy. 640 West, Exit 11. First road on the left, Blvd. Industriel, then the fourth on the right, Chemin de la Fresnière. Drive 11 km.

For groups of 50 people or more: year round (with reservations)
Schools: educational tour lasting 2 hours
Cost: $4.50 (including snack and jar of honey)

For families and smaller groups: year round (weekends)
Guided tour lasting one hour with beehive product tasting
Cost: free. With honey wine tasting $1.00

- Video of different beekeeping activities on the farm.
- Interpretation of the life of bees.
- Observation of living hives.
- Handling of live beehive by beekeeper (summer season).
- Demonstration of techniques for producing honey, pollen, royal jelly, beeswax.
- Tour of the "Honey Wine Cave".
- Honey wine tasting and sampling of all beehive products*.
- Educational games room.
- Marionette puppet theatre.
- Exhibition boutique.
- Picnic area.
- Walking in the forest.

Cost: Schools: $4.50 per person
*** additional cost**

7 ROUGEMONT *Promenade à la Ferme*

FERME LILI TURGEON
Lili Turgeon
1340 Grande Caroline, route 231
Rougemont J0L 1M0
(514) 469-3818

30 km de/from Granby
20 km de/from St-Hyacinthe
12 km de/from Marieville
40 km de/from Montréal

Face au mont Rougemont, un site idéal pour les tout-petits des maternelles et garderies. Je vous attends au verger, au jardin ou au potager. Mes petits amis sont aussi impatients de vous rencontrer. Je vous les présente : le poney, la chèvre, le porc, le lapin, la dinde, le coq, la poule, le canard, la pintade, le chien et le chat.

De Montréal, aut. 10 est sortie 29. Rte 133 nord pour 3 km. Rte 112 est jusqu'à la rte 231. À gauche pour 5 km.

Pour les groupes de 15 personnes et plus : mai à novembre

- Rencontre des petits animaux à l'heure du lunch.
- Culture de la pomme.
- Fleurs, légumes et petits fruits.
- Jardin de fines herbes.
- Balade en voiture avec petit tracteur.
- Pique-nique et balançoires.
- Cueillette de pommes en septembre et octobre*.

Tarif: 3,50 $ par personne/
*** signifie: coût supplémentaire**

Facing Mont Rougemont, the ideal place for little ones in daycare or kindergarten. I will be waiting for you in the orchard, the flower garden or the vegetable garden. My little friends will also be happy to see you. Let me introduce you: the pony, the goat, the pig, the rabbit, the turkey, the rooster, the chicken, the duck, the guinea fowls, the dog and the cat.

From Montréal, Hwy. 10 East, Exit 29. Rte. 133 North for 3 km. Rte. 112 East to Rte. 231. Left for 5 km.

For groups of 15 people or more: May to November

- Meet the animals at their lunch time.
- Apple growing.
- Flowers, vegetables, and berries.
- Herb garden.
- Ride in a little tractor.
- Picnic and swings.
- Apple picking in September and October*.

Cost $3.50 per person
*** additional cost**

8 ROUGEMONT *Promenade à la Ferme*

LA MAISON CHEZ-NOUS
Jacques Noiseux
61 rang des 10 Terres, route 112
Rougemont J0L 1M0
(514) 469-3833

40 km de/from Montréal
40 km de/from Granby
30 km de/from St-Hyacinthe

«Chez-nous» l'activité est variée. **Nos animaux**: chevaux de trait, vaches, bovins, veaux, chèvres, chevreaux, moutons, agneaux, lapins, poules pondeuses, poulets de grain, oies... **Nos spécialités**: culture de fruits et légumes biologiques, de fleurs coupées et séchées; artisanat (tissage : nappes, foulards...), menuiserie (jardinières, meubles de jardin...), pain de ménage.

Rte 112. Entre Marieville et Rougemont, au marché aux puces, tourner à gauche venant de Montréal ou à droite venant de Granby. Faire 1.6 km, tourner à droite au rang des 10 Terres.

Pour les groupes de 20 personnes et plus : à l'année en tout temps (sur réservation)

Pour les familles et les petits groupes : les fins de semaine (sur réservation)

- La vie à la manière des ancêtres.
- Le soin aux animaux, l'entretien des ruches.
- La culture biologique des fruits et légumes.
- L'histoire de grains de céréales jusqu'au pain et pâtisserie.
- L'artisanat: cardage de la laine, tissage.
- Les propriétés médicinales des plantes.
- Le folklore chanté et dansé.
- Balade en voiture à chevaux.
- Jeux: fer, ballon volant, pétanque, feu de camp.
- Soirée canadienne avec «l'accordéonneux».
- Marche/escalade du Mont-Rougemont.
- Visite au Centre d'Interprétation de la Pomme.
- Dégustation de pain de ménage, biscuits, jus naturels.
- Épluchette de blé d'inde*.
- Méchoui*.
- Repas simple à partir des produits de la ferme*.
- Pêche à la truite dans l'étang*.
- Parties de sucre pour groupes privés*.

Tarif: à partir de 3,00 $ par personne/
*** signifie: coût supplémentaire**

At our place, the activities are varied. **Our animals**: draught horses, cows, cattle, calves, goats, kids, sheep, lambs, rabbits, egg-laying chickens, free-range chickens, geese... **Our specialties**: growing organic fruits and vegetables, cut and dried flowers, arts and crafts (weaving: tablecloths, scarves...), carpentry (window boxes, garden furniture...), home-made bread.

Rte. 112. Between Marieville and Rougemont, at the Marché aux Puces (Flea Market), turn left if you are coming from Montréal or right if you are coming from Granby. Drive 1.6 km, turn right on Rang des 10 Terres.

For groups of 20 people or more: year round, at any time (with reservations)

For families and smaller groups: weekends (with reservations)

- Life as our ancestors lived.
- Animal care, maintaining the beehives.
- Organic fruit and vegetable growing.
- The story of grains and cereals becoming bread and pastries.
- Arts and crafts: carding wool, weaving.
- The medicinal properties of plants.
- Folklore songs and dances.
- Ride in the horse-drawn carriage.
- Games: horseshoes, volleyball, petanque, campfire games.
- Canadian folk evening with the "accordéonneux" (the accordionists).
- Walk/hike on Mont Rougemont.
- Visit to the Apple Interpretation Centre.
- Snack of home-made bread, cookies, natural juices.
- Corn on the cob*.
- Barbecue*.
- Simple meal from farm produce*.
- Trout fishing in the spring*.
- Maple sugar parties for private groups*.

Cost: $3.00 per person
*** additional cost**

9 ST-DAVID, YAMASKA *Promenade à la Ferme* 

LA FERME DE «LA TABLÉE»
Manon Chapdelaine et Mario Laliberté
130 rang Rivière David
St-David, Yamaska J0G 1L0
(514) 789-2305

25 km de/from Sorel
35 km de/from Drummondville
60 km de/from St-Hyacinthe

À la ferme de «La Tablée», nous irons nous promener. Vous ferez connaissance avec les chevaux de trait, lapins, oies, canards, dindes, paons, porcs, chiens et chats.

De Montréal, St-Hyacinthe et Drummondville, aut. 20, sortie 170, Yamaska-Sorel, rte 122 ouest. Faire 25 km jusqu'à St-David. Au bout du chemin du village, tourner à droite, faire 2 km.

Pour les groupes de 20 personnes et plus : mai à octobre

- Visite de l'écurie et de la maréchalerie.
- Visite des petits animaux.
- Randonnée en voiture à cheval.
- Jeux: fers, ballon-volant, badminton.
- Abri (en cas de pluie).

Tarif: 4,50 $ par personne

- Méchoui: (groupe de 30 personnes et plus) de mai à octobre.

Tarif: 20,00 $ à 25,00 $ par personne

- Clinique sur le cheval et la maréchalerie.

Tarif: 9,50 $ par personne

At the "La Tablée" farm, we will spend time walking around. You will get to know draught horses, rabbits, geese, ducks, turkeys, peacocks, pigs, dogs and cats.

From Montréal, St-Hyacinthe and Drummondville, Hwy. 20 Exit 170, Yamaska-Sorel, Rte. 122 West. Drive 25 km to St-David. At the end of the village road, turn right, drive 2 km.

For groups of 20 people or more: May to October

- Tour of the stable and the blacksmith's shop.
- See small animals.
- Trip in a horse-drawn carriage.
- Games: horseshoes, volleyball, badminton.
- Shelter (in case of rain).

Cost: $4.50 per person

- Barbecue (groups of 30 people or more) May to October.

Cost: $20.00 to $25.00 per person

- Workshop on horses and blacksmith's trade.

Cost: $9.50 per person

10 ST-PAUL-D'ABBOTSFORD *Promenade à la Ferme*

LA PETITE BERGERIE
Pierrette et Michel Scott
1460 rang Papineau
St-Paul-D'Abbotsford J0E 1A0
(514) 379-5842

15 km de/from Granby
10 km de/from St-Césaire
25 km de/from St-Hyacinthe

Voici dans un petit rang de campagne, au pied d'une montagne où vous ne vous doutez de rien, vivent tout en s'amusant Annabelle la vache, Églantine la brebis, Charlotte la chèvre et leurs amis. Ils vous convient à venir apprendre tout en passant de doux moments en leur compagnie et découvrir les milles et une merveilles de la vie à la ferme.

Aut. 10, sortie 235 direction Ange Gardien. À la sortie de l'Ange Gardien, tourner à gauche, faire environ 5 km. 2e rang à droite.

Pour les groupes de 20 à 50 personnes : avril à octobre

- Visite des petites animaux (moutons, chèvres, lapins, canards, poules, etc.).
- Visite des animaux de boucherie.
- Promenade en voiture à foin.
- Visite de l'érablière et d'une ancienne cabane à sucre.
- Visite de cabanes dans les arbres.
- Étude des feuillages et arbres.
- Visite des oiseaux dans leur habitat.
- Jeux de groupe (tir au cable, jeu de fer, ballon-panier, jeu partir en voyage).
- Épluchette de blé d'inde*.
- Méchoui*.

Tarif: 4,00 $ par personne/
*** signifie: coût supplémentaire**

Here, on a little country road, at the foot of a mountain, where you wouldn't expect to see anything, live Annabelle the cow, Églantine the ewe, Charlotte the goat and their friends. They invite you to come and learn while having fun with them and discovering the thousand and one marvels of the farm.

Hwy. 10, Exit 235 towards Ange Gardien. At the exit from Ange Gardien, turn left and drive about 5 km, 2nd road on the right.

For groups of 20 to 50 people : April to October

- Visit small animals (sheep, goats, rabbits, ducks, chickens, etc.).
- Visit cattle.
- Tour the maple grove and an old sugar shack.
- Visit cabins in the woods.
- Study leaves and trees.
- Observe birds in their habitat.
- Group games (tug-of-war, horseshoes, basketball, travel game).
- Corn on the cob*.
- Barbecue*.

Cost: $4.00 per person
*** additional cost**

11 ST-VALÉRIEN *Promenade à la Ferme*

LA RABOUILLÈRE
Pierre Pilon
1073 rang de l'Égypte, route 137
St-Valérien J0H 2B0
(514) 793-2329/(514) 793-4998

80 km de/from Montréal
20 km de/from St-Hyacinthe
20 km de/from Granby

La Rabouillère, un véritable zoo agricole. Votre hôte, médecin vétérinaire, vous communiquera sa passion pour les animaux et les fleurs... Une collection sans pareille d'une multitude d'espèces et de races animales dans un décor paysager exceptionnel.

De Montréal, aut. 10 est, sortie 68, rte 137 direction St-Hyacinthe. Tourner à droite au chemin St-Valérien. Ou aut. 20, sortie 141 direction St-Valérien.

Pour les groupes de 30 personnes et plus : mai à novembre

Pour les familles et les petits groupes : juin à septembre (tous les dimanches sur réservation)

- Le jardin: 300 variétés de fleurs vivaces et de fines herbes (les fleurs en cuisine, le compostage, le jardin d'eau; sa faune et sa flore).
- Le clapier: 5 000 lapins toutes races (lapin géant, nain, angora...).
- La chèvrerie: le soin, les différentes races (laitières, angora...).
- L'élevage des chevaux: visite de l'écurie, soin et entraînement des poulains.
- La bergerie: les différentes races, le soin des agneaux...
- La basse-cour: plus de 50 variétés d'oiseaux...
- Les curiosités: le lama, les chèvres naines, le porc vietnamien nain, les bovins scottish highland.
- Autres activités: tour de poney, terrain de jeu, piscine, volleyball..., animation musicale (chansonnier ou classique)*, feu de camps*, méchoui*, épluchette de blé d'Inde*, dégustation de terrines, pâtés et brochettes*.

Tarif: 4,50 $ par personne/
*** signifie: coût supplémentaire**

La Rabouillère is a veritable agricultural zoo. Your host, a veterinarian, conveys his enthusiasm for animals and flowers easily... A unique collection of many animal species and breeds in exceptional countryside.

From Montréal, Hwy. 10 East, Exit 68, Rte. 137, towards St-Hyacinthe. Turn right on Chemin St-Valérien. Or Hwy. 20, Exit 141 towards St-Valérien.

For groups of 30 people or more: May to November

For families and smaller groups: June to September (every Sunday, with reservations)

- The garden: 300 varieties of perennial flowers and herbs (flowers in the kitchen, composting, a water garden; its flora and fauna).
- The rabbit hutch: 5 000 rabbits of different breeds (giant rabbit, dwarf, angora...).
- Goats: care, the different breeds (milk, angora...).
- Horse raising: a visit to the stable, care and training the foals.
- Sheep: the different breeds, care of the lambs...
- The farmyard: more than 50 varieties of birds...
- Curiosities: llamas, dwarf goats, Vietnamese mini-pigs, Scottish Highland terriers.
- Other activities: pony rides, games field, pool, volleyball..., musical shows (singing or classical)*, campfire*, barbecue*, corn on the cob*, snack of terrines, patés and brochettes.

Cost: $4.50 per person
*** additional cost**

QUATRE FORMULES POUR VOS VACANCES
THREE HOLIDAY PACKAGES

GÎTES DU PASSANT*

Chambres d'hôtes et petit déjeuner servi dans une maison privée soit à la campagne, à la ferme, au village, en banlieue ou à la ville. Autant de gîtes, autant d'hôtes, autant de façons d'être accueilli, autant de diversité dans les services et le confort... autant de prix. Le Gîte du Passant est limité à cinq chambres par maison. Pour un court ou un long séjour, optez pour l'un des 265 Gîtes du Passant, répartis dans toutes les régions du Québec.

BED AND BREAKFASTS

This option offers bed and breakfast in a private residence in the country, on a farm, in a village, in the city or on the outskirts. There are as many different kinds of lodgings and friendly hosts as there are warm welcomes and varieties of facilities and comforts...as well as flexible prices. The Gîte du Passant offers up to five rooms per residence. For a long or a short stay, choose one of the 265 Gîtes du Passant throughout the Québec regions.

AUBERGES DU PASSANT

Chambres d'hôtes et petit déjeuner dans une petite auberge à caractère familial. Ces établissements offrent en location 12 chambres et moins et certains offrent le service des autres repas en salle à manger. Vous y retrouverez un accueil des plus chaleureux car ces auberges sont gérées par les propriétaires.

COUNTRY INNS

Bed and breakfast in a small country inn with a relaxed atmosphere. These establishments have up to 12 bedrooms, and some provide additional meals in the dining rooms. The service is bound to be welcoming, as these inns are managed by their owners.

GÎTES À LA FERME

Chambres d'hôtes et pension complète ou demi-pension dans une maison de ferme. Des hôtes vous proposent la découverte d'activités en milieu agricole. Selon le type d'exploitation agricole, les animaux et les activités diffèrent. Certains Gîtes à la Ferme accueillent des enfants non-accompagnés d'adultes. 24 Gîtes à la Ferme vous convient à une expérience unique en milieu naturel (voir liste p 45).

FARM HOUSES

This fun-filled holiday package means bed and full board or half board in a farm house, where hosts invite you to discover the excitement of a farm. The activities on each farm differ according to the type of animals and farming. Certain farms will allow children without adults. 24 Farm Houses in the province, the whole family can have a fun and unique holiday in a natural environment, (see list p 45).

MAISONS DE CAMPAGNE

Maisons de ferme ou chalets tout équipés, pour un séjour autonome. Conçues pour l'accueil de vacanciers, ces Maisons de Campagne sont situées à proximité de la ferme ou tout simplement à la campagne, où l'on vous offre la chance de vivre des moments paisibles en accord avec la nature. Location au mois, à la semaine et à la fin de semaine.

COUNTRY HOUSES

For those travellers who prefer an independent holiday, a Country House is ideal. These listings are for private, fully equipped houses or cottages either near a farm or peacefully tucked away in the country. Monthly, weekly or weekend rates allow for a custom-made heavenly escape of peaceful moments.

* Marque de commerce déposée

**Registered trademark*

RÉSERVATIONS

Il est toujours préférable de réserver quelques temps à l'avance afin de s'assurer de la place disponible. Pour réserver, communiquez directement avec l'hôte par courrier ou par téléphone. Étant donné que chaque endroit est fort différent, il est généralement recommandé de convenir avec votre hôte: du nombre de lits à prévoir, du type d'occupation désiré (simple, double, triple...), des possibilités de se restaurer à proximité du gîte, de l'heure de votre arrivée, de l'heure précise jusqu'à laquelle votre réservation sera maintenue en cas de retard et des modalités de paiement acceptés. Prévoyez généralement des chèques de voyage ou de l'argent comptant. Les endroits qui acceptent des cartes de crédit sont indiqués par l'un des pictogrammes suivants: VS (Visa) ou MC (Master-Card). De plus, si vous avez certaines contre-indications (ex: vous êtes allergique aux animaux domestiques), il est fortement recommandé de le préciser avant de réserver.

DÉPÔT ET ANNULATION

Un dépôt de 40% ou un minimum 20$ peut être exigé pour confirmer une réservation. Le solde sera versé lors du séjour. En cas d'annulation, il est conseillé de remettre la réservation à une date ultérieure afin de ne pas perdre son dépôt. Les sommes d'argent prévues et reçues en guise de dépôt seront conservées par l'hôte à titre de dommages et intérêts liquidés, selon la règle suivante:

entre 16 et 21 jours: des frais de 10$ seront retenus; entre 8 et 15 jours: des frais de 50% du dépôt seront retenus (minimum 20$); sept jours et moins avant le début du séjour: le montant total du dépôt sera retenu.

TARIFS

Quoique le guide fasse l'objet d'une révision complète à chaque année, tous les renseignements contenus dans celui-ci peuvent être sujets à changement sans préavis. Toutefois, les tarifs indiqués à chacun des établissements sont fixés jusqu'au 31 mars 1994.

Selon les lois fédérales et provinciales, le client peut s'attendre à payer les taxes de 7% et 4%. Ces dernières peuvent être incluses au tarif inscrit dans ce guide ou exigées lors de votre paiement.

RESERVATIONS

To be sure of getting the size and type of accommodation you wish, it is always advisable to reserve in advance. For reservations, contact the establishment directly by mail or by telephone. Since each place is different, it is usually a good idea to confirm details with your host: the type of room, the number of beds per room, whether single or double beds, what restaurant facilities are nearby, what time you plan to arrive, up until what time your reservation should be held in case of delay, what forms of payment are accepted, etc. Generally, you should plan on paying with traveller's cheques or cash. The establishments which accept credit cards are indicated by the following pictograms: VS (Visa) or MC (Master-Card). As well, if you have any conditions which might prove important (for example, if you are allergic to pets), it is strongly recommended you mention it to your hosts before making your reservations.

DEPOSIT AND CANCELLATION

A deposit of 40% or a minimum of $20 may be required to confirm a reservation. The balance of the fee will be paid during your stay. If a cancellation is unavoidable, it is recommended you reschedule the trip rather than lose the deposit. The money foreseen and received as a deposit will be kept by the host as damages and interest according to the following rules:

16 to 21 days' notice: $10 non-refundable; 8 to 15 days' notice: 50% of deposit (minimum $20) non-refundable; 7 or fewer days' notice: entire deposit non-refundable.

PRICES

All information in this guide is subject to change without notice. However, the prices listed for each establishment are valid until March 31, 1994.

Customers might be expected to pay the federal Goods and Services tax (7%) and the provincial tax (4%). These taxes can be included in the prices mentioned in this guide or charged on payment.

LES RÉGIONS TOURISTIQUES DU QUÉBEC

QUÉBEC REGIONS MAP

1. Abitibi-Témiscamingue (52)
2. Bas Saint-Laurent (54)
3. Charlevoix (65)
4. Chaudière-Appalaches (73)
5. Coeur-du-Québec (82)
6. Duplessis (89)
7. Estrie (93)
8. Gaspésie (103)
9. Îles-de-la-Madeleine (117)
10. Lanaudière (119)
11. Laurentides (123)
12. Laval (135)
13. Manicouagan (137)
14. Montérégie (143)
15. Montréal (151)
16. Outaouais (161)
17. Québec (165)
18. Saguenay-Lac-Saint-Jean (178)

TABLEAU DES SYMBOLES
SYMBOL TABLE

F — Français parlé couramment
French spoken fluently

f — *Français parlé un peu*
Some French spoken

A — Anglais parlé couramment
English spoken fluently

a — Anglais parlé un peu
Some English spoken

Accessible aux non-fumeurs seulement
Non-smokers only

Accessible aux personnes handicapées
Accessible to disabled

Présence d'animaux domestiques
Pets on the premises

Accueil au transport public
Shuttle from public transportation

ℜ12 — Distance (km) restaurant le plus près
Distance (km) to nearest restaurant

VS — Carte Visa acceptée
Visa accepted

MC — Carte Master Card acceptée
Master Card accepted

Restaurant sur place
Restaurant on site.

M5 — Dist. (km) marché d'alimentation
Distance (km) nearest grocery store

Enfants non-accompagnés bienvenus
Unaccompanied children welcome

COMMENT UTILISER CE GUIDE
HOW TO USE THIS GUIDE

Les GÎTES et AUBERGES DU PASSANT vous sont présentés selon le format suivant :
The establishments are presented in the following way :

1 ÎLE NEPAWA *Gîte du Passant* (2) (3) F A 🐕 🚗 🚶 ℜ30

(1)

FERME VACANCES
Hélène et Herman Wille
695, R.R. #1
Ste-Hélène-de-Mancebourg
J0Z 2T0

On one of the three thousand islands on Lake Abitibi come and stay with Québécois of German origin. We raise cows, goats and riding horses. Swimming, hunting and fishing.

Sur une des 3000 îles du lac Abitibi, venez vivre avec des québécois d'origine germanique. Nous élevons bovins, chèvres et chevaux d'équitation. Activités nautiques, chasse et pêche.

From Rouyn, Rte. 101 towar LaSarre. Approximately 3 km pa LaSarre, follow signs for Ste-Hélène and, after, signs for the Island (gravel road). It is the first house on the right after the bridge.

(4) $ 20-23, $$ 30-33 ☻5-10

(1er : 2 ch) (2 sb) (5)

(6) J F M A M J J A S O N D

De Rouyn, rte 101 vers LaSarre. Environs 3 km après LaSarre, suivre s indications pour Ste-Hélène et uite pour l'île (route gravelée). est la 1ère maison à droite après le pont de l'île.

LÉGENDE / *KEY :*

(1) Localité où se situe le gîte. Le numéro correspond à celui apparaissant sur la carte régionale.

Location of the establishment. The number corresponds to the one shown on the regional map.

Type de services offerts. (voir page 39)

Type of services offered. *(see page 39)*

(3) Langues parlées et informations diverses. Voir le tableau des symboles sur la page précédente.

Languages spoken and different informations. Refer to the symbol table on previous page.

Tarifs / *Rates*

$ Tarif pour 1 personne
Rate for 1 person

$$ Tarif pour 2 personnes
Rate for 2 people

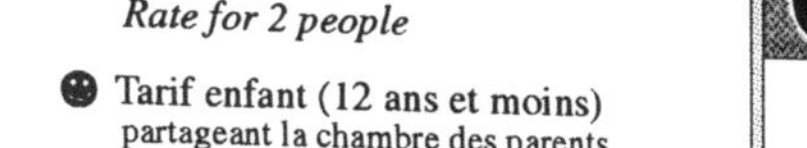

☻ Tarif enfant (12 ans et moins) partageant la chambre des parents
Rate for children (12 and under) sharing parent's room

SS : Sous-sol
Basement
Rc : Rez-de-chaussée
ground floor
1er : 1er étage
1st floor
2e : 2e étage
2nd floor

ch : Nombre de chambres disponibles
Number of rooms available

sb : Nombre de salles de bain partagée ou privée disponibles (salle de bain, salle d'eau, salle de douche).
Number of private or shared bathrooms available (full bath., half bath., shower only).

Exemple :

1er : 2ch. : Nombre de chambres disponibles par étage
Number of rooms per floor.

Calendrier d'ouverture :
Months of operation :

Blanc Mois d'ouverture
White *Months open*

Noir Mois de fermeture
Black *Months closed*

Gris Mois où une réduction de court ou long séjour est applicable
Grey *Months were short or long term reduction are applicable*

COMMENT UTILISER CE GUIDE (suite)
HOW TO USE THIS GUIDE (continued)

Les MAISONS DE CAMPAGNES vous sont présentées selon le format suivant:
The COUNTRY HOUSES are presented in the following way:

NBR DE MAISONS	CH	PERS	$SEM-ÉTÉ	$SEM-HIVER	$WE-ÉTÉ	$WE-HIVER
1 à 3	2 à 3	6 à 8	250	---	SUR DEM.	---

	Nbre Maisons de Campagne disponibles *Number of Country Houses available*	$SEM-ÉTÉ	Tarif semaine en été *Rate per week (summer)*
CH	Nombre de chambres disponibles *Number of rooms available*	$SEM-Hiver	Tarif semaine en hiver *Rate per week (winter)*
PERS	Capacité d'accueil *Guest capacity*	$WE-Été	Tarif week-end en été *Rate weekend (summer)*
		$WE-Hiver	Tarif week-end en hiver *Rate weekend (winter)*

GÎTES OFFRANT LES VACANCES À LA FERME
COMPLETE LIST OF FARM HOUSES

		TARIFS/jour *PRICES/day*		ANIMAUX/*ANIMALS*	ACTIVITÉS/*ACTIVITIES*
		2 repas/ *2 meals*	3 repas/ *3 meals*		
ABITIBI-TÉMISCAMINGUE					
Île Nepawa Ferme Vacances ☎ 819-333-6103 (page 53)	adulte/*adult:* enfant/*children:* enfants seuls/ *child alone:*	28-32 10-20 ---	35-40 15-25 30	Chèvres, chevaux d'équitation, bovins, chiens, chats, poules./*Goats, riding horses, cattle, dogs, cats, hens.*	Cueillette de petits fruits, nourrir poules et veaux, ramasser les oeufs, jardinage, canotage, baignade, pêche, ski nautique, grange solaire, équitation sur place./*Picking small fruits, feeding of the hens and the calves, eggs picking, gardening, canoeing, swimming, fishing, water skiing, solar barn, horse riding.*
BAS ST-LAURENT					
Îsle-Verte Ferme Côte D'Or ☎ 418-898-6147/418-898-2993 (page 57)	adulte/*adult:* enfant/*children:* enfants seuls/ *child alone:*	40 20 30	45 25 35	Veaux de grain, vaches, poulets, chien, chat./*Corn-fed calves, cows, chickens, dog, cat.*	Bicyclette, randonnée en tracteur dans les champs, visite à la ferme./*Biking, tractor ride in the fields, farm visit.*
St-Gabriel Bergerie Fleuriault ☎ 418-798-4315 (page 59)	adulte/*adult:* enfant/*children:* enfants seuls/ *child alone:*	32 10-15 ---	40 10-20 30-35	Agneaux, moutons (400 bêtes), cheval, âne, volailles, chiens, chats./*Lambs, 400 sheeps, horse, donkey, fowls, dogs, cats.*	Cueillette des fruits sauvages, soins aux animaux, agnelage, participation au tri des bêtes, entretien paysager, temps des foins, des semences et des récoltes, promenades à dos d'âne, ramassage des oeufs./*Wild fruits picking, animal care, lambing, participation to the beast tri, landscape maintenance, haymaking, seed and harvesting season, donkey riding, eggs picking.*

		TARIFS/jour *PRICES/day*		ANIMAUX/*ANIMALS*	ACTIVITÉS/*ACTIVITIES*
		2 repas/ *2 meals*	3 repas/ *3 meals*		
St-Jean-de-Dieu Ferme Paysagée ☎ 418-963-3315 (page 60)	adulte/*adult:* enfant/*children:* enfants seuls/ *child alone:*	--- --- ---	35 12-30 35	Chevreuils, lamas, poney, mouton, chèvres, lapins, canards, vaches./*Roe deers, lamas, pony, sheeps, goats, rabbits, ducks, cows.*	Traite des vaches, soin aux petits animaux, temps des foins, cueillette des petits fruits, ramasser les oeufs, travail au jardin, promenade dans les champs et au bois./*Cows milking, small animals care, haymaking season, small fruits picking, eggs picking, garden work, walk in the fields and in the wood.*
Ste-Luce Béatrice et Joël Lavoie ☎ 418-739-4998 (page 61)	adulte/*adult:* enfant/*children:* enfants seuls/ *child alone:*	35 25 ---	--- --- ---	Vaches laitières, chats, chiens, poules./*Dairy cows, cats, dogs, hens.*	Visiter la ferme, visite libre./*Farm visit, free visit.*
CHAUDIÈRE-APPALACHES					
Pintendre Aux Volets Bleus ☎ 418-835-3494 (page 75)	adulte/*adult:* enfant/*children:* enfants seuls/ *child alone:*	33 15 ---	40 20 ---	Boeufs, vaches, veaux, poneys, chèvres, moutons, lapins, poulets, chats, chien./*Cattle, cows, calves, ponies, goats, sheeps, rabbits, chickens, cats,*	Culture de pommes de terre, potager de légumes, poulailler et basse-cour, soins des poneys, entretien des chèvres, lapins et moutons. À l'automne, les conserves. Cueillette des petits fruits en saison./*Potatos growing, vegetables garden, henhouse and farmyard, ponies, goats, rabbits and sheeps care. In autumn, canning. Small fruits picking in season.*
St-Roch-des-Aulnaies Ferme Piraly ☎ 418-354-2842 (page 78)	adulte/*adult:* enfant/*children:* enfants seuls/ *child alone:*	--- --- ---	40 10-20 ---	Bovins, chevaux, chats, chiens./*Cattle, horses, cats, dogs.*	Bicyclettes, croquet, pétanques, balade à cheval (équitation sur place)./*Biking, croquet, petanques, horse riding on place.*

		TARIFS/jour *PRICES/day* 2 repas/ *2 meals*	TARIFS/jour *PRICES/day* 3 repas/ *3 meals*	ANIMAUX/*ANIMALS*	ACTIVITÉS/*ACTIVITIES*
COEUR DU QUÉBEC					
Hérouxville Accueil les Semailles ☎ 418-365-5190/418-365-5590 (page 84)	adulte/*adult:* enfant/*children:* enfants seuls/ *child alone:*	27 20 ---	35 25 ---	Bovillons de boucherie, chevaux, petits animaux, lapins, chèvres, moutons, chats. *Bullocks, horses, small animals, rabbits, goats, sheeps, cats.*	Visiter la ferme, nourrir les animaux, promenade dans le bois, piscine, jeux extérieurs, foyer, balançoire./*Farm visit, animal feeding, walk in the wood, pool, outdoor games, fireplace, swing.*
Notre-Dame-de-Montauban Le Beau-Lieu ☎ 418-336-2619 (page 85)	adulte/*adult:* enfant/*children:* enfants seuls/ *child alone:*	32 25 ---	40 35 40	Troupeaux (boeuf) de «boucheries» (Herford, Charolais). En été petits animaux (volailles)./*Beef cattle herds (Herford, Charolais). In summer small animals (fowls).*	Baignade (plage ou piscine), canotage, pêche, chasse, observation d'oiseaux, jardin de fleurs, potager biologique, cabane à sucre./*Swimming (beach or pool), canoeing, fishing, hunting, birds observation, flowers garden, organic growing garden, sugar shack.*
Ste-Thècle Ferme MA-GI-CA ☎ 418-289-2260 (page 88)	adulte/*adult:* enfant/*children:* enfants seuls/ *child alone:*	34 15 ---	40 18 ---	Vaches laitières, taures et veaux./*Dairy cows, female bulls an calves.*	Observation de la traite./*Watching of cows milking.*
ESTRIE					
Ayer's Cliff Cécile et Robert Lauzier ☎ 819-838-4433 (page 94)	adulte/*adult:* enfant/*children:* enfants seuls/ *child alone:*	45 15-20 ---	--- --- ---	Vaches, veaux, chiens, chats./*Cows, calves, dogs, cats.*	Randonnée pédestre, observation des animaux, balançoire./*Nature walks, animal observations, swing.*

		TARIFS/jour *PRICES/day*		ANIMAUX/*ANIMALS*	ACTIVITÉS/*ACTIVITIES*
		2 repas/ *2 meals*	3 repas/ *3 meals*		
Farnham Ferme Vernal ☎ 514-293-5057 (page 97)	adulte/*adult:* enfant/*children:* enfants seuls/ *child alone:*	35 20 ---	40 25 ---	Chien, chats, lapins, vaches./*Dog, cats, rabbits, cows.*	Observation traite des vaches, temps des foins, cueillette fruits sauvages, observation d'oiseaux, chevreuils (automne), promenade à pied dans les sentiers de la ferme, bicyclette, feu de camp en soirée, grand carré de sable «garni», jeux extérieurs et intérieurs (en cas de pluie)./*Observation of cows milking, haymaking, wild fruits picking, birds observation, roe deers (autumn), walk in the farm paths, biking, campfire at night, sand square, outdoor and indoor games (in case of rain).*
Notre-Dame-des-Bois La Chêvrèmée ☎ 819-888-2487 (page 99)	adulte/*adult:* enfant/*children:* enfants seuls/ *child alone:*	35-40 15 ---	40-50 20 35-40	Chèvres, moutons, poules, chien, chats./*Goats, sheeps, hens, dog, cats.*	Observatoire du mont Mégantic, sentiers pédestres, fruits sauvages, activités de la ferme, chasse, pêche./*Mount Mégantic observatory, walking paths, wild fruits, farm artivities, hunting, fishing.*
Ste-Anne-de la Rochelle Le Zéphir ☎ 514-539-3746 (page 100)	adulte/*adult:* enfant/*children:* enfants seuls/ *child alone:*	30 10-15 ---	35 22 ---	Chats, chien, moutons, poules, pigeons, canards./*Cats, dog, sheeps, hens, pigeons, ducks.*	Soins apportés aux animaux, temps des foins./*Animals care, haymaking season.*
Ste-Edwidge Ferme de la Gaieté ☎ 819-849-7429 (page 100)	adulte/*adult:* enfant/*children:* enfants seuls/ *child alone:*	--- --- ---	40 15-30 ---	Vaches, veaux, chats./*Cows, calves, cats.*	Participer aux travaux de la ferme: récolte du foin, traite des vaches, entretien du jardin et des fleurs./*Participate to farm works: haymaking harvest, cows milking, garden and flowers maintenance.*

		TARIFS/jour *PRICES/day*		ANIMAUX/*ANIMALS*	ACTIVITÉS/*ACTIVITIES*
		2 repas/ *2 meals*	3 repas/ *3 meals*		
GASPÉSIE					
Hope-West-Paspébiac Ferme MacDale ☎ 418-752-5270 (page 107)	adulte/*adult:* enfant/*children:* enfants seuls/ *child alone:*	30 20 ---	35 25 ---	Vaches, chiens, chats, poules./*Cows, dogs, cats, hens.*	Randonnées pédestres sur la ferme, pêche dans un ruisseau, nourrir les poulets./*Nature walks on our property, stream fishing, feed chickens.*
LAURENTIDES					
St-Jovite Ferme de la Butte Magique ☎ 819-425-5688 (page 131)	adulte/*adult:* enfant/*children:* enfants seuls/ *child alone:*	40 30 ---	--- --- ---	Vaches, moutons, chèvres mohair, poules, jument de travail, cochons, oies./*Cows, sheeps, mohair goats, hens, mare, pigs, geese.*	Printemps: les sucres, les agnelages et les semis. Été: les foins, le jardinage biologique, baignade. Automne: récoltes, transformation des produits, compostage. Hiver: coupe sélective du bois, transformation de la laine./*Spring: sugar shack, lambing and seedling. Summer: haymaking, organic growing gardening, swimming. Autumn: harvesting, products transformation, composting. Winter: selective wood cutting, wool transformation.*
MONTÉRÉGIE					
Howick Hazelbrae Farm ☎ 514-825-2390 (page 144)	adulte/*adult:* enfant/*children:* enfants seuls/ *child alone:*	--- --- ---	40 12-30 30-35	Vaches et variétés de petits animaux./*Cows and small animal varieties.*	Feu de camp, tours de charrette, piscine, bicyclettes, cueillette de fruits, activités de la ferme./*Firecamp, cart ride, pool, bikes, fruits picking, farm activities.*

		TARIFS/jour *PRICES/day* 2 repas/ *2 meals*	**TARIFS/jour** *PRICES/day* 3 repas/ *3 meals*	**ANIMAUX/*ANIMALS***	**ACTIVITÉS/*ACTIVITIES***
Rougemont Lili Turgeon ☎ 514-469-3818 (page 146)	adulte/*adult:* enfant/*children:* enfants seuls/ *child alone:*	35 25 ---	40 30 ---	Poney, chèvres, lapins, volailles./*Pony, goats, rabbits, fowls.*	Cueillette des fruits, jardinage, verger, activités de la ferme./*Fruits picking, gardening, orchard, farm activities.*
St-Antoine-sur-Richelieu Antonia et Denis Marchessault ☎ 514-787-2603 (page 146)	adulte/*adult:* enfant/*children:* enfants seuls/ *child alone:*	35 25 ---	40 30 ---	Poules, lapins, chèvres, bovins./*Hens, rabbits, goats, cattle.*	Promenades dans les champs, visite du jardin, cueillette de fruits en saison, soins aux animaux, badminton, balançoires./*Walks in the fields, visit the garden, season fruits picking, animals care, badminton, swings.*
St-Denis-sur-Richelieu La Laine des Moutons ☎ 514-787-2614 (page 147)	adulte/*adult:* enfant/*children:* enfants seuls/ *child alone:*	35 10-30 ---	40 15-30 20-45	Lapins, poules, canards./ *Rabbits, hens, ducks.*	Jardinage, herbes aromatiques, serres fleurs et légumes, observation tissage, apprentissage cuisine santé, nourrir les oiseaux fermiers, ramasser les oeufs, promenade aux champs et au bois, balançoires, piscine./*Gardening, aromatic herbs, flowers and vegetables greenhouses, weaving observation, healthy cooking learning, free-range birds, eggs picking, walks in the fields and in the wood, swings, pool.*
OUTAOUAIS					
Vinoy (Saint-André-Avellin) Les Jardins de Vinoy ☎ 819-428-3774 (page 163)	adulte/*adult:* enfant/*children:* enfants seuls/ *child alone:*	40 15 ---	45 18 50	Chevaux, moutons, chèvres, lapins, poules, canards, pintades, dindes, chien, chats./*Horses, sheeps, goats, rabbits, hens, ducks, guinea-fowls, turkeys, dog, cats.*	Cabane à sucre, promenades en traîneau ou charrette à chevaux, jardinage, travaux des champs, cueillette de fruits et plantes sauvages, équitation, fabrication de conserves, techniques artisanales (savon, laine, plantes, etc.)./*Sugar shack, sleigh or houses cart rides, fruits and wild plants picking, horse riding, canning fabrication, craft techniques (soap, wool, plants, etc.).*

		TARIFS/jour *PRICES/day*		ANIMAUX/*ANIMALS*	ACTIVITÉS/*ACTIVITIES*
		2 repas/ *2 meals*	3 repas/ *3 meals*		
SAGUENAY-LAC ST-JEAN					
Anse-St-Jean Ferme des Trois Cours d'Eau ☎ 418-272-2944 (page 179)	adulte/*adult:* enfant/*children:* enfants seuls/ *child alone:*	30 15 ---	35 20 15-20	Vaches, chats./*Cows, cats*	Piscine, tennis, promenade en quatre roues, promenade bicyclette, activités de la ferme./*Pool, tennis, four wheel ride, biking, farm activities.*
Lac-à-la-Croix Céline et Georges Martin ☎ 418-349-2583 (page 183)	adulte/*adult:* enfant/*children:* enfants seuls/ *child alone:*	34 16 ---	--- --- ---	Vaches, génisses, veaux, chien./*Cows, heifers, calves, dog.*	Visite de la ferme./*Visit to the farm.*

ABITIBI-TÉMISCAMINGUE

*Les numéros sur la carte correpondent à la numérotation des gîtes de la région

The numbers on the map correspond to the numbers of each establishment within the region.

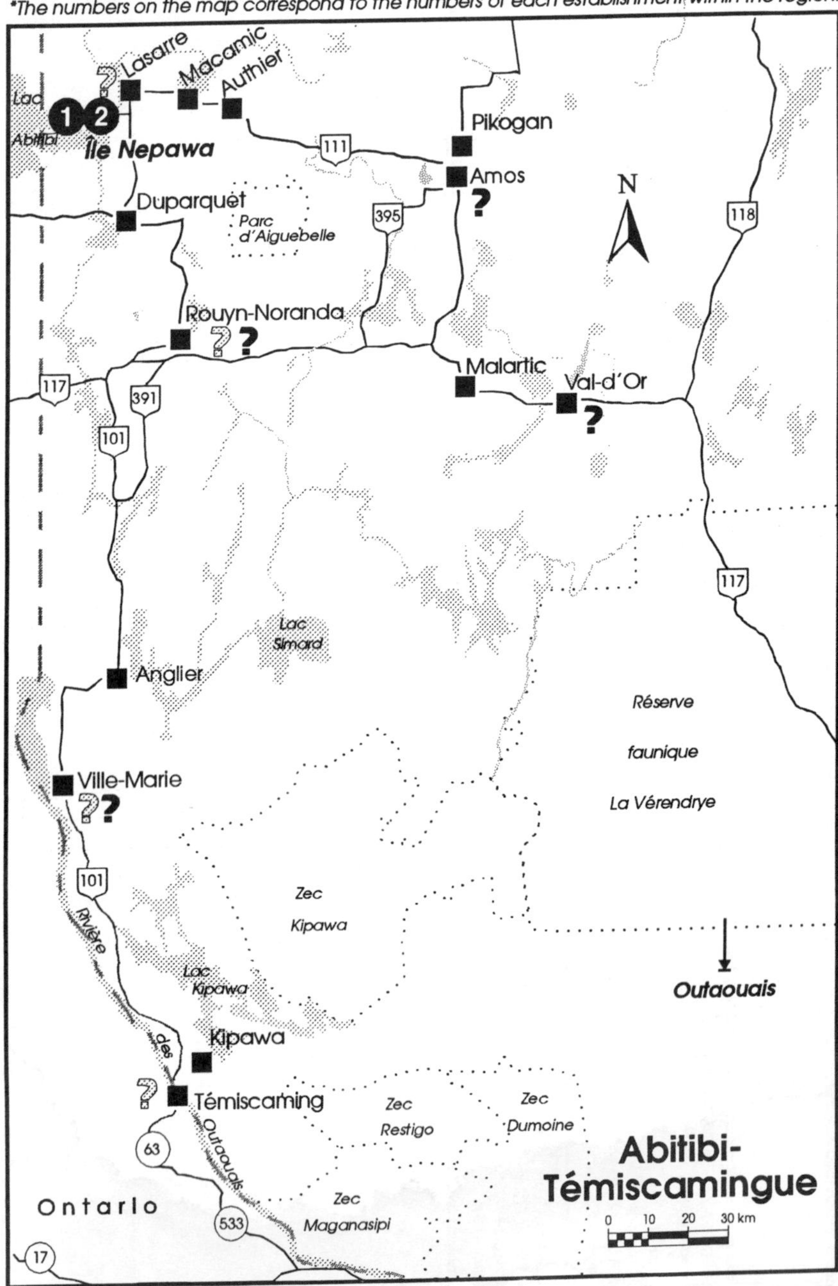

1 ÎLE-NEPAWA *Gîte du Passant et Gîte à la Ferme*

F A ℜ30

On one of the three thousand islands on Lake Abitibi, come and stay with Québecois of German origin. We raise cows, goats and riding horses. Swimming, hunting and fishing. Near the Aiguebelle conservation park. We also offer a farm house (see p. 45).

From Rouyn, Rte. 101 towards LaSarre. Approximately 3 km past LaSarre, follow signs for Ste-Hélène and, after, signs for the Island (gravel road). It is the first house on the right after the bridge.

FERME VACANCES
Hélène et Hermann Wille
695 R.R. #1
Ste-Hélène-de-Mancebourg
Île-Nepawa J0Z 2T0
(819) 333-6103

$ 20-23, $$ 30-33, ☻ 5-10
(1er : 3 ch) (2 sb)

J F M A M J J A S O N D

Sur une des 3000 îles du lac Abitibi, venez vivre avec des québécois d'origine germanique. Nous élevons bovins, chèvres et chevaux d'équitation. Activités nautiques, chasse et pêche. Près du parc de conservation d'Aiguebelle. Offrons aussi le gîte à la ferme (voir p 45).

De Rouyn, rte 101 vers LaSarre. Environ 3 km après LaSarre, suivre les indications pour Ste-Hélène et ensuite pour l'île (route gravelée). C'est la 1ère maison à droite après le pont de l'île.

2 ÎLE-NEPAWA *Maison de Campagne*

F A M15 ℜ30

We offer 3 comfortable cabins by the lake including one with fireplace. Two are Swiss style and the other has two floors. This part of the province is wild and fascinating, and will take your breath away.

From Rouyn, Rte. 101 towards La Sarre. About 3 km past La Sarre, follow the signs for Ste-Hélène an then for the island (gravel road). It is the first house on the right after the bridge to the island.

FERME VACANCES
Hélène et Hermann Wille
695 R.R. #1
Ste-Hélène-de-Mancebourg
Île-Nepawa J0Z 2T0
(819) 333-6103

J F M A M J J A S O N D

Nous vous offrons 3 chalets confortables au bord du lac dont 1 avec foyer. Deux sont de style suisse et l'autre est à un étage. Le coin de pays est sauvage et attachant, il invite tout simplement à l'extase.

De Rouyn, rte 101 vers La Sarre. Environ 3 km après La Sarre, suivre les indications pour Ste-Hélène et ensuite pour l'île (route gravelée). C'est la 1ère maison à droite après le pont de l'île.

NBR DE MAISONS	CH	PERS	$SEM-ÉTÉ	$SEM-HIVER	$WE-ÉTÉ	$WE-HIVER
3	2 à 3	6 à 8	250	---	SUR DEM.	---

We were treated like old friends. They went far out of their way to tell us of local sights. In short, they enriched our stay by telling us about the area in which they live. These are very special people.

New York

BAS-SAINT-LAURENT

*Les numéros sur la carte correpondent à la numérotation des gîtes de la région

**The numbers on the map correspond to the numbers of each establishment within the region.*

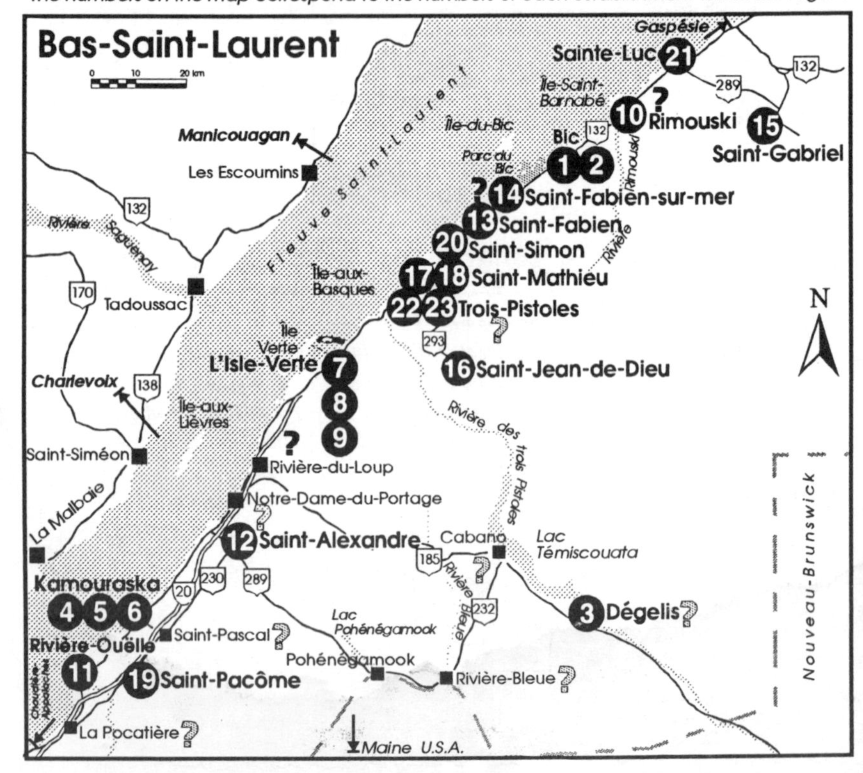

1 BIC *Auberge du Passant*

F A VS MC

Our inn is 150 years old, with romantic and dramatic decor, and overlooks the Bic Islands. We will welcome you and look after every little detail. For avid travellers... restaurant, patio, pretty rooms, Jacuzzi.

From Québec City, Hwy. 20 East, Rte. 132 to Bic. First exit on the right, Rue Ste-Cécile to the heart of the village. Red inn with "Québécois" gables.

AUBERGE DU MANGE GRENOUILLE
Carole Faucher et
Jean Rossignol
148 rue Ste-Cécile, Bic
G0L 1B0 (418) 736-5656

$ 35-55, $$ 50-75, ● 10
(1er : 5 ch, 2e : 2 ch) (3 sb)
J F M A M J J A S O N D

Notre vieille auberge de 150 ans, dominant les îles du Bic, riche de son décor romantique et théâtral, vous accueille à sa savoureuse table et vous soigne aux petits oignons. Et pour les amoureux de voyage... restaurant, terrasse, jolies chambres, bain jacuzzy.

De Québec, aut. 20 est, rte 132 jusqu'à Bic. Première sortie à droite rue Ste-Cécile jusqu'au coeur du village. Auberge rouge aux pignons pimpants de style québécois.

2 BIC *Gîte du Passant*

F A ℜ2 VS

On the shore of the St-Lawrence, in Bic Bay with an impressive view of Parc Bic, a warm welcome awaits you in our century-old house. From our garden and our magnificent porch, you can observe sea birds following the eternal movement of the tides. Non-smokers only.

From Québec City, Hwy. 20 East, Rte. 132 to Bic. Turn off Rte. 132 towards the golf club. Past the golf club, once on the point, ours is the last house on the left.

AUX CORMORANS
Judy Parceaud
Pointe-aux-Anglais
Bic G0L 1B0
(418)736-8113

$ 40, $$ 50, ● 10
(1er : 5 ch) (2 sb)
J F M A M J J A S O N D

Au bord du fleuve dans la baie du Bic, vue impressionante du parc du Bic, nous vous réservons un accueil chaleureux dans notre maison centenaire. De notre jardin et galerie grandiose, vous observerez les oiseaux marins et l'éternel mouvement des marées. Gîte non-fumeur.

De Québec, aut. 20 est et rte 132 jusqu'au Bic. Prendre le chemin du golf. Après le terrain de golf, en arrivant sur la pointe, c'est la dernière maison à gauche.

3 DÉGELIS *Gîte du Passant*

F a ℜ0.2

We offer you a warm welcome and guaranteed relaxation. Separate entrance, large parking space, balcony, sitting room, fridge and TV. Generous, delicious breakfast, crib available, we will do our best to make your stay perfect. Discounts: two night stay. Children welcome.

From Québec City, Hwy. 20 East to Rivière-du-Loup, and Rte. 185 South. At Dégelis, first exit on the left on Rue Principale From New Brunswick, Rte. 185 North. At Dégelis, first exit on the right on Rue Principale.

Monique et André
C.P. 625
513 rue Principale,
route 185 sud
Dégelis G0L 1H0
(418) 853-3324

$ 30, $$ 50, ● 5-12
(1er : 3 ch) (1 sb)
J F M A M J J A S O N D

Nous avons pour vous un gîte accueillant et un repos assuré. Entrée indépendante, grand stationnement, balcon, salle de séjour, frigo et TV. Bon déjeuner copieux, lit de bébé disponible, nous ferons tout pour agrémenter votre séjour. Rabais: séjour 2 nuits. Maison ouverte aux enfants.

De Québec, aut. 20 est jusqu'à Rivière-du-Loup et rte 185 sud. À Dégelis, 1ère sortie à gauche sur rue Principale. Ou du Nouveau-Brunswick, rte 185 nord. À Dégelis, 1ère sortie à droite sur la rue Principale.

4 KAMOURASKA *Gîte du Passant*

F a 🚗 ℜ2 VS MC

At the house near the "Palais", come and experience the comfort of a night spent next to the river, including healthy breakfast, in our charming three hundred year-old village. Come and breathe the fresh sea air and admire our magnificent sunsets. Restaurant close to the museum.

From Québec City, Hwy. 20 East, Exit 465. In the village, left on Avenue Morel (Rte. 132). Drive 1 km. Opposite the old Court House, corner of Morel and du Quai.

GÎTE FACE AU PALAIS
Françoise Pelletier Gosselin
124 avenue Morel, route 132
Kamouraska G0L 1M0
(418) 492-9273

$ 30, $$ 40, ● 6-10
(**rc** : 1 ch, **1er** : 2 ch) (2 sb)
J F M A M J J A S O N D

À la maison près du «Palais», goûtez au doux confort d'une nuit passée près du fleuve et savourez un déjeuner sain. Dans notre charmant village tricentenaire, venez respirer l'air salin et admirer nos magnifiques couchers de soleil. Restaurant et musée à proximité.

De Québec, aut. 20 est, sortie 465. Au village, à gauche sur ave. Morel (rte 132). Faire 1 km. Face à l'ancien palais de justice, coin ave. Morel et du Quai.

5 KAMOURASKA *Gîte du Passant*

F ℜ1.2

In the heart of the village of Kamouraska, a house with a solarium on the riverside, private entrance. Come and enjoy our heritage, admire our superb sunsets, listen to the sea, take advantage of the relaxing atmosphere. Good breakfast.

From Québec City, Hwy. 20 East, Exit 465 to Kamouraska. Once in the village, left on Avenue Morel (Rte. 132). The second house after the church, on the river side.

Laurence Dionne
92 avenue Morel, route 132
Kamouraska G0L 1M0
(418) 492-2916

$ 30, $$ 40, ● 5-10
(**rc** : 4 ch) (2 sb)
J F M A M J J A S O N D

Au coeur du village de Kamouraska, grande maison avec solarium côté fleuve, sortie privée. Venez visiter notre patrimoine, admirer nos superbes couchers de soleil, écouter les vagues de la mer, profiter de l'ambiance reposante. Bon déjeuner.

De Québec, aut. 20 est, sortie 465 vers Kamouraska. Au village, à gauche sur ave. Morel (rte 132). 2e maison après l'église, côté du fleuve.

6 KAMOURASKA *Gîte du Passant*

F a ℜ2

A warm welcome awaits in this century old house. In K"amour"aska, nature lovers will be impressed by the sunsets over the sea and the view of the surrounding fields and woods. Gourmet breakfast.

From Québec City, Hwy. 20, Exit 465. Drive 5 km towards Kamouraska. Once in the village, left on Avenue Morel (Rte. 132). The second house after the church, on the same side of the street.

L'ENDROIT RÊVÉ
«MAISON LEBLANC»
Nicole et Jean Bossé
81 avenue Morel, route 132
Kamouraska G0L 1M0
(418) 492-2921

$ 30, $$ 40 , ● 5-10
(**rc** : 1 ch, **1er** : 2 ch) (3 sb)
J F M A M J J A S O N D

Un accueil chaleureux vous attend dans la maison centenaire. À K«amour»aska, les amants de la nature seront comblés par les couchers de soleil sur la mer et la vue sur les champs et bosquets environnants. Petit déjeuner de gourmets.

De Québec, aut. 20, sortie 465. Faire 5 km vers Kamouraska. Au village, à gauche sur ave. Morel (rte 132). La 2e maison après l'église, du même côté.

7 L'ISLE-VERTE *Gîte du Passant et Gîte à la Ferme*

F ℜ6

We have a breathtaking view of the St. Lawrence River. Our home is calm and relaxing, visit a dairy and horticultural farm, strawberries and raspberries. Large breakfast: cereal, eggs, bacon, potatoes, croissants, muffins, coffee, juice, toast, served with home-made jam. We also offer a farm house (see p. 45).

From Québec City, Hwy. 20 East, Rte. 132, St-Eloi Exit. After the railway tracks, right on Chemin Pettigrew. Drive 1.2 km. Farm with big silo.

FERME CÔTE D'OR
Raymonde et Yvon Pettigrew
623 chemin Pettigrew
L'Isle-Verte G0L 1K0
(418)898-6147/(418)898-2993

$ 35, $$ 45, ☻ 10
(1er : 3 ch) (2 sb)

J F M A M J J A S O N D

Nous avons une superbe vue sur le fleuve St-Laurent «à en couper le souffle». Endroit tranquille et reposant, visite d'une ferme laitière et horticole, fraises, framboises. Petit déjeuner copieux: céréales, oeuf, bacon, patates rôties, croissants, muffins, café, jus, confitures maison. Offrons aussi le gîte à la ferme (voir p 45).

De Québec, aut. 20 est, rte 132, sortie St-Éloi. Après la voie ferrée, à droite sur le chemin Pettigrew. Faire 1.2 km. Ferme avec gros silo.

8 L'ISLE-VERTE *Gîte du Passant*

F A ℜ0.5

Our cute little house will charm you with its beautiful decor of yesteryear. The ambience will transport you to a truly imaginary world, and warm your soul. Privacy is yours for the asking: your quality of life is most important.

From Québec City, Hwy. 20 East, Rte. 132 East, L'Isle-Verte Exit.

LA NICHÉE
Pierrette et Max
75 St-Jean-Baptiste
L'Isle-Verte G0L 1K0
(418) 898-3393

$ 35, $$ 45, ☻ 10
(1er : 2 ch) (2 sb)

J F M A M J J A S O N D

Notre coquette petite maison pain d'épices vous séduira par son décor d'antan vraiment exceptionnel. L'ambiance vous transportera dans un monde imaginaire. Si vous choisissez la discrétion, elle vous est assurée, votre qualité de vie avant tout.

De Québec, aut. 20 est, Rte 132 est, sortie L'Isle-Verte.

9 L'ISLE-VERTE *Gîte du Passant*

F a ℜ0.5

We will welcome you warmly in a family atmosphere. Calm and relaxation guaranteed. We like to share experiences and traditions, to suit every visitor. We offer generous meals. Home-made bread, muffins and jam, fresh vegetables. View of the river and beautiful sunsets. Sitting room.

From Québec, Hwy. 20 East, Rte. 132 East to Isle-Verte. Past the bridge, the first street on the left. Last house on the street.

Marie-Anna et Yvon Lafrance
31 Louis-Bertrand
L'Isle-Verte G0L 1K0
(418) 898-3276

$ 35, $$ 40-45, ☻ 5-12
(ss : 1 ch, rc : 2) (2 sb)

J F M A M J J A S O N D

Chez nous accueil chaleureux et ambiance familiale vous sont réservés. Calme et repos assurés. Aimons partager expériences et traditions s'adaptant à chacun des visiteurs. Offrons repas copieux. Pains, muffins et confitures maison, légumes frais. Vue sur le fleuve et beaux couchers de soleil. Salle de séjour.

De Québec, aut. 20 est, rte 132 est jusqu'à l'Isle-Verte. Passer le pont, première rue à gauche. Dernière maison de la rue.

10 RIMOUSKI *Gîte du Passant*

F a ℜ6

In our house, you can feel the warmth of the good old days. Come in for a bite to eat and a peaceful night. The house is surrounded with fields. Come along for a visit to the farm, a walk to the sea. My name is Louise. I hope you'll be at home away from home.

Three hours from Québec, Hwy. 20 East, Rte. 132 East. At the Bic East Exit, drive 6.4 km on Rte. 132 and you're arrived. You're 11.5 km of downtown Rimouski.

LA MAISON BÉRUBÉ
Louise Brunet
1216 boul. St-Germain ouest, route 132
Rimouski G5L 8Y9
(418) 723-1578

$ 35, $$ 45, ● 7
(rc : 1 ch, 1er : 4 ch) (2 sb)

J F M A M J J A S O N D

Dans la maison, y a l'hospitalité d'antan. Entrez vous reposer, manger, jaser, dormir, rêver! Autour, il y a des fleurs et des champs. Venez prendre l'air, visiter la ferme, marcher jusqu'au fleuve. Je m'appelle Louise. Oui vous pouvez tutoyer la maison...

À 3 hres de Québec, aut. 20 est, rte 132 est. À la sortie est de Bic, faire 6.4 km sur la rte 132 et vous voilà au gîte. Vous êtes à 11.5 km du centre-ville de Rimouski.

11 RIVIÈRE-OUËLLE *Gîte du Passant*

F a ℜ1

A warm welcome awaits. Come and spoil yourself the Québecois way! Comfortable rooms, Canadian food, regional activities, cormorant sightings. We love to communicate. Ample breakfast, home-made jam, crêpes often served. Welcome.

From Québec City, Hwy. 20 East, Exit 444 towards Rivière Ouëlle. Rte. 132 East. Straight for 1 km. Left before the bridge, follow the river, drive 1 km.

LA MAISON PRÈS DE LA RIVIÈRE
Marcelle et Ernest Lavoie
122 rang Éventail
Rivière Ouëlle G0L 2C0
(418) 856-1709

$ 25, $$ 35, ● 5-10
(rc : 2 ch) (1 sb)

J F M A M J J A S O N D

Un accueil chaleureux vous attend. Venez vous faire gâter à la mode des québécois. Chambres confortables, nourriture canadienne, activités régionales, site des Cormorans. Nous voulons communiquer. Déjeuner copieux: confitures maison, crêpes à l'occasion.

De Québec, aut. 20 est, sortie 444 vers Rivière-Ouëlle. Rte 132 est, faire 1 km. À gauche avant le pont, longer la rivière, faire 1 km.

12 ST-ALEXANDRE, KAMOURASKA *Gîte du Passant*

F a ℜ0.3

Spend your holidays in the beautiful ancestral home of Marie-Alice Dumont, first professional photographer in Eastern Québec. Mouth-watering breakfasts served in front of the stained-glass window of the former photography studio.

From Québec City, Hwy. 20 East, Exit 488 towards St. Alexandre. The house with the blue roof is in the village, at the intersection of Rtes. 230 and 289, near the large cross.

LA MAISON AU TOIT BLEU
Daria et Origène Dumont
490 avenue St-Clovis
St-Alexandre G0L 2G0
(418)495-2701/(418)495-2368

$ 28, $$ 38, ● 10
(1er : 3 ch) (2 sb)

J F M A M J J A S O N D

Bon séjour dans la belle maison ancestrale où a vécu Marie-Alice Dumont, première photographe professionnelle de l'est du Québec. Succulents déjeuners servis devant la verrière de l'ancien studio de photographie. Accueil plus que chaleureux.

De Québec, aut. 20 est, sortie 488 vers St-Alexandre. La maison au toit bleu est située dans le village, à la croisée des rtes 230 et 289, près de la grande croix.

13 ST-FABIEN *Gîte du Passant*

F a ℜ0 VS MC

Right next to Parc Bic, a former shoemaker's home welcomes you warmly, with the smell of fresh bread and "joie de vivre" amidst its turn of the century decor. Next to the home, a pretty café is ideal for meeting villagers.

From Québec City, Hwy. 20 East, Rte. 132 East to St-Fabien. At the heart of the village near the Caisse Populaire. Yellow wood house!

LA MAISON DU CORDONNIER
Réal Houle
26, 7e avenue
St-Fabien G0L 2Z0
(418) 869-2002

$ 35, $$ 45, ● 10
(1er : 3 ch) (1 sb)

J F M A M J J A S O N D

À 2 pas du parc du Bic, l'ancienne maison du cordonnier vous invite dans la chaleur de son décor début du siècle où ça sent le bon pain et la joie de vivre. Annexé au gîte, un joli petit café où vous pourrez casser la croûte avec les gens de village.

De Québec, aut. 20 est, rte 132 est jusqu'à St-Fabien. Au coeur du village près de la Caisse Populaire, maison jaune tout en bois.

14 ST-FABIEN-SUR-MER *Gîte du Passant*

F a ℜ5

Between the sea and the mountains, in the heart of the enchanting Parc du Bic, sunny house full of fresh air halfway between Trois-Pistoles and Rimouski. Marvellous region to discover. Breakfast in the sunroom near the sea. Warm welcome.

From Trois-Pistoles, Rte. 132 East to St-Fabien. At the "Bon Voyage" restaurant, take the road along the water. At the bottom of the hill, turn right and drive 2 km. We are at the centre of the bay.

GÎTE DE L'ÎLET AU FLACON
Jeanne St-Louis et Gilles Roy
95 St-Fabien-sur-mer est
St-Fabien-sur-Mer G0L 2Z0
(418) 869-2987

$ 40, $$ 50, ● 10
(1er : 3 ch) (2 sb)

J F M A M J J A S O N D

Entre la mer et la montagne, au coeur du site enchanteur du parc du Bic, maison de soleil et d'air pur à mi-chemin entre Trois-Pistoles et Rimouski. Région merveilleuse à découvrir. Petit déjeuner dans la verrière près de la mer. Accueil chaleureux.

De Trois-Pistoles, rte 132 est jusqu'à St-Fabien. Au restaurant «Bon Voyage», prendre route de la mer. Au bas de la côte, tourner à droite et faire 2 km. Nous sommes situés au centre de la baie.

15 ST-GABRIEL, RIMOUSKI *Gîte du Passant, Gîte à la Ferme*

F A ℜ1.5

You would like to see sheep being herded by dogs... You must come to our place! Across the way: trout fishing in natural surroundings with fish breeding. Pool. Horseback riding centre less than 1 km away. Near Mont Comi, ski centre and vacation camp. Our children, 6 and 17 years old, are anxious to meet you. We also offer a farm house (see p. 45).

30 minutes from Rimouski, Rte. 132 East, Rte 298, right on Rte 234.

BERGERIE FLEURIAULT
Marthe Lévesque
et Réal Parent
154 Principale, route 234
St-Gabriel G0K 1M0
(418) 798-4315

$ 30, $$ 40, ● 10
(1er : 1 ch) (2 sb)

J F M A M J J A S O N D

Vous avez le goût d'assister au spectacle du tri des moutons dirigé par les chiens... Alors il faut venir chez nous. Juste en face: pêche à la truite en milieu naturel et en pisciculture. Piscine. Centre équestre à moins de 1 km. À proximité du Mont Comi, centre de ski et camp de vacances. Nos enfants de 6 et 17 ans ont hâte de vous connaître. Offrons aussi gîte à la ferme (voir p. 45).

À 30 minutes de Rimouski, rte 132 est, rte 298 et rte 234 à droite.

16 ST-JEAN-DE-DIEU *Gîte du Passant et Gîte à la Ferme*

F ℜ4

Family with children 11, 15 and 19 years old, all happy to have you as our guests. Dairy farm with small animals: ducks, rabbits, sheep, goats, deer, lamas... Crêpes with maple syrup for breakfast. A warm atmosphere and healthy food for your vacation. 20 minutes from the river. We also offer a farm house (see p. 46).

From Québec City, Hwy. 20 East, Rte. 132 East to Trois-Pistoles. Rte. 293 South to St-Jean-deDieu. Drive 4 km past the church.

LA FERME PAYSAGÉE
Gabrielle et Régis Rouleau
121 route 293 sud
St-Jean-de-Dieu G0L 3M0
(418) 963-3315

$ 30, $$ 35, ● 5
(1er : 3 ch) (2 sb)

J F M A M J J A S O N D

Famille avec enfants de 11, 15 et 19 ans, tous heureux de vous recevoir. Ferme laitière et petits animaux: canards, lapins, moutons, chèvres, chevreuils, lamas... Pour déjeuner crêpes au sirop d'érable. Une chaude atmosphère et une nourriture saine pour vos vacances. 20 min. du fleuve. Offrons aussi le gîte à la ferme (voir p 46).

De Québec, aut. 20 est, rte 132 est jusqu'à Trois-Pistoles. Rte 293 sud jusqu'à St-Jean-de-Dieu. Faire 4 km après l'église.

17 ST-MATHIEU, RIMOUSKI *Gîte du Passant*

F A ℜ7

Far from the whirlwind of civilization, this spacious establishment bathed in sunlight is an invitation to the wilderness where forests and lakes reign supreme. Soundproofed rooms, bathrooms. Home-made bread and other products. 12 km from Rte. 132. Swimming, cross country and downhill skiing. Non-smokers only.

From Québec City, Hwy. 20 East, Rte. 132 East to St-Simon. After the village, turn right towards St-Mathieu. Cross the village going East. Right towards St-Eugène. After 2.1 km, turn left.

LA MAISON DES ÉGLANTIERS
Jocelyne Bruneau et Gervais Tanguay
300 rang 4 est, St-Mathieu
G0L 3T0 (418) 738-2822

$ 35, $$ 48, ● 5-10
(rc : 1 ch, 1er : 3 ch) (2 sb)

J F M A M J J A S O N D

Isolé des tourbillons de la civilisation, ce spacieux gîte, baigné de lumière vous invite dans une nature sauvage où forêt et lacs dominent. Chambres insonorisées, lavabos. Produits et pain maison. À 12 km de la rte 132. Baignade, planche à voile, ski de fond, ski alpin. Gîte non-fumeur.

De Québec, aut. 20 est, rte 132 est jusqu'à St-Simon. Fin du village, à droite vers St-Mathieu. Traverser le village vers l'est. À droite vers St-Eugène. À 2.1 km tourner à gauche.

18 ST-MATHIEU, RIMOUSKI *Maison de Campagne*

F A M7 ℜ12

In the calm of an agricultural road, make yourself at home in a large "maison de campagne" and its wood stove. In the middle of the fields, overlooking the river and the mountains of the region, superb sunsets. We have: a wilderness lake, a rowboat, swimming, walks, bicycling, sugar shack.

From Québec City, Hwy. 20 East, Rte. 132 East to St-Simon. At the end of the village, right and drive 8 km towards St-Mathieu. Cross the village going East. At the end of the village, right and drive 8 km.

LA PASTOURELLE
G. Labelle et P. Hénault
305 rang 5 est
St-Mathieu, Rimouski
G0L 3T0
(418) 738-2576

J F M A M J J A S O N D

Dans la tranquillité d'un rang agricole, soyez chez vous dans une grande maison de campagne et son poêle à bois. Au milieu des champs, dominant le fleuve et les montagnes, superbes couchers de soleil. Sur place: lac sauvage, chaloupe, baignade, randonnée, vélo, cabane à sucre.

De Québec, aut. 20 est, rte 132 est jusqu'à St-Simon. À la sortie du village, à droite et faire 8 km vers St-Mathieu. Traverser le village vers l'est. À la sortie du village, à droite et faire 8 km.

NBR DE MAISONS	CH	PERS	$SEM-ÉTÉ	$SEM-HIVER	$WE-ÉTÉ	$WE-HIVER
1	6	11	410	450	185	200

19 ST-PACÔME *Gîte du Passant*

F a 🚭 🚗 ℜ1 VS MC

In a beautiful English villa (1903), at the heart of a kingdom of flowers, enjoy an old-fashioned atmosphere. Architecture lovers will be delighted. On site: gardens, river with salmon. Nearby: golf, panoramic viewpoint, deer park, museums, skiing, horseback riding.

Hwy. 20, Exit 450 towards St-Pacôme. On Rte. 230. At the church, go down the hill and drive one km to Rue du Moulin.

MAISON KING
Diane Poirier et René Racine
24 rue du Moulin
St-Pacôme G0L 3X0
(418) 852-3409

$ 45-50, $$ 55-60, ● 10
(1er : 2 ch, 2e : 2 ch) (3 sb)

J F M A M J J A S O N D

Dans une belle villa anglaise (1903), au coeur du domaine des fleurs, profitez d'une ambiance d'époque. Les amateurs d'architecture et d'horticulture seront ravis. Sur place: jardins, rivière à saumons. Près: golf, belvédère, parc à chevreuils, musées, ski, équitation.

Aut. 20, sortie 450 vers St-Pacôme sur la rte 230. À l'église, descendre la côte et faire 1 km jusqu'à la rue du Moulin.

20 ST-SIMON, RIMOUSKI *Gîte du Passant*

F A 🚗 ℜ0.5

My dearest, I am writing to you after a superb breakfast and a very restful night. This place is nearly a hundred years old, with large, clean rooms. I feel like one of the family. And less than one km from Rte. 132! Definitely a place to recommend. Forever yours.

From Québec City, Hwy. 20 East, Rte. 132 East to St-Simon-de-Rimouski. Follow Rue de l'Église to #39. The house is located behind the church.

GÎTE DE LA
REINE-CLAUDE
L. Bigras et M. Généreux
39 rue de l'Église
St-Simon G0L 4C0
(418) 738-2609

$ 30, $$ 45, ● 12
(1er : 5 ch) (2 sb)

J F M A M J J A S O N D

Bonjour mon amour! Je t'écris après un déjeuner renversant et une nuit très reposante. Ce Gîte quasi centenaire offre de belles chambres spacieuses et propres. Ici, on fait partie de la famille. À moins de 1 km de la route 132, en plus! À recommander. Je t'aime.

De Québec, aut. 20 est, rte 132 est jusqu'à St-Simon-de-Rimouski. Prendre rue de l'Église jusqu'au #39. La maison est située derrière l'église.

21 STE-LUCE *Gîte du Passant et Gîte à la Ferme*

F 🐄 🚗 ℜ9

Dairy farm 7 km from the beach, 17 km from the botanical gardens Jardins de Métis. Home-made bread and jam. Magnificent sunsets. Generous breakfasts. It will be a pleasure to have you as our guests. We also offer a farm house (see p. 46).

From Québec City, Hwy. 20 East, Rte. 132 to Junction 298. Go towards Luceville for 3 km. At the traffic lights, turn left on Rue St-Pierre, which becomes Rang 2 East. Drive 4 km. Farm with two large silos.

Béatrice et Joël Lavoie
265 rang 2 est
Ste-Luce G0K 1P0
(418) 739-4998

$ 30, $$ 40, ● 5-10
(1er : 3 ch) (2 sb)

J F M A M J J A S O N D

Ferme laitière à 7 km de la plage, 17 km des Jardins de Métis. Confitures et pain maison. Magnifiques couchers de soleil. Déjeuners copieux. Au plaisir de vous recevoir. Nous offrons également le gîte à la ferme (voir p 46).

De Québec, aut. 20 est, rte 132 jusqu'à jonction 298 direction Luceville, faire 3 km. Aux feux de circulation, à gauche rue St-Pierre qui devient le rang 2 est. Faire 4 km. Ferme avec 2 gros silos.

22 TROIS-PISTOLES *Gîte du Passant*

F ℜ4

Warm century-old house furnished with antiques. Surrounded by flowers and trees, where a multitude of birds sing their songs. Limousin cattle farm. Excursions to Ile aux Basques and for whale watching nearby. Generous breakfast with home-made bread and jam. Feel the difference.

From Québec City, Hwy. 20 East, Rte. 132 East to Trois-Pistoles. Rte. 293 South, drive 1 km, right on Rang 2 West, drive 2.7 km. Stone house on the left.

TERROIR DES BASQUES
Marguerite et
Pierre-Paul Belzile
65 rang 2 ouest
Trois-Pistoles G0L 4K0
(418) 851-2001

$ 35, $$ 45, ● 0-10
(1er : 3 ch) (2 sb)
J F M A M J J A S O N D

Chaleureuse maison centenaire meublée d'antiquités. Site entouré de fleurs et d'arbres, où chantent de nombreux oiseaux. Ferme d'élevage de bovins limousins. Excursions à l'Ile aux Basques et aux baleines à proximité. Copieux déjeuner avec pain et confitures maison. Vivez la différence.

De Québec, aut. 20 est, rte 132 est jusqu'à Trois-Pistoles. Rte 293 sud, faire 1 km, à droite au rang 2 ouest, faire 2.7 km. Maison en pierre à gauche.

23 TROIS-PISTOLES *Gîte du Passant*

F A ℜ8

At the end of the road, the peace of the countryside and a warm family welcome await. Stroll through the orchard or in the woods. Our maximum capacity is 8 people. Whether in the living room or the kitchen, we do like to chat!

From Québec City, Hwy. 20 East, Rte. 132 East to Trois-Pistoles. Rte. 293 South for 2 km. Left towards St-Mathieu at Rang 2 East and proceed 6 km to house. Right after "cul-de-sac" sign.

VERGER FRAN-NOR
Francine Charlebois et
Normand Picard
159 rang 2 est
Trois-Pistoles G0L 4K0
(418) 851-4663

$ 40, $$ 50, ● 0-10
(rc : 1 ch, 1er : 2 ch) (2 sb)
J F M A M J J A S O N D

Au bout du rang, une paix champêtre et un accueil familial vous attendent. Une halte qui regarde le fleuve. Promenade dans le verger ou dans les bois. Notre capacité max. est de 8 personnes. Que ce soit au salon ou dans la cuisine pendant le déjeuner, nous aimons bien «piquer une jasette».

De Québec, aut. 20 est, rte 132 est jusqu'à Trois-Pistoles. Rte 293 sud, faire 2 km. À gauche vers St-Mathieu, sur rang 2 est, faire 6 km. Dépasser l'indication «cul-de-sac».

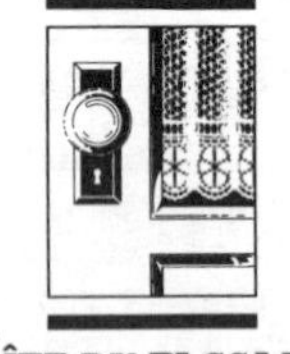

GÎTE DU PASSANT MD

Marque déposée par
Fédération des Agricotours du Québec

Nous pouvons même dire que nos hôtes ont sauvé une partie de nos vacances gachées par un temps plutôt maussade. Que faire le soir à l'hôtel lorsqu'il pleut? Solution: choisissez une réservation dans un Gîte du Passant. Vous y serez accueillis avec chaleur et vos hôtes seront heureux de "jaser" un peu avec vous et votre soirée sera pleine de bonne humeur, de chaleur humaine, des histoires racontées. Et les petits conseils sur les choses à voir ou à faire qui vous permettent de passer d'agréables vacances. Un immense merci donc à tous ceux qui contribuent à donner un peu d'eux-même pour nous faire partager leur coin de pays.

St-Sauveur

MUSÉE DE KAMOURASKA

Kamouraska "Là où il y a jonc au bord de l'eau"

- les traces de l'histoire (collection)
- des histoires de vie
- une architecture
- une culture

Ouvert tous les jours de 9h00 à 17h00
en saison estivale
Avril à décembre: groupes sur réservation.

69, ave Morel, Kamouraska, Qc G0L 1M0
Tél.: (418) 492-9783 ou 492-3144

Centre d'interprétation agricole en bordure de la baie de Kamouraska

Ouverture de 10h00 à 18h00,
tous les jours, de la Saint-Jean
à la Fête du Travail

- Dégustation spéciale pour groupes
- Hors-saison: Possibilité de visite pour groupes sur réservation
- Forfait de chasse à la sauvagine à l'automne.

Un site unique à découvrir

60, Route 132 est,
St-Denis-de-la-Bouteillerie
Tél.: (418) 498-5410

SITE D'INTERPRÉTATION DE L'ANGUILLE

Situé sur une colline avec vue splendide du fleuve Saint-Laurent, cet attrait touristique vous offre des visites guidées du 15 mai au 30 octobre, de 9h00 à 18h00.

Possibilité d'excursion à la pêche à l'anguille du 15 septembre au 30 octobre, selon l'heure des marées et sur rendez-vous seulement.

05, Ave Morel, Kamouraska, Qc G0L 1M0
*Pour information: **tél. (418) 492-3935***

Domaine seigneurial Taché

Manoir fictif "Cormoran"

Principal lieu de tournage du téléroman Cormoran:
Anse-au-Maudit, observatoire, etc.
Visite guidée.

Ouverture: Mi-juin à la fin septembre. De 9h00 à 18h00

Hors saison: groupe, sur réservation.
Tarifs taxes incluses: Adulte: 5,00 $; étudiant: 3,00 $
Enfant de moins de 7 ans accompagné: gratuit;
Groupe: 12 personnes et plus: 4,00 $
Groupe étudiants: 12 personnes et plus: 2,50 $

Route 132 est, Kamouraska (Québec)
Tél.: (418) 492-3768 Hors saison: (418) 522-0015

CHARLEVOIX

*Les numéros sur la carte correpondent à la numérotation des gîtes de la région

**The numbers on the map correspond to the numbers of each establishment within the region.*

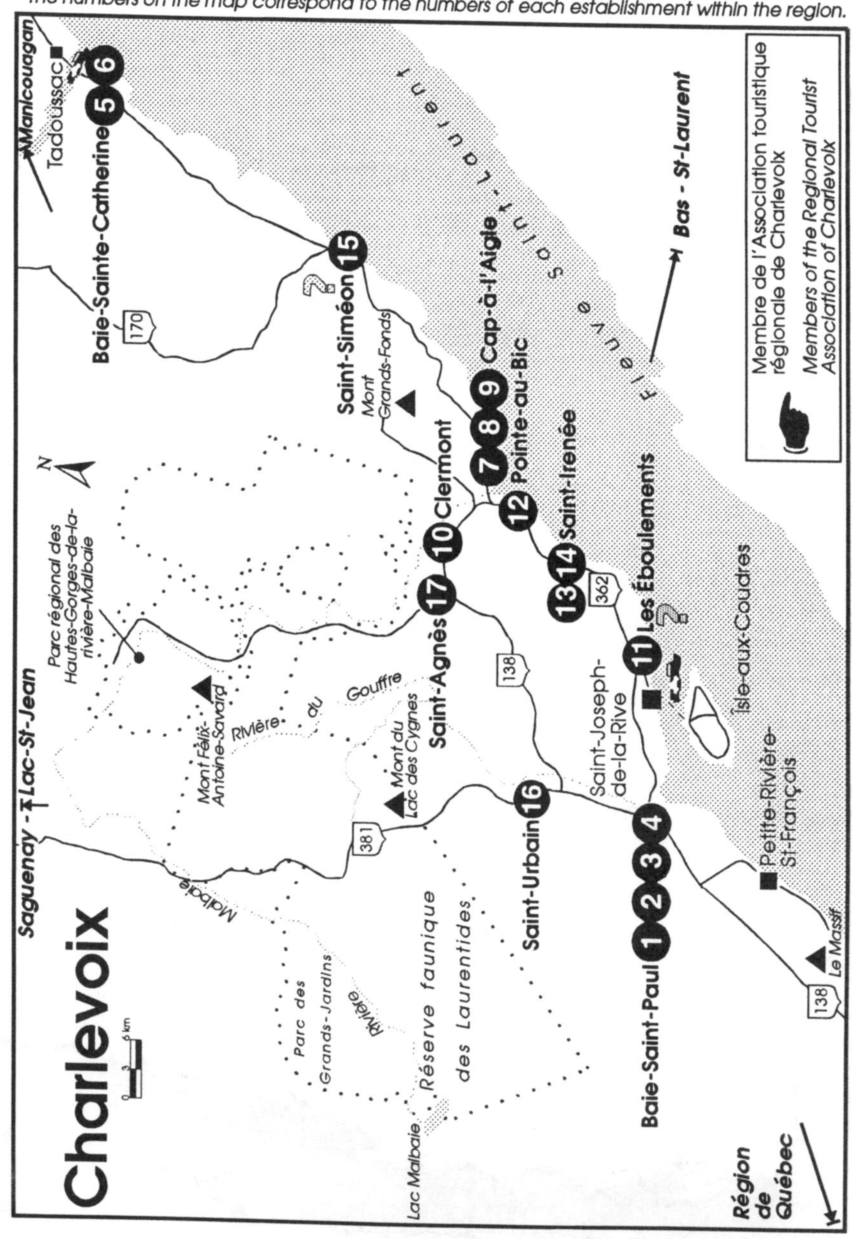

1 BAIE-ST-PAUL *Gîte du Passant* F A ℜ0.5

For a cosy stay in a Victorian residence on one of the most picturesque streets in the village, spoil yourself with the comfort of one of our four rooms with sinks. Generous breakfast and family atmosphere. Ski package to Massif de Petite-Rivière.

100 km from Québec City, toward Ste-Anne-de-Beaupré, Rte. 138 East. At Baie-St-Paul, Rte. 362 East. At the church, cross the bridge, first street on the right.

☞AU CLOCHETON
Josée Roy et Denis Allard
50 rue St-Joseph, C.P. 1607
Baie-St-Paul G0A 1B0
(418) 435-3393

$ 45, $$ 50, ☻ 0-10
(rc : 4 ch) (2 sb)
J F M A M J J A S O N D

Pour un séjour douillet dans une résidence victorienne située sur une des plus pittoresques rues du village, offrez-vous le confort d'une de nos quatre chambres avec lavabo. Déjeuner copieux et atmosphère familiale. Forfait ski au Massif de Petite-Rivière.

De Québec, 100 km, direction St-Anne de Beaupré, rte 138 est. À Baie-St-Paul, rte 362 est. À l'église, traverser le pont, première rue à droite.

2 BAIE-ST-PAUL *Gîte du Passant* F A ℜ0.2

Nestled in the heart of the village, with 4 cosy rooms: colour, duvet, cotton! Wood-burning stove is an ideal companion on chilly mornings. Relax at the blue piano or in the reading room. Patio overlooking the countryside, surrounded by mountains and the river.

From Québec City, Rte. 138 East. Or from the La Malbaie, Rte. 138 West or 362 West, Baie-St-Paul exit. At the church, take Rue Ste-Anne, towards the river, until Rue Leblanc joins it on the right. First blue house.

☞LA CHOUETTE
Ginette et François
2 rue Leblanc, C.P. 1978
Baie-St-Paul G0A 1B0
(418) 435-3217

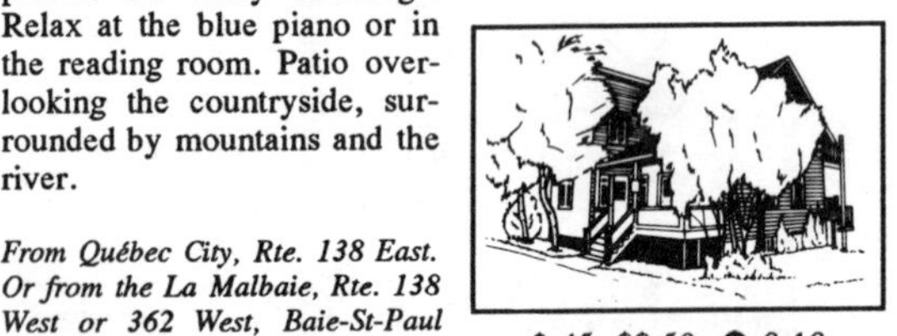

$ 45, $$ 50, ☻ 0-10
(1er : 4 ch) (2 sb)
J F M A M J J A S O N D

Nichée au coeur du village, abritant quatre chambres douillettes: couleur, duvet, coton! Poêle à bois complice des matins frileux. Flânerie au piano bleu ou au salon de lecture. Terrasse s'ouvrant sur la campagne ceinturée de montagnes et de fleuve.

De Québec, rte 138 est. Ou de La Malbaie, rte 138 ouest ou 362 ouest sortie Baie-St-Paul. À l'église, prendre rue Ste-Anne, direction fleuve, jusqu'à l'embranchement de la rue Leblanc à droite. 1ère maison bleue.

3 BAIE-ST-PAUL *Auberge du Passant* F A ℜ0.2 VS MC

At the heart of a picturesque village, a comfortable and cosy house with century-old charm offers 5 rooms with sinks. Also 5 rooms with private bathrooms in the separate "La Halle" building. Buffet breakfast, home-made bread and jam, fireplace, evening meal with reservations.

100 km from Québec City towards Ste-Anne-de-Beaupré, Rte. 138 East. At Baie-St-Paul, Rte. 362 East. At church, left on Rue St-Jean-Baptiste. Or from La Malbaie, Rtes. 138 or 362 West.

☞LA MUSE
Evelyne et Robert
39 St-Jean-Baptiste
Baie-St-Paul G0A 1B0
(418) 435-6839
Télécopieur (418) 435-6289

$ 45, $$ 55, ☻ 0-15
(rc : 3 ch, 1er : 7 ch) (7 sb)
J F M A M J J A S O N D

Au coeur d'un pittoresque village, maison au charme centenaire, confortable et douillette, vous offre 5 chambres avec lavabo. Aussi 5 chambres avec salle de bain privée dans son pavillon «La Halle». Petit déjeuner, buffet, pain et confiture maison, foyer. Table d'hôte le soir sur réservation.

De Québec, 100 km, direction Ste-Anne-de-Beaupré, rte 138 est. À Baie-St-Paul, rte 362 est. À l'église à gauche rue St-Jean-Baptiste. Ou de La Malbaie, rtes 138 ou 362 ouest.

4 BAIE-ST-PAUL *Gîte du Passant*

F A ℜ0.5 VS MC

At our place, city facilities are combined with the charm of the country. Tranquility, cleanliness, and comfort, these are the keys to our hospitality. In the morning, the best breakfast around. All the services in town are only a few minutes walk away.

100 km from Québec City, towards Ste-Anne-de-Beaupré, Rte. 138 East. At Baie-St-Paul, turn right Rte. 362 East. We are just in front of the "Centre Médical" and "Filion's Farm".

LE GÎTE DU VOYAGEUR
Arlette et Michel
44 Fafard
Baie-St-Paul G0A 1B0
(418) 435-3480

$ 35-40, $$ 40-45, ● 5-10
(1er : 5 ch) (2 sb)

J F M A M J J A S O N D

Chez nous, tous les avantages de la ville se marient au charme de la campagne. Tranquillité, propreté, confort, voilà nos 3 mots d'ordre. Tout cela accompagné d'un copieux petit déjeuner. Tous les services sont à quelques minutes à pied.

De Québec, 100 km, direction Ste-Anne-de-Beaupré, rte 138 est. À Baie-St-Paul, à droite rte 362 est. Face au «centre médical» et à la «ferme Filion».

5 BAIE-STE-CATHERINE *Gîte du Passant*

F ℜ0

Both carried away by the fury of the waves and enchanted by the calm of the woods. "Notre-Dame de l'espace" watches over the secret world of the whales and the residents of our magical village. Tickets for scenic boat cruises also for sale. Meals by Anne-Marie, home cooking. One room with sink.

From Québec City, Rte. 138 East towards La Malbaie. At the bridge, towards Tadoussac. After St-Siméon, towards Baie-Ste-Catherine. At the town hall, third house on the left.

ENTRE MER ET MONTS
Anne-Marie et Réal Savard
476 route 138
Baie-Ste-Catherine G0T 1A0
(418)237-4391/(418)237-4252

$ 30, $$ 45, ● 15
(ss : 3 ch, rc : 1 ch) (3 sb)

J F M A M J J A S O N D

Tantôt emporté par la fureur des flots, tantôt enchanté par la tranquillité des bois. «Notre-Dame de l'espace» veille sur le monde secret des baleines et sur les habitants de notre village enchanteur. Vente de billets pour croisières. Table d'hôte d'Anne-Marie, cuisine maison. Une chambre avec lavabo.

De Québec, Rte 138 est direction La Malbaie. Au pont, direction Tadoussac. Après St-Siméon, direction Baie-Ste-Catherine. À l'Hôtel de Ville, 3e maison à gauche.

6 BAIE-STE-CATHERINE *Gîte du Passant*

F ℜ1

Beautifully located in a magnificent bay, near a little church at the heart of a peaceful village, come and immerse yourself in the beautiful countryside. Discover the beauty of the sea. Rooms on the main floor or in the basement. Scenic boat cruise tickets for sale.

From Québec City, Rte. 138 towards Tadoussac. From the Baie-Ste-Catherine "Bienvenue" (Welcome) sign, drive 4 km. First entrance on the left.

GÎTE DU CAPITAINE
Étiennette et Benoit Imbeault
343 rue Leclerc
Baie-Ste-Catherine G0T 1A0
(418)237-4320/(418)237-4359

$ 30, $$ 45, ● 10
(ss : 2 ch, rc : 3 ch) (2 sb)

J F M A M J J A S O N D

Située aux premières loges d'une magnifique baie et à l'entrée du Fjord, au coeur d'un village calme et près de sa petite église, profitez de la beauté du paysage. Découvrez la beauté de la mer. Chambres au rez-de-chaussée ou au sous-sol. Billets en vente pour croisières.

De Québec, rte 138 est direction Tadoussac. De l'enseigne «bienvenue» de Baie-Ste-Catherine, faire 4 km. Première entrée à gauche.

7 CAP-À-L'AIGLE *Gîte du Passant*

F a 🚗 ℜ2.3

We offer a splendid view of the river and the Charlevoix region. Recently constructed, our house is welcoming and friendly. Everyone is welcome.

From Québec City, Rte. 138 East towards La Malbaie. After the bridge, drive 2.3 km towards Tadoussac. At Cap-à-l'Aigle, turn right immediately. Granite house with white gables.

LA VIGIE
Paula Dufour Maltais
18 route 138
Cap-à-l'Aigle G0T 1B0
(418) 665-6990

$ 25-30, $$ 35-40, ● 10
(rc : 3 ch) (2 sb)

J F M A [M] [J] [J] [A] [S] [O] N D

Nous vous offrons la vue panoramique la plus splendide de Charlevoix sur le fleuve et les localités voisines. De construction récente, notre maison est accueillante et chaleureuse. Bienvenue à tous.

De Québec, rte 138 est direction La Malbaie. Après le pont, faire 2.3 km direction Tadoussac. Entrer immédiatement à droite à Cap-à-l'Aigle. Maison de granit aux pignons blancs.

8 CAP-À-L'AIGLE *Gîte du Passant*

F A 🐕 ℜ1

House typical of the region. Panoramic view, facing the St. Lawrence River, patio, cultural and artistic atmosphere, close to activities and services. Warm welcome. Relaxing and honey place.

From Québec City, Rte. 138 East towards La Malbaie. After the bridge, drive 6.6 km on Rte. 138, make a left turn at the "Y". Brown shingled house.

LES CHANTERELLES
Pierrette Potvin
21 Fleurie
Cap-à-l'Aigle G0T 1B0
(418) 665-6393

$ 30, $$ 40, ● 10
(1er : 3 ch) (1 sb)

[J] [F] [M] [A] [M] [J] [J] [A] [S] [O] [N] [D]

Maison typiquement régionale. Vue panoramique, face au fleuve St-Laurent, terrasse, ambiance culturelle et artistique. À proximité des activités et services. Accueil chaleureux et atmosphère détendue.

De Québec, rte 138 est direction La Malbaie. Après le pont, faire 6.6 km sur la rte 138, tourner à gauche au «Y». Maison bardeaux bruns.

9 CAP-À-L'AIGLE *Gîte du Passant*

F a 🐕 🚗 ℜ1

At the entrance to the magnificent village of Cap-à-l'Aigle, the "Maison Vert-Tige" offers an exceptional welcome. Come and share the tranquility of a home with a history and a soul. Nearby: whales, skiing, the Parc des Hautes-Gorges, ecological and recreational centres.

From Québec City, Rte. 138 East towards La Malbaie. After the bridge, drive 2.3 km towards Tadoussac. The next village, on the Rue Principale of Cap-à-l'Aigle, a green house on the left.

☞MAISON VERT-TIGE
Lindsay
125 St-Raphaël
Cap-à-l'Aigle G0T 1B0
(418) 665-6201

$ 40-55, $$ 50-70, ● 10
(1er : 4 ch, 2e : 1 ch) (4 sb)

[J] [F] [M] [A] [M] [J] [J] [A] [S] [O] [N] [D]

À l'entrée du magnifique village de Cap-à-l'Aigle, la «Maison Vert-Tige» vous offre son accueil exceptionnel. Venez partager la tranquillité d'une demeure qui a de l'âge et de l'âme. À proximité: baleines, ski, parc des Hautes-Gorges, centres écologiques et récréatifs.

De Québec, rte 138 est direction La Malbaie. Après le pont, faire 2.3 km direction Tadoussac. Prochain village, sur la rue principale de Cap-à-l'Aigle, maison verte à gauche.

10 CLERMONT *Gîte du Passant*

F a ℜ1

In the heart of Charlevoix, you will experience a human warmth and hospitality, and a love for our country. In the comfort of our large home, your history fascinates us, you are interested by ours. Relax in the gentle warmth of our friendship.

From Québec City, Rte. 138 East, drive 130 km to Clermont. Or from La Malbaie, Rte. 138 West, drive 7 km to Clermont.

LA MAISON GAUDREAULT
Jeannine et Antonio
230 route 138
Clermont G0T 1C0
(418) 439-4149

$ 40, $$ 50, ● 5-8
(1er : 3 ch) (2 sb)
J F M A M J J A S O N D

Au coeur de Charlevoix, la chaleur humaine, l'hospitalité, notre enracinement à ce pays te sont acquis. Dans le confort de notre vaste demeure, ton histoire nous passionne, la nôtre t'enchante, viens te reposer dans la douce chaleur de notre amitié.

De Québec, rte 138 est, faire 130 km jusqu'à Clermont. Ou de La Malbaie, rte 138 ouest, faire 7 km jusqu'à Clermont.

11 LES ÉBOULEMENTS *Gîte du Passant*

F A ℜ1.5

We will be happy to welcome you to our warm Québecois household. As well, we have one of the most beautiful interior designs in Charlevoix. Warmth and hospitality guaranteed.

From Québec City, Rte. 138 East towards Baie-St-Paul. Rte. 362 to Éboulements. Right towards St-Joseph de la Rive (towards the ferry), it's in the middle of the slope on the right.

RELAIS DE LATERRIÈRE
Gilles Richard et
Berthe Dufour
11 route du Port
Les Éboulements G0A 2M0
(418) 635-1111

$ 35, $$ 50
(rc : 2 ch, 1er : 1 ch) (2 sb)
J F M A M J J A S O N D

Nous serons heureux de vous recevoir dans notre chaleureuse maison typiquement québécoise. De plus, vous apprécierez sûrement l'un des plus beaux décors de Charlevoix. Chaleur et hospitalité pour vous.

De Québec, rte 138 est direction Baie-St-Paul. Rte 362 jusqu'aux Éboulements. À droite vers St-Joseph de la Rive (rte du traversier), c'est au milieu de la côte à droite.

12 POINTE-AU-PIC *Gîte du Passant*

F A ℜ1.5

Do you know Charlevoix? "It's unique". Austrian-style house overlooking the shadows of the river, a warm welcome, with all the little details to make you happy. The "coffee-treat" break in late afternoon is the ideal moment for sharing and relaxing.

From Québec City, Rte. 138 East towards Baie-St-Paul. Rte. 362 East towards Pointe-au-Pic. From the "Golf du Manoir Richelieu", drive 2 km to the right. Or from La Malbaie, Rte. 138 East. From the bridge, Rte. 362 West towards Pointe-au-Pic, and drive 4.4 km to the left.

LA MAISON FRIZZI
Raymonde Vermette et
Adolf Frizzi
8 Côteau-sur-Mer, C.P. 526
Pointe-au-Pic G0T 1M0
(418) 665-4668

$ 30-50, $$ 45-65, ● 15-25
(1er : 2 ch) (2 sb)
J F M A M J J A S O N D

Vous connaissez Charlevoix! «C'est unique». Maison de style autrichien surplombant les nuances du fleuve, un accueil chaleureux ainsi que toutes les petites attentions sauront vous combler. La pause-«café-gâterie» en fin d'après-midi, un moment exquis pour l'échange et la détente.

De Québec, rte 138 est vers Baie St-Paul. Rte 362 est vers Pointe-au-Pic. Du golf du manoir Richelieu, faire 2 km à droite. Ou de La Malbaie, rte 138 est. Du pont, rte 362 ouest vers Pointe-au-Pic et faire 4.4 km sur la gauche.

13 ST-IRÉNÉE *Gîte du Passant* F A ℜ2

Stay in a beautiful family home at an altitude of 225 metres,with a spectacular view of the St-Lawrence River, and 150 hectare tree farm with walking trails. Retired couple, bedrooms with sink, double/single beds. Bathroom, balcony and den on the same floor. Reduction: middle of September to middle of June.

From Québec City, Rte. 138 East to Baie-St-Paul, Rte. 362 East to St-Irénée. One hundred metres past the wharf turn left on chemin St-Antoine and continue uphill for 2 km. Or from La Malbaie, Rte. 362 West.

VILLA GRANDE VUE
Irène Desroches
et Gilles Girard
360 chemin St-Antoine
St-Irénée G0T 1V0
(418) 452-3209

$ 37, $$ 48, ● 5-12
(1er : 3 ch) (2 sb)
J F M A M J J A S O N D

Séjournez en beauté dans un gîte familial à une altitude de 225 mètres avec vue de plus de 100 km sur les rives du St-Laurent. Hôtes retraités, choix de chambres avec lavabo, lits simples ou doubles, salle de bain à l'étage, balcon, coin lecture. Réduction: mi-sept. à mi-juin.

De Québec, rte 138 est jusqu'à Baie-St-Paul. Rte 362 est jusqu'à St-Irénée. À 100 mètres à l'est du quai, chemin St-Antoine, faire 2 km. Ou de La Malbaie, rte 362 ouest.

14 ST-IRÉNÉE *Maison de Campagne* F A M2 ℜ2

Two charming cottages, 1st, 30 m², 2nd, 40 m², at the edge of the forest and 30 m from the house. Bedroom with double bed, washroom, shower, hot water, wood and electric heating, house-keeping facilities with refrigerator and stove. St-Lawrence River 2 km away.

From Québec City, Rte. 138 East to Baie St-Paul. Rte. 362 to St-Irénée. 1 km past the church, turn left. Or from La Malbaie, Rte. 362 West, drive approximately 13 km. It is 4 km after the golf course.

VILLA GRANDE VUE
Irène Desroches
et Gilles Girard
360 chemin St-Antoine
St-Irénée G0T 1V0
(418) 452-3209

J F M A M J J A S O N D

Deux coquets chalets, dont 1 avec poêle à bois, à l'orée de la forêt et à 30 mètres de la résidence familiale. Superficie de plancher nº 1, 30 m², nº 2, 40 m², chambre avec lit double, literie, toilette, douche, eau chaude, chauffage, électricité, réfrigérateur, cuisinière. Fleuve à 2 km.

De Québec, rte 138 est jusqu'à Baie St-Paul. Rte 362 jusqu'à St-Irénée. 1 km passé l'église, à gauche. Ou de La Malbaie, rte 362 ouest, faire environ 13 km. C'est à 4 km après le golf.

NBR DE MAISONS	CH	PERS	$SEM-ÉTÉ	$SEM-HIVER	$WE-ÉTÉ	$WE-HIVER
2	1	2	200 à 250	---	120 à 140	---

15 ST-SIMÉON, PORT-AU-PERSIL *Gîte du Passant* F a ℜ0.5

Panoramic view of the river and the mountain slopes. Ideal spot for nature artists. Peaceful rest. Beach and restaurant nearby. Ferry to the South shore. Healthy traditional breakfast. Whale watching 35 km away.

From Québec City, Rte. 138 East, towards La Malbaie. After the bridge, towards Tadoussac. Drive 27 km. Watch for the secondary road marked: Port-au-Persil, 3 km.

LA PERSILLIÈRE
Bernadette Veilleux
390 Port-au-Persil
St-Siméon, Port-au-Persil
G0T 1X0 (418) 638-5266

$ 35, $$ 45
(1er : 3 ch) (1 sb)
J F M A M J J A S O N D

Vue panoramique du fleuve et du versant de la montagne. Site idéal pour les peintres de la nature. Halte paisible. Plage et restaurant à proximité. Traversier vers la rive sud. Chambres avec lavabo. Balcon. Déjeuner santé. Observation des baleines à 35 km.

De Québec, rte 138 est, direction La Malbaie. Après le pont, direction Tadoussac. Faire 27 km. Surveillez la route secondaire indiquée: Port-au-Persil, 3 km.

16 ST-URBAIN *Gîte du Passant*

F 🚗 ℜ0.1

Warm and peaceful establishment, near the exciting "Parc des Grands Jardins" and the mountain "Mont des Cygnes". The panorama of the St-Lawrence River and the villages of Charlevoix are unforgettable sights. Welcome to Chez Gertrude.

From Québec City, Rte. 138 East. After Baie St-Paul, drive 10 km, Rte. 381 North. From the intersection of Rtes. 138 and 381, drive 3 km.

CHEZ GERTRUDE
Gertrude Tremblay
706 St-Édouard, route 381
St-Urbain G0A 4K0
(418) 639-2205

$ 25, $$ 40, ● 5-10
(1er : 5 ch) (2 sb)
J F M A M J J A S O N D

Gîte chaleureux et paisible, près de l'étonnant parc des Grands Jardins et du mont des Cygnes. Vous serez saisi par l'inoubliable panorama du St-Laurent et des villages de Charlevoix. Bienvenue chez Gertrude.

De Québec, rte 138 est. Après Baie St-Paul, faire 10 km, rte 381 nord. De l'intersection des rtes 138 et 381, faire 3 km.

17 STE-AGNÈS *Gîte du Passant*

F A 🐕 🚗 ℜ6

In one of the loveliest valleys of Charlevoix, an ancestral stone house, wide-open spaces, water, mountain and forest, huge garden of organically-grown flowers and vegetables. Calm and peace five minutes from La Malbaie. Share a moment with us.

From Québec City, Rte. 138 East towards La Malbaie. To the right towards Ste-Agnès. Follow Rue Principale for 2 km, Rang St-Joseph, drive 3.3 km. Or from La Malbaie, Rte. 138 towards Québec City, left at Ste-Agnès...

L'ILOT
Denise et Jean-Marc
188 rang St-Joseph
Ste-Agnès G0T 1R0
(418) 665-6663

$ 25-30, $$ 35-45
(1er : 3 ch) (1 sb)
J F M A M J J A S O N D

Dans une petite vallée de Charlevoix tant vanté, maison ancestrale en pierre des champs. Grands espaces, eau, montagnes et forêt, immense potager et fleurs en culture biologique. Le calme à 5 minutes de La Malbaie. Partageons un instant de vie.

De Québec, rte 138 est vers La Malbaie. À droite direction Ste-Agnès. Rue Principale sur 2 km, rang St-Joseph, faire 3.3 km. Ou de La Malbaie, rte 138 ouest vers Québec, à gauche Ste-Agnès...

ISLE-AUX-COUDRES

CHAUDIÈRE-APPALACHES

*Les numéros sur la carte correpondent à la numérotation des gîtes de la région

The numbers on the map correspond to the numbers of each establishment within the region.

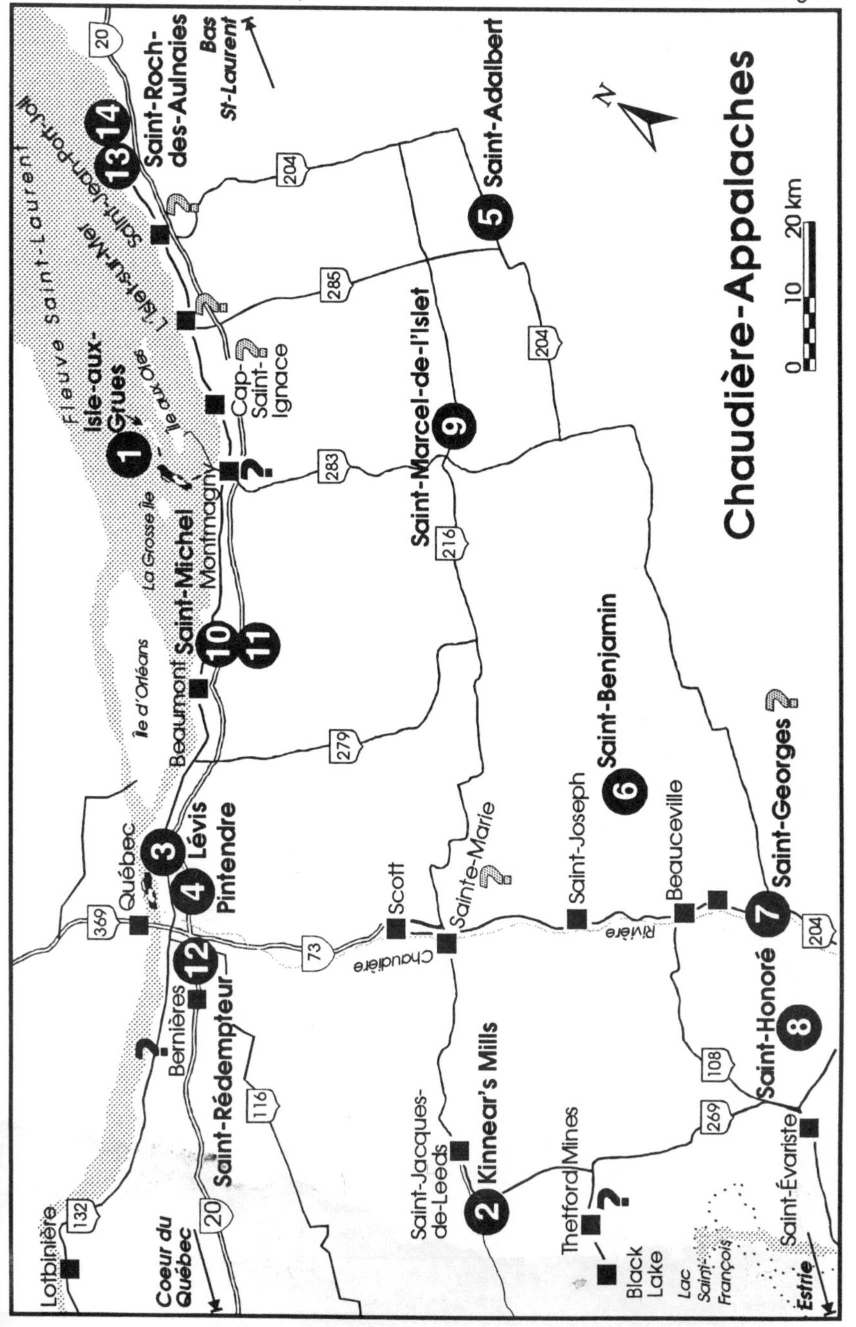

1 ISLE-AUX-GRUES *Gîte du Passant*

F a ℜ0

Come and enjoy the peace of the country in our two century-old stately manor. Admire extraordinary sunrises and sunsets over the St-Lawrence River. Evenings when the breeze is cool, the fire in the hearth will warm you up. The island can be toured by bike or on foot.

Hwy. 20 Exit 376 towards Montmagny. Follow signs for the ferry for Isle-aux-Grues. On the Island, drive East, it is 4.3 km from the dock. Check ferry times.

MANOIR MCPHERSON
Lucia et Hermance
rue Principale, Isle-aux-Grues
Cté Montmagny G0R 1P0
(418)248-4536/(418)248-2460

$ 35-60, $$ 50-75
(rc : 1 ch, 1er : 4 ch) (4 sb)

J F M A M J J A S O N D

Dans notre manoir seigneurial bicentenaire, venez goûter à la paix campagnarde. Admirez des couchers et des levers de soleil extraordinaires sur le St-Laurent. Les soirs où la brise se fait plus fraîche, le feu de bois dans l'âtre vous réchauffera. L'île se visite aussi à vélo ou à pied.

Aut. 20 sortie 376 vers Montmagny. Suivre indications du traversier de l'Isle-aux-Grues. À l'île, aller vers l'est, c'est à 4.3 km du quai. Informez-vous des horaires du traversier.

2 KINNEAR'S MILLS *Maison de Campagne*

F A M10 ℜ10

Century-old house, comfortable, close to a dairy farm, bordered by a forest and with a view of distant hills. Relaxing site, easy walking in the fresh air. Near the Kinnear's Mills historic site and the Thetford Mines region.

From Québec City or Montréal, Hwy. 20, Exit 305. At St-Étienne, Rte. 116 West, then Rte. 269 South to St-Jacques-de-Leeds. Take Rte. 271 South, drive about 5 km, Rang 13 is the 3rd road on the right.

FERME CHAMPVENT
Rachel Yersin
5050 rang 13
Kinnear's Mills G0N 1K0
(418) 424-3360

J F M A M J J A S O N D

Maison centenaire, confortable, à proximité d'une ferme laitière, en bordure d'une forêt avec vue sur les collines. Site invitant au repos et aux balades en plein air. Près du site historique de Kinnears's Mills et de la région de Thetford Mines.

De Québec ou Montréal, aut. 20, sortie 305. À St-Étienne, rte 116 ouest, puis rte 269 sud jusqu'à St-Jacques-de-Leeds. Prendre rte 271 sud, faire environ 5 km, le rang 13 est le 3e chemin à droite.

NBR DE MAISONS	CH	PERS	$SEM-ÉTÉ	$SEM-HIVER	$WE-ÉTÉ	$WE-HIVER
1	4	8	250	275	90	100

3 LÉVIS *Gîte du Passant*

F A ℜ0.5

Ideal spot to relax after a full day of wonderful touring. 5 min. from ferry and old city of Québec. Let yourself be carried away by our warm surroundings. Solarium, T.V., patio available. Full bathroom reserved for our guests. Non-smokers only.

From Montréal or Québec, Hwy. 20 East, Exit 325 North. At McDonald's, turn left, Bossuet St., on the 2nd stop, turn right. Gray stone house on the curve.

LA GRISERIE
Gaétane et Gilbert Belleau
12 rue Claudel
Lévis G6V 5A7
(418) 833-2342

$ 30, $$ 45, ☻ 10
(rc : 2 ch) (2 sb)

J F M A M J J A S O N D

Endroit idéal de repos après une journée de visite bien remplie. À 5 min. du traversier et du Vieux-Québec. Laissez-vous «griser» dans une ambiance chaleureuse. Solarium, T.V., patio à votre disposition, salle de bain réservée aux invités. Gîte non-fumeur.

De Montréal ou Québec, aut. 20 est, sortie 325 nord. Au restaurant McDonald, tourner à gauche, rue Bossuet, au 2e arrêt, tourner à droite, maison en pierres grises dans la courbe.

4 PINTENDRE *Gîte du Passant et Gîte à la Ferme*

F a ℜ0.3

Stay on a farm. At 12 min from Québec City. We have refreshments on the patio during the summer, and a wood fire in the winter. Vegetable garden. Walks in the woods. Bicycle path. Near horseback riding and ski centres, animal farms, games, ponies. We also offer a farm house (see p. 46).

From Québec City or Rivière-du-Loup, Hwy. 20, Exit 327 - Mgr Bourget, turn left and drive 2.5 km. On Rue des Ruisseaux, turn left, it's the third house on your left.

AUX VOLETS BLEUS
Véronique et Émile Pelletier
646 avenue Des Ruisseaux
Pintendre G6C 1N1
(418) 835-3494

$ 30, $$ 40, ● 5-10
(rc : 2 ch, 1er : 1 ch) (2 sb)

J F M A M J J A S O N D

Halte à la ferme. À 12 min. de Québec. Rafraîchissements sur la terrasse en été, feu de bois en hiver. Randonnée au boisé, voie cyclable. Près de centres d'équitation et de ski. Élevage d'animaux, jeux, poneys, voiture. Ohé! en selle les écuyers. Offrons aussi le gîte à la ferme (voir p 46).

De Québec ou Rivière-du-Loup, aut. 20, sortie 327 - Mgr Bourget, tourner à gauche et faire 2.5 km. Rue des Ruisseaux, tourner à gauche, c'est la 3e maison à votre droite.

5 ST-ADALBERT *Maison de Campagne*

F a M10 ℜ25

A world to discover in a corner of the country where the rhythm is slower. Horses, angora goats, other animals are here for everyone's enjoyment. Workshop for transformation of mohair and other activities. We and our 6 children welcome you. Fireplace.

From Québec City, Hwy. 20 East, Exit 400 towards St-Eugène. Rte. 285 South towards St-Marcel. 8 km from the village of St-Marcel, turn right at the sign "Rang 3 Rang 4" and drive 2 km.

FERME JOUVENCE
Nicole et Raymond Raby
36 rang 4
St-Adalbert G0R 2M0
(418) 356-5060

J F M A M J J A S O N D

Un monde à découvrir dans un coin de campagne où le rythme de vie bat moins vite. Chevaux, chèvres angoras, autres animaux feront la joie de tous. Transformation du mohair et ateliers variés. Nous serons très heureux avec nos six enfants de vous recevoir. Maison offrant un foyer.

De Québec, aut. 20 est, sortie 400 direction St-Eugène. Rte 285 sud vers St-Marcel. À 8 km du village de St-Marcel, tourner à droite à l'indication «rang 3 rang 4» et faire 2 km.

NBR DE MAISONS	CH	PERS	$SEM-ÉTÉ	$SEM-HIVER	$WE-ÉTÉ	$WE-HIVER
1	5	10	350	350	125	125

6 ST-BENJAMIN, BEAUCE *Gîte du Passant*

F a ℜ1

Come take a little trip in the heart of our village. You will spot our house "L'Antiquaille" with its red roof. Our breakfast will set your tastebuds jumping for joy. Your hostess will invite you to look at her handicrafts.

From Québec City, Rtes. 73 and 173 South. At Notre-Dame-des-Pins, turn left to St-Simon-les-Mines. Follow the signs to the village of St-Benjamin.

L'ANTIQUAILLE
Jacqueline et Catherine
218 rue Principale
St-Benjamin G0M 1N0
(418)594-8693

$ 30, $$ 40, ● 10-12
(1er : 3 ch) (1 sb)

J F M A M J J A S O N D

Venez faire une «saucette» au coeur de ce village. Vous apercevrez notre maison «l'Antiquaille» avec son toit rouge. Les déjeuners sauront satisfaire vos papilles gustatives. L'hôtesse vous invite à contempler ses travaux artisanaux.

De Québec, rtes 73 et 173 sud. À Notre-Dame-des-Pins, à gauche pour St-Simon-les-Mines. Suivre les indications pour le village St-Benjamin.

7 ST-GEORGES, BEAUCE *Gîte du Passant*

F a 🚗 ℜ1 MC

Come and be fascinated by the Beauce valley. In our large house filled with antique furniture, our rooms are tastefully decorated. Hearty breakfast, summer theatre package. Come and hear the colourful Beauceron language, as Père Gédéon said.

From Québec City, Rte. 73 South. At Vallée Jonction, Rte. 173 South towards St-Georges. After the McDonald's, left on 90e Rue, drive 3 km, left on 35e Avenue. Fourth house on the right.

GÎTE LA SÉRÉNADE
Berthe et Bernard Bisson
8835, 35e Avenue
St-Georges-de-Beauce est
G5Y 5C2
(418) 228-1059

$ 35, $$ 47, ● 10
(1er : 3 ch) (2 sb)

J F M A M J J A S O N D

Laissez-vous fasciner par la vallée de la Beauce. Dans notre grande maison remplie de meubles antiques, nos chambres sont décorées avec goût. Gros déjeuner. Forfait théâtre d'été. Venez entendre le langage coloré des beaucerons comme disait le Père Gédéon.

De Québec, rte 73 sud. À Vallée Jonction, rte 173 sud vers St-Georges. Après le McDonald's, à gauche 90e rue, faire 3 km, 35e ave. à gauche. 4e maison à droite.

8 ST-HONORÉ, BEAUCE *Gîte du Passant*

F 🚗 ℜ5

The Beauce area is worth a visit, and the Beaucerons love to have visitors. From the first impression, your hostess will make sure you have a pleasant and enriching holiday. Not to be missed: the 5 sites of the ecomuseum of Haute-Beauce.

From Québec City, Rtes. 73 and 173 South. At Notre-Dame de Pins, after the bridge, left to Rte. 271. At the flashing yellow light in the village of St-Benoit, turn left and drive for 7 km.

LE GÎTE BEAUCERON
Yvonne Carrier
187 rang 6 nord
St-Honoré G0M 1V0
(418) 485-6510

$ 22, $$ 35, ● 10
(1er : 3 ch) (2 sb)

J F M A M J J A S O N D

La Beauce mérite d'être visitée et les beaucerons adorent la visite. Le premier contact avec l'hôtesse vous donne l'assurance d'un séjour agréable et enrichissant. Nombreuses activités sur place. À visiter: les 5 sites de l'écomusée de la Haute-Beauce.

De Québec, rtes 73 et 173 sud. À Notre-Dame-des-Pins, après le pont, à gauche jusqu'à la rte 271. Au clignotant jaune dans le village de St-Benoit, tourner à gauche et faire 7 km.

9 ST-MARCEL-DE-L'ISLET *Maison de Campagne*

F M0.5 ℜ12

In the tranquillity of a small village, you will find two comfortable little houses near a dairy farm. Each season brings relaxation, fun, and beautiful contryside. Ideal site for cyclists. Not to miss: St-Jean-Port-Joli, Île-aux-Grues, Grosse-Île...Nearby: summer theatres, museums, galleries...

From Québec City, Hwy. 20 East, Exit 400. Rte. 285 South to St-Marcel. Rue Taché, turn left.

LA MARCELINE
Marc-Aurèle Dancause
68 Taché est, route 216
St-Marcel-de-l'Islet G0R 3R0
(418) 356-2728

J F M A M J J A S O N D

Dans la tranquillité d'un petit village s'offre à vous deux jolies maisons confortables près d'une ferme laitière. Chaque saison vous apporte détente, loisirs et paysages enchanteurs. Site idéal pour les cyclistes. À voir: St-Jean-Port-Joli, Ile-aux-Grues, Grosse Ile. Tout près: théâtres d'été, musées, galeries...

De Québec, aut. 20 est, sortie 400. Rte 285 sud jusqu'à St-Marcel. Rue Taché, tourner à gauche.

NBR DE MAISONS	CH	PERS	$SEM-ÉTÉ	$SEM-HIVER	$WE-ÉTÉ	$WE-HIVER
2	3 à 4	6 à 8	250 à 300	275 à 325	100 à 120	110 à 130

10 ST-MICHEL, BELLECHASSE *Gîte du Passant* F a ℜ0 VS MC

Just 20 km from Québec City. Come and enjoy the serenity of the rustic life, let the fresh country air with the breeze off the river wash over and caress you, and the wharf bid you welcome. A sink in each room and a res-taurant on the premises. Welcome.

From Québec City, Hwy. 20 East, Exit 341 to Beaumont. Rte. 132 East, drive 4.5 km. Or from Gaspé, Hwy. 20 West, Exit 348 to St-Michel and turn left on the 132. Drive 1 km.

LA FASCINE
Christine Boutin et
Lawrence Miller
49 route 132 ouest
St-Michel G0R 3S0
(418) 884-3907

$ 35, $$ 50, ● 5-10
(1er : 4 ch) (2 sb)
J F M A M J J A S O N D

À 20 km de Québec, laissez-vous fasciner par la magie des paysages. Le parfum des plaines et la brise du fleuve caressent le visage et les quais lancent des invitations. Lavabo dans chaque chambre. Restaurant sur place. Forfaits disponibles. Bienvenue.

De Québec, aut. 20 est, sortie 341, direction Beaumont. Rte 132 est, faire 4.5 km. Ou de la Gaspésie, aut. 20 ouest, sortie 348, direction St-Michel. À gauche sur la rte 132, faire 1 km.

11 ST-MICHEL, BELLECHASSE *Gîte du Passant* F a ℜ5.6

4 km from Rte. 132, give yourself a rejuvenating rest in our beautiful century-old house dominating the "Bas-de-Bellechasse" plain. See, hear, feel, smell and taste: a real vacation! In the morning, you can collect eggs from the chickens, feed the ducks...Two rooms.

From Montréal or Rivière-du-Loup, Hwy. 20, Exit 348. Rte. 281 SOUTH, drive approximately 1 km. Take the 218 to the right, drive 0.7 km. Or Rte. 132, take Rte. 281 South, drive 3 km. Take Rte. 218, drive 0.7 km.

LA PARIADE
Céline Veillet et
Gilles Deschênes
298 rang 2, route 218
St-Michel G0R 3S0
(418) 884-3075

$ 38, $$ 48
(rc : 1 ch, 1er : 1 ch) (1 sb)
J F M A M J J A S O N D

À 4 km de la rte 132, offrez-vous une halte ressourçante dans notre maison centenaire surplombant la plaine du «Bas-de-Bellechasse». Voir, entendre, sentir et goûter, voilà de vraies vacances! Le matin, ramassez les oeufs dans le poulailler, nourrissez les canards...Deux chambres.

De Montréal ou Rivière-du-Loup, aut. 20, sortie 348. Rte 281 SUD, faire environ 1 km. Rte 218 à droite, faire 0.7 km. Ou rtes 132, 281 sud, faire 3 km. Rte 218, faire 0.7 km.

12 ST-RÉDEMPTEUR *Gîte du Passant* F a ℜ2

We offer you a comfortable and welcoming home, beautiful scenery near the river. Proximity to downtown Québec City and to the two bridges to Québec City, an ideal way to see Québec City. Generous and varied breakfast. We will be glad to have you as our guests. Non-smokers only.

From Québec City, Hwy. 20 West, Exit 311. Rte. 116 West, drive 1 km. Second traffic lights left rue Bellerive. Or from Montréal, Hwy. 20 East, Exit 311. Or Rte. 132, intersection Rte. 116 West, drive 3 km.

LE RIVERAIN
Louise et Jean-Denis
Lachance
144 Bellerive
St-Rédempteur G0S 3B0
(418) 831-4773

$ 35, $$ 50, ● 15
(1er : 2 ch) (2 sb)
J F M A M J J A S O N D

Nous avons pour vous un gîte accueillant et confortable, un terrain paysagé près de la rivière. Proximité du centre-ville de Québec et à proximité des deux ponts de Québec, arrêt idéal pour visiter Québec. Petit déjeuner copieux et varié. Nous vous attendons avec grand plaisir. Gîte non-fumeur.

De Québec, aut. 20 ouest, sortie 311. Rte 116 ouest, faire 1 km. Aux 2e feux de circulation à gauche rue Bellerive. Ou de Montréal, aut. 20 est, sortie 311. Ou de la rte 132, intersection rte 116 ouest, faire 3 km.

13 ST-ROCH-DES-AULNAIES *Gîte du Passant et Gîte à la Ferme* F a ℜ3

Come to the farm, take time to live and to admire nature, take a ride on a horse, taste the local cuisine, take advantage of a warm welcome and the simplicity of family life. 3 bicycles and 2 horses are available. As well, a Gîte du Passant, bed and breakfast only, as well as a farm house (see p. 46).

From Québec City, Hwy. 20 East, Exit 430. Right on Chemin de Castonguay, drive 1 km. Or from Rivière-du-Loup, Exit 430, right on Rte. 132, go under the underpass, right on Chemin des Castonguay. Drive 1 km.

FERME PIRALY
Lise et Raymond Picard
530 chemin des Castonguay
St-Roch-des-Aulnaies
G0R 4E0
(418) 354-2842

$ 25, $$ 35, ● 0-10
(1er : 3 ch) (2 sb)

J F M A M J J A S O N D

Venez à la ferme prendre le temps de vivre et d'admirer la belle nature, faire une balade à cheval, déguster les mets de chez nous, profiter d'un accueil chaleureux, de la simplicité de la vie en famille. 3 vélos et 2 chevaux sont disponibles. Nous offrons le gîte du passant et le gîte à la ferme (voir p 46).

De Québec, aut. 20 est, sortie 430. À droite, chemin des Castonguay, faire 1 km. Ou de Rivière-du-Loup, sortie 430, à droite sur la rte 132, traverser le viaduc. À droite, chemin des Castonguay, faire 1 km.

14 ST-ROCH-DES-AULNAIES *Gîte du Passant* F A ℜ1.5

Enjoy the calm art of living at our log cabin and adjacent lodge. The sea and magnificent panorama are yours to contemplate. Your comfort and leisure are our main concern, and we will make your stay one to remember. Outdoor heated swimming pool.

From Québec City, Hwy. 20 East, Exit 414 to St-Jean-Port-Joli. At this point, from the church square, drive 10.5 km on Rte. 132 East. At 1.6 km from the "Des Aulnaies" camp ground, on your left, look for a sign "Le Ressac".

LE RESSAC
P. Hamel et H. Deschênes
1266 route 132
St-Roch-des-Aulnaies
G0R 4E0
(418)354-2219/(418)598-6811

$ 35, $$ 48-50, ● 12
(rc : 2 ch, 1er : 1 ch) (3 sb)

J F M A M J J A S O N D

En pleine nature, collés au fleuve et éloignés des bruits familiers, notre maison en bois rond et le pavillon y attenant offrent confort, calme, repos et intimité. Le poêle à bois, l'âtre, la cuisine saine et la piscine chauffée contribuent à une ambiance chaleureuse.

De Québec, aut. 20 est, sortie 414. À l'église de St-Jean-Port-Joli, faire 10.5 km sur la rte 132 est. À 1.6 km du terrain de camping «Des Aulnaies», à gauche à l'affiche indiquant «Le Ressac».

GÎTE DU PASSANT[MD]
GÎTE À LA FERME

Marque déposée par
Fédération des Agricotours du Québec

Ce séjour à la ferme nous a permis un repos bienfaisant, une atmosphère sympathique et de nombreuses activités de plein air.

Merveilleux séjour. Ferme très vivante, peuplée et propre. Propriétaires et enfants très accueillants et patients. Grandes possibilités de participer aux activités de la ferme.

418-884-3907

Située à Saint-Michel, un des plus beaux villages du Québec

Forfait vacances

le coucher, le déjeuner, le souper, la soirée au théâtre d'été et la visite du moulin de Beaumont (du 23 juin à la fin août).

75 $ par/pers occ. double

Autres forfaits disponibles : Croisière / Grosse-Ile - Golf

Heures d'ouverture **Entrée gratuite**

Lundi au vendredi
10h00 à 12h00
13h00 à 16h30
Samedi et dimanche
12h00 à 17h00

Pour réservation (418) 835-2090 ou 1-800-463-4810 (poste 2090)

La Société historique Alphonse-Desjardins

8, rue du Mont-Marie, Lévis, Qc

ENTRÉE: 6 rue du Mont-Marie

RESTAURANT
BAR - TERRASSE
St-Jean-Port-Joli
300, Route 204
Tél.: (418) 598-9111

SOCIÉTÉ
DE L'ASSURANCE
AUTOMOBILE
DU QUÉBEC

RESTAURANT • CAMPING

Le goût à votre portée!

76, Avenue de Gaspé Est, Saint-Jean-Port-Joli
Tél.: (418) 598-3088
Télécopieur: (418) 598-3089

• Une table de bon goût •
parmi nos spécialités...

Plats du jour variés.
Table d'hôte

•Fruits de mer, de saison
(homards, crabes, pétoncles, crevettes, moules)

•Poissons frais (filets)

POUR PLUS DE DÉTAILS VOIR PAGE 10-28

La Seigneurie des Aulnaies

LE CENTRE D'INTERPRÉTATION
DU RÉGIME SEIGNEURIALE LE PLUS COMPLET AU QUÉBEC

Visitez le Manoir (1854) et le Moulin (1842)
Animation par des personnages en costumes d'époque
Vente de farine naturelle et de produits à base de farine
Aires de pique-nique et magnifiques jardins

Ouvert de la mi-juin à la mi-septembre de 9H à 18H

Saint-Roch-Des-Aulnaies / Sortie 430 de l'autoroute 20
tél: 418.354.2800

L'ASSOCIATION TOURISTIQUE DE L'ISLET-SUD VOUS ATTENDS...

- *Le paradis des motoneigistes, des chasseurs et des pêcheurs*
- *Vous trouverez les meilleurs produits de l'érable chez-nous*
- *Venez vous amuser lors de nos festivals et carnavals*

Le plaisir dans la nature pour vous reposer ou pour pratiquer votre sport préféré.

A.T.L.S.
3, Route Elgin sud
St-Pamphile G0R 3X0
Tél.: 418-356-5618

MUSÉE MARITIME BERNIER
L'ISLET-SUR-MER

Des expositions, des navires, un parc, en bordure du fleuve Saint-Laurent...une histoire de mer

À ne pas manquer
Du 23 mai au 11 octobre tous les jours de 9h00 à 18h00
hors saison: du mardi au vendredi de 9h00 à 17h00

À 100 KM DE QUÉBEC, RIVE-SUD EST (SORTIE 400, AUTOROUTE 20)
55, des Pionniers est, L'Islet-sur-Mer (Québec) G0R 2B0 **Tél.: (418) 247-5001**

COEUR du QUÉBEC

*Les numéros sur la carte correpondent à la numérotation des gîtes de la région

The numbers on the map correspond to the numbers of each establishment within the region.

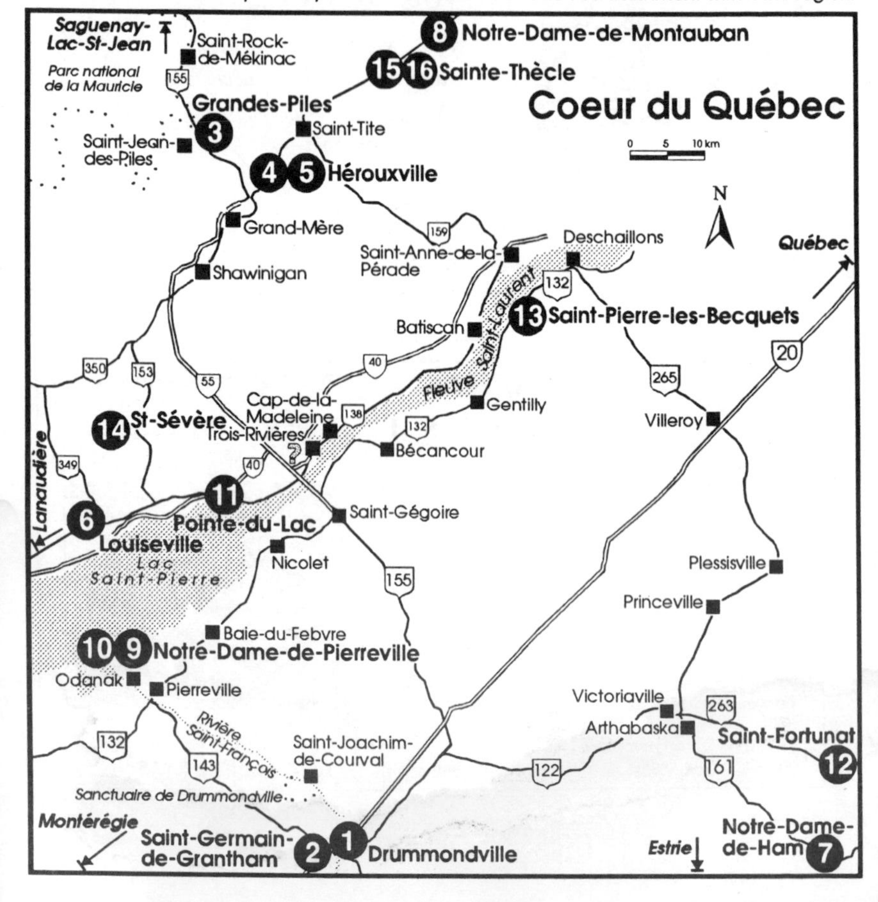

1 DRUMMONDVILLE *Gîte du Passant*

F A ℜ1

One hour from Montréal, Québec City, or the U.S. border. International folk festival. Early colonial village. Home with French-inspired architecture and large garden. Full breakfast with home cooked snacks to enjoy on the terrace. Relaxed people.

From Montréal or Québec City, Hwy. 20, take Exit 173 direction 55 South, 6 km exit at Jean de Brebeuf Blvd. Right for 2 km, then changes name to 101st Ave. Turn right at 107th Ave.

AUX VOLETS VERTS
Andréa et Gilles Tremblay
545, 107e Avenue
Drummondville J2B 4M9
(819) 474-5646

$ 35, $$ 50, ● 10
(rc : 2 ch) (1 sb)

J F M A M J J A S O N D

À une heure de Montréal, Québec et de la frontière U.S. Festival folklorique international. Village québécois d'antan. Maison d'inspiration normande, grand jardin. Petit déjeuner complet avec petits plats maison à déguster sur la terrasse. Gens calmes.

De Montréal ou Québec, aut. 20, sortie 173, direction 55 sud. À 6 km prendre sortie boul. Jean-de-Brébeuf. À droite pour 2 km. Ce boulevard change pour 101e ave. À droite sur la 107e ave.

2 DRUMMONDVILLE, ST-GERMAIN *Gîte du Passant*

F A ℜ4

Old-fashioned charm, the easy life. Large, warm country house built in 1916, warm, isolated, surrounded by a veranda with flowers, open spaces, trees and flowers. Gourmet breakfast served in the solarium (bread, pastry, home-made jam). A few kilometres from the Village Québecois d'Antan. 10% reduction for stays of more than 2 days. Free for children under 6.

From Québec City or Montréal, Hwy. 20, Exit 166. Take Rang 10 to Rte. 239. Right for 3 km.

LE MADAWASKA
Juliette Levasseur
644 route 239
St-Germain J0C 1K0
(819) 395-4318

$ 35, $$ 45, ● 10
(1er : 3 ch) (2 sb)

J F M A M J J A S O N D

Charme du passé, douceur de vivre. Grande maison de campagne datant de 1916, chaleureuse, isolée, entourée d'une galerie fleurie. Déj. gourmet servi au solarium (pain, pâtisserie, confiture maison). Près du Village Québécois d'Antan. 10% de réduction pour plus de 2 jours. Gratuit enfants 0 à 6 ans.

De Québec ou Montréal, aut. 20, sortie 166. Sur le 10e rang jusqu'à la rte 239, prendre à droite pour 3 km.

3 GRANDES-PILES *Auberge du Passant*

F a ℜ0

Former mansion of Jean J. Crête, called the King of la Mauricie. Magnificent view of the St-Maurice River. Large gardens and pool. Dining room on site. Small room for shows. Charming decor. A jewel of la Mauricie.

From Montréal, Hwy. 40 East. At Trois-Rivières, Hwy. 55 North. Grandes-Piles is located 10 km from Grand-Mère towards La Tuque.

LE CHÂTEAU CRÊTE
Jacques Crête et
Serge Le Maire
740, 4e Avenue
Grandes-Piles G0X 1H0
(819) 533-5841

$ 50, $$ 70, ● 7-12
(ss:1ch, 1er:4ch, 2e:1ch)(3sb)

J F M A M J J A S O N D

Ancien manoir de Jean J. Crête appelé: Le Roi de la Mauricie. Vue magnifique sur la rivière St-Maurice. Grands jardins et piscine. Salle à manger sur place. Petite salle de spectacles. Décor enchanteur. Joyau de la Mauricie.

De Montréal, aut. 40 est. À Trois-Rivières, aut. 55 nord. Grandes-Piles est situé à 10 km de Grand-Mère sur la route de La Tuque.

4 HÉROUXVILLE *Gîte à la Ferme*

F a ♿ VS MC

For a farm stay only (2 or 3 meals per day), stop over at our place and share in the joys of our everyday life. Outdoor facilities. Pool, cycling, games, fireplace. Interesting tourist attractions; ex. area where the series *Émilie* was filmed, lumberjack village. Welcome!

From Montréal, Hwy. 40 East. At Trois-Rivières, Hwy. 55 North. At Grand-Mère, Rte. 153. At Hérouxville, cross the railway and drive 2 km.

ACCUEIL LES SEMAILLES
Lise Richer et François Naud
1480 rang Saint-Pierre
Hérouxville G0X 1J0
(418)365-5190/(418)365-5590

Tarifs: voir page 47
(1er : 5 ch) (1 sb)

J F M A M J J A S O N D

Pour un séjour à la ferme uniquement (2 ou 3 repas par jour) faites une halte chez nous qui vous permettra de partager les joies de notre quotidien sur la ferme. Aménagement extérieur. Piscine, bicyclettes, jeux, foyer. Attraits touristiques intéressants: au pays des «Filles de Caleb», village du bûcheron. Bienvenue.

De Montréal, aut. 40 est. À Trois-Rivières, aut. 55 nord. À Grand-Mère, rte 153. À Hérouxville, traverser chemin de fer et faire 2 km.

5 HÉROUXVILLE *Gîte du Passant*

F A 🐕 ℜ5

At the centre of the village, facing the park, 5 min from the village where the series *Émilie* was filmed and the Parc de la Mauricie. Come and relax in front of a wood fire and feel the peace of the country. A visit of the farm, sleigh ride, tourist circuit. You are welcome!

Halfway between Québec City and Montréal on Hwy. 20 or 40, take Hwy. 55 North via Trois-Rivières. At the end of the 55, exit onto Rte. 153. At Hérouxville, right at the flashing light and left in front of the church.

MAISON TRUDEL
Nicole Jubinville
et Yves Trudel
543 Goulet, route 153
Hérouxville G0X 1J0
(418) 365-7624

$ 30, $$ 40, ● 10
(rc : 1 ch, 1er : 2 ch) (2 sb)

J F M A M J J A S O N D

Gîte confortable et chaleureux face au parc municipal à 5 min. du village d'Émilie et du parc de la Mauricie. Venez vous détendre devant un feu de foyer et goûter le calme de la campagne. Visite à la ferme, circuit touristique, «sleigh-ride». Bienvenue.

À mi-chemin entre Québec et Montréal par aut. 20 ou aut. 40, prendre aut. 55 nord via Trois-Rivières. À la fin de la 55, sortie rte 153. À Hérouxville, à droite au feu clignotant et à gauche avant l'église.

6 LOUISEVILLE *Gîte du Passant*

F a 🚗 ℜ1

Relax to the rhythm of a little farm and its country life. Welcoming victorian house has a calm atmosphere and music. Stroll in flower gardens and scented meadows, contemplating the farmyard and the horses. At the gates of la Mauricie, near Trois-Rivières and next to a golf course.

From Montréal Québec City, Hwy. 40, Exit 166. Rte. 138 East, drive 2.4 km to Rte. 348 West. Left towards St-Ursule, drive 1.5 km, 1st road on the right, 1st house far away beneath the trees.

GÎTE DE LA SEIGNEURIE
Michel Gilbert
480 chemin du Golf
Louiseville J5V 2L4
(819) 228-8224

$ 35-45, $$ 45-60, ● 5-10
(rc : 1 ch, 1er : 2 ch) (2 sb)

J F M A M J J A S O N D

Séjournez au rythme d'une petite ferme et sa vie champêtre. Maison victorienne accueillante dans son calme et sa musique. Promenade dans jardins fleuris et prés parfumés, observant basse-cour et chevaux. Aux portes de la Mauricie, de Trois-Rivières et voisin du golf.

De Montréal ou de Québec, aut. 40, sortie 166. Rte 138 est, faire 2.4 km jusqu'à la rte 348 ouest. À gauche vers St-Ursule, faire 1.5 km, 1er chemin à droite, 1ère maison éloignée sous les arbres.

7 NOTRE-DAME-DE-HAM *Gîte du Passant* F A ℜ5

Backing onto Maine and Vermont, our Appalachian mountains offer 1000 surprises: wild berries, geological discoveries, freshwater trout, vast landscapes. Jeanne Desrochers, from the newspaper La Presse wrote: In a word, it's the warmth of a wood fire and you.

From Montréal or Québec City, Hwy. 20, Exit 210, Victoriaville. In Victoriaville, Rte. 161 South, towards Lac Mégantic for 35 km. Notre-Dame-de-Ham, to your right, village entrance.

Jeanne D. Trottier
37 Principale
Notre-Dame-de-Ham
G0P 1C0
(819) 344-5640

$ 35, $$ 50, ● 12
(1er : 3) (2 sb)
J F M A M J J A S O N D

Adossés au Vermont et au Maine, nos Appalaches nous offrent mille surprises: fruits sauvages, trouvailles géologiques, truites de ruisseau, vastes paysages. Jeanne Desrochers du quotidien La Presse cite: «Un seul mot suffit, et c'est chaleur du feu de bois et vous».

De Montréal ou Québec, aut. 20 sortie 210 - Victoriaville. À Victoriaville, rte 161 sud direction Lac Mégantic et faire 35 km. À Notre-Dame-de-Ham, à droite à l'entrée du village.

8 N.D.-DE-MONTAUBAN *Gîte du Passant et Gîte à la Ferme* F A ℜ12

Located on a peninsula, our fabulous log house is surrounded by fields and mountains. Our passions: our children, our gardens, fine cuisine, and visitors. Near two nature reserves. We also offer a farm house (see p. 47).

From Montréal, Hwy. 40 East to Hwy. 55 North toward Shawinigan, after this city, Exit 153 North to Notre-Dame-de-Montauban (N.D.-des-Anges), drive 10 km. on Rte. Rousseau, left side after the first level crossing.

LE BEAU-LIEU
France Beaulieu
974 route Rousseau
Notre-Dame-de-Montauban
G0X 1W0 (418) 336-2619

$ 30, $$ 45, ● 10
(1er : 3 ch) (2 sb)
J F M A M J J A S O N D

Située sur une presqu'île, superbe maison en bois rond entourée de champs et de montagnes. Nos passions: enfants, jardins, fine cuisine et vous recevoir. Près: 2 réserves fauniques. Plage privée et piscine. Cabane à sucre. Offrons aussi le gîte à la ferme (voir p 47).

De Montréal, aut. 40 est, aut. 55 nord direction Shawinigan, sortie 153 nord jusqu'à N.D.-de-Montauban (N.D.-des-Anges), faire 10 km sur rte Rousseau, côté gauche après la 1ère traverse à niveau.

9 NOTRE-DAME-DE-PIERREVILLE *Gîte du Passant* F A ℜ2

Geese-filled sky and lazy river, relax, fish, garden, make yourself at home while escaping your everyday worries. Allow me to welcome you to my unpretentious but hospitable farmhouse.

From Montréal, Hwy. 20 East, 30 East and Rte. 132 East to Pierreville. At the exit to Pierreville bridge, turn left to take Rang de l'Île at 2 km. Or from Québec City, Rte. 132 West to Pierreville bridge.

FERME BIOLOJACQUES
Jacques Landry
96 rang de l'Île
Notre-Dame-de-Pierreville
J0G 1G0
(514) 568-2512

$ 24, $$ 39, ● 10
(1er : 3 ch) (2 sb)
J F M A M J J A S O N D

Ciel de sauvagine, rivière à vos pieds, gîte simple et hospitalier, nature vivante généreuse et sauvage, détendez-vous à votre gré, pêchez, flânez, sarclez, sortez... Vous serez chez vous sur cette petite ferme insulaire au coeur québécois.

De Montréal, aut. 20 est, 30 est et rte 132 est jusqu'à Pierreville. À la sortie du pont de Pierreville, tourner à gauche. Rang de l'Île à 2 km. Ou de Québec, rte 132 ouest jusqu'au pont de Pierreville.

10 NOTRE-DAME-DE-PIERREVILLE *Gîte du Passant*

F A ℜ1

Paradise for hunting and fishing on St-Pierre Lake. Fresh and smoked fish available year round. Flocks of wild ducks and geese will delight you in the spring. Come and relax in the warmth of our log house.

From Montréal, Hwy. 20 East, 30 East, Rte. 132 East to Pierreville. As you come off the bridge, go left to N.D.-de-Pierreville. Take the bridge to the 1st street on the right, then right on Chemin la Commune. Straight ahead to Chemin la Coulée. Drive 1.3 km.

LA MAISON DU LAC
Fernande et Jean-Paul Bessette
63 chemin La Coulée
N.-D.-de-Pierreville J0G 1G0
(514) 568-5041

$ 35, $$ 50
(1er : 3 ch) (2 sb)

J F M A M J J A S O N D

Paradis de chasse et pêche du Lac St-Pierre. Poissons frais et fumés disponibles en tout temps. Les couvées de canards sauvages et les volées d'oies blanches vous émerveilleront au printemps. Venez vous reposer dans la chaleur d'une maison en bois rond.

De Montréal, aut. 20 est, 30 est, rte 132 est jusqu'à Pierreville. À la sortie du pont, à gauche jusqu'à N.-D.-de-Pierreville. Prendre le pont jusqu'à 1ère rue à droite ensuite à droite ch. la Commune. Tout droit jusqu'au ch. la Coulée. Faire 1.3 km.

11 POINTE-DU-LAC *Gîte du Passant*

F A ℜ1.6

Enchanting riverside setting, calm, relaxing, near Trois-Rivières. Magnificent home, pool, picnic tables. Warm and familiar welcome. We speak German. We will help you discover this beautiful region.

From Montréal (130 km) Hwy. 40 East, Exit 187. Rte. 138 East for 7 km. Or from Québec City (130 km) Hwy. 40 West and 55 South for 800 metres. Notre Dame Exit. Rte. 138 West for 5 km.

PAVILLON BAIE JOLIE
Barbara et Jacques
709 route 138
Pointe-du-Lac G0X 1Z0
(819) 377-3056

$ 30, $$ 50, ☻ 15
(rc : 3 ch) (1 sb)

J F M A M J J A S O N D

Site enchanteur au bord du fleuve, calme, reposant, à proximité de Trois-Rivières. Magnifique demeure, piscine, tables à pique-nique. Accueil chaleureux et familial. Petit déjeuner à volonté. Parlons allemand. Nous vous aidons à découvrir cette belle région.

De Montréal (130 km) aut. 40 est, sortie 187. Rte 138 est sur 7 km. Ou de Québec (130 km) aut. 40 ouest et 55 sud sur 800 mètres. Sortie Notre-Dame. Rte 138 ouest sur 5 km.

12 ST-FORTUNAT *Maison de Campagne*

F a M0.2 ℜ0.2

Very comfortable, fully equipped house for friend, family, or work meetings. Outdoor activities all year round. Organic raspberries. Théâtre de la Chèvrerie nearby. Lower prices for smaller groups.

From Montréal, Hwy. 20 East, Exit 228 towards Princeville. Rte. 263 South to St-Fortunat. Or from Québec, Hwy. 20 West, Exit 235 towards Princeville, Rte. 263 South to St-Fortunat.

LA MAISONNÉE CLÉ EN MAIN
Mario Marcoux
171 Principale
St-Fortunat G0P 1G0
(819) 344-5506

J F M A M J J A S O N D

Maison très confortable avec foyer et toute équipée pour les amis, la famille ou les réunions de travail. Activités de plein air en toutes saisons. Framboisière biologique. Théâtre de la Chèvrerie à proximité. Aussi tarifs de location réduits pour plus petit groupe.

De Montréal, aut. 20 est, sortie 228 direction Princeville. Rte 263 sud jusqu'à St-Fortunat. Ou de Québec, aut. 20 ouest, sortie 235 direction Princeville, rte 263 sud jusqu'à St-Fortunat.

NBR DE MAISONS	CH	PERS	$SEM-ÉTÉ	$SEM-HIVER	$WE-ÉTÉ	$WE-HIVER
1	4	8	520	520	260	260

13 ST-PIERRE-LES-BECQUETS *Gîte du Passant*

F A ℜ1

You are very welcome at our home. As we love to travel, we enjoy the company of travellers. We offer you two rooms facing the St-Lawrence River. Two complete bathrooms, bidet, whirlpool, bath, shower. A generous breakfast.

From Montréal, Hwy. 40 East to Trois-Rivières. Laviolette Bridge to get to the South Shore. Rte. 132 to St-Pierre.

Cécile et Roger Poirier
211 Marie Victorin, rte 132
St-Pierre-les-Becquets
G0X 2Z0
(819) 263-2756

$30, $$ 50, ● 5-15
(1er : 2 ch) (2 sb)

J F M A M J J A S O N D

Bienvenue chez nous! Nous vous recevrons avec plaisir. Aimant voyager, nous apprécions la compagnie des voyageurs. Nous vous offrons deux chambres avec vue sur le fleuve, deux salles de bain complètes, bidet, bain tourbillon, douche. Déjeuner bien garni.

De Montréal, aut. 40 est jusqu'à Trois-Rivières. Pont Laviolette pour passer sur la Rive Sud. Prendre rte 132 est jusqu'à St-Pierre.

14 ST-SÉVÈRE *Gîte du Passant*

F a

Agricultural village with a taste of yesteryear. Rustic, spacious, 170-year-old antique furniture. Six generations of Heroux, also called Bourgainville. "Two steps from the Kings Way (Chemin du Roy), you will stop at the Bourgainvillier, and a good stop it will be."

Halfway between Montréal and Québec City, on Rte. 138 or Hwy. 40, Exit 180. At Yamachiche, at the flashing lights, towards Shawinigan, Rte. 153, drive 3 km. Follow signs to St-Sévère, drive 5 km. Located at the heart of the village.

AU BOURGAINVILLIER
Lise Héroux
83 rue Principale
St-Sévère G0X 3B0
(819)264-5653
(514)668-3955

$35, $$ 45, ● 10
(1er : 3 ch) (2 sb)

J F M A M J J A S O N D

Village agricole au cachet d'antan. Maison rustique, spacieuse, meublée à l'ancienne, 170 ans d'âge. 6 générations Héroux dit Bourgainville. Espaces verts. «À 2 pas du Chemin du Roy, au Bourgainvillier tu t'arrêteras, bonne halte tu y feras».

À mi-chemin entre Montréal et Québec, par rte 138 ou aut. 40, sortie 180. À Yamachiche, aux feux clignotants, direction Shawinigan, rte 153, faire 3 km. Suivre indication St-Sévère, faire 5 km. Situé au coeur du village.

15 STE-THÈCLE *Gîte du Passant*

F ℜ0.2

Come and share our relaxation. The picturesque country setting for the series *Émilie* will charm you. Visit Émilie in her school, and don't miss the Western Festival 8 km away. Many activities in all seasons, very close to services. Two rooms on the first floor and one in the basement. Young families are welcome.

From Montréal, Hwy. 40 East, 55 North, Rte. 153 North. At Ste-Thècle, at the flashing lights, turn left and drive 200 m. Or from Québec, Hwy. 40 West, Exit 236, Rte. 159. At St-Tite, Rte. 153 North.

BALADE AU COEUR
Clémence et Marcel Rompré
1970 chemin Saint-Pierre sud
route 153
Ste-Thècle G0X 3G0
(418) 289-2775

$ 25, $$ 40, ● 10
(ss : 1 ch, 1er : 2 ch) (2 sb)

J F M A M J J A S O N D

Venez partager notre détente. Le pittoresque pays des «Filles de Caleb» vous séduira. Saluez Émilie à son école, invitez-vous au festival western à 8 km. Plein d'activités au fil des saisons à un pas des services. Deux chambres au 1er étage et une au sous-sol. Bienvenue aux jeunes familles.

De Montréal, aut. 40 est, 55 nord, rte 153 nord. À Ste-Thècle, au feu clignotant, tourner à gauche et faire 200 mètres. Ou de Québec, aut. 40 ouest, sortie 236, rte 159. À St-Tite, rte 153 nord.

16 STE-THÈCLE *Gîte du Passant et Gîte à la Ferme* F 𝔐8

Stop at a farm between Montréal and Lake St-Jean in the beautiful country setting of *The series Émilie*. Hunting grounds for small game near the Mauricie Park. We will be happy with our 9 year old daughter to have you on our dairy farm and to serve you generous meals. We also offer a farm house (see p. 47).

From Montréal, Hwy. 40 East, 55 North and Rte. 153 North to Ste-Thècle. Cross the railway tracks on the right, drive 5 km. From Québec City, Hwy. 40 West Exit 236, Rte. 159. At St-Tite, Rte. 153.

FERME MA-GI-CA
Lise Leblanc et
Réjean Tessier
1761 route 352
Ste-Thècle G0X 3G0
(418) 289-2260

$ 30, $$ 45, ● 10-15
(1er : 3 ch) (2 sb)

J	F	M	A	M	J	J	A	S	O	N	D

Halte à la ferme entre Montréal et le Lac St-Jean au beau pays des «Filles de Caleb». Site de chasse aux petits gibiers près du parc de la Mauricie. Nous sommes heureux, avec notre fille de 9 ans, de vous accueillir sur notre ferme laitière et de vous servir de copieux repas. Offrons aussi le gîte à la ferme (voir p 47).

De Montréal, aut. 40 est et 55 nord, rte 153 nord jusqu'à Ste-Thècle. Traverser chemin de fer à droite, faire 5 km. Ou de Québec, aut. 40 ouest, sortie 236, rte 159. À St-Tite, rte 153.

DUPLESSIS

*Les numéros sur la carte correpondent à la numérotation des gîtes de la région

The numbers on the map correspond to the numbers of each establishment within the region.

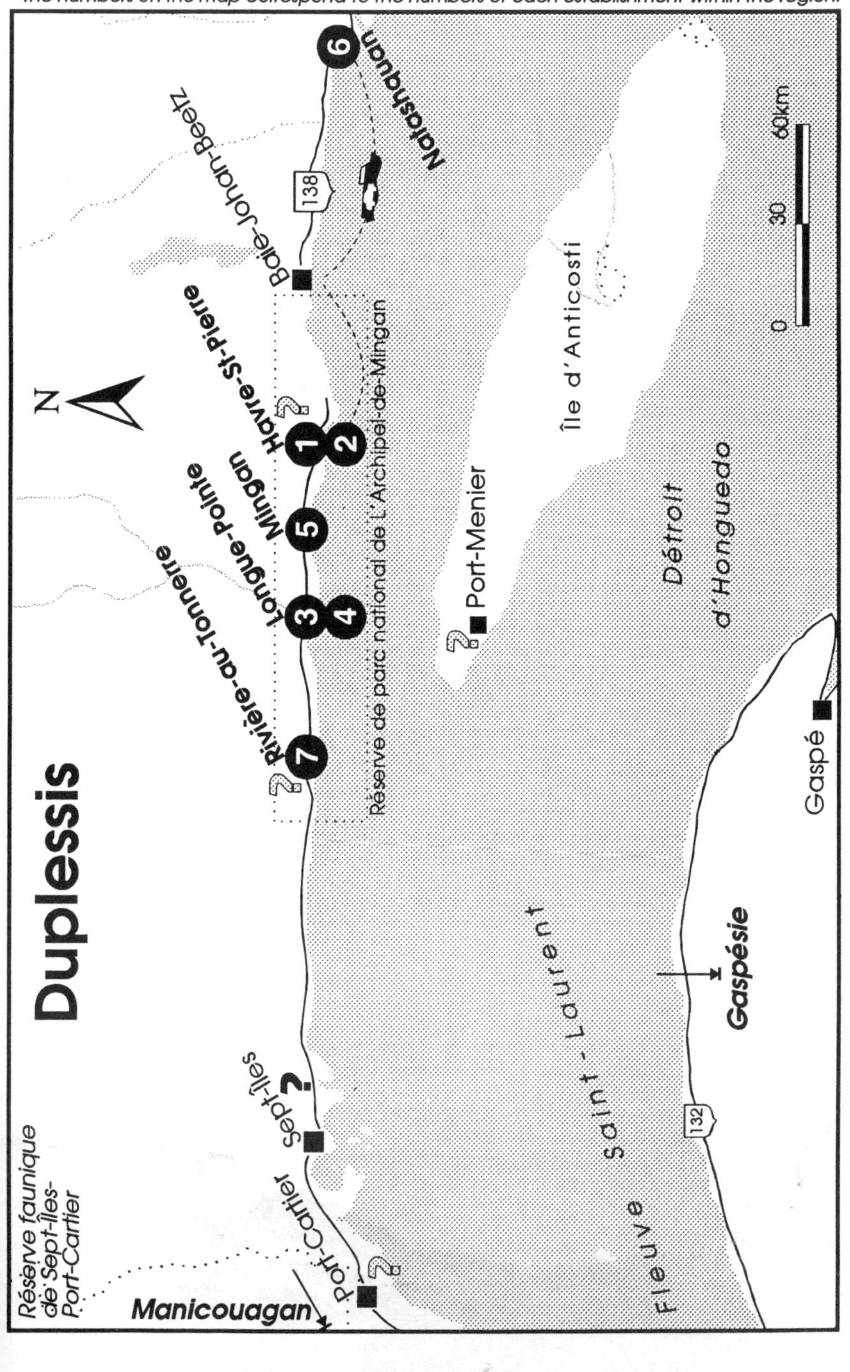

1 HAVRE ST-PIERRE *Gîte du Passant*

F a ℜ0.1

Warm home where you will find comfort, service, dearliness and calm. Activities: bicycle rental, canoes, cruises to the Mingan Islands, to see whales, birds (puffins), and sea mamals. We can meet you at public transport stops (airport, bus terminal, quay).

From Tadoussac, Rte. 138 East to Havre St-Pierre. At the entrance, turn right, continue to the Bank of Commerce and turn left on Rue Boréal.

LE GÎTE CHEZ LOUIS
Noëlla Scherrer
1045 rue Boréal
Havre St-Pierre G0G 1P0
(418)538-2799/(418)538-3885

$ 30, $$ 45
(**1er** : 3 ch) (2 sb)

J F M A M J J A S O N D

Maison chaleureuse où vous trouverez confort, service, propreté et tranquillité. Activités: location de vélos, canots, croisières aux Îles Mingan, aux baleines et aux oiseaux (macareux moines), observation des mammifères marins. Possibilité d'accueil aux transports publics (aéroport, terminus d'autobus, quai).

De Tadoussac, rte 138 est jusqu'au Havre St-Pierre. À l'entrée, tourner à droite, continuer jusqu'à la Banque de Commerce et tourner à gauche rue Boréal.

2 HAVRE ST-PIERRE *Gîte du Passant*

F a ℜ0.1

Acadian house blessed with a large kitchen, where Mother Scherrer "fixes up" big, delicious breakfasts from the North Shore: seafood, "plaquebiere" jam... We will take care of your reservations for the Archipelago Mingan.

From Tadoussac, Rte. 138 East to Havre St-Pierre. At the entrance, turn right, continue to the Bank of Commerce and turn left on Rue Boréal.

LE GÎTE CHEZ LOUIS
Noëlla Scherrer
1047 rue Boréal
Havre St-Pierre G0G 1P0
(418)538-3885/(418)538-2799

$ 30, $$ 45
(**rc** : 1 ch, **1er** : 4 ch) (2 sb)

J F M A M J J A S O N D

Maison acadienne dotée d'une grande cuisine, où maman Scherrer «popote» les bons gros déjeuners de la Côte Nord: le déjeuner de fruits de mer, les confitures de plaquebière et de graines rouges... On s'occupe de vos réservations dans l'Archipel Mingan.

De Tadoussac, rte 138 est jusqu'au Havre St-Pierre. À l'entrée, tourner à droite, continuer jusqu'à la Banque de Commerce et tourner à gauche rue Boréal.

3 LONGUE-POINTE-DE-MINGAN *Gîte du Passant*

F A ℜ0.2

Love at first sight for the Minganie region. Exotic site permeated by the wild smell of freedom! Highly rated establishment! Cute little place. Perfect for a longer stay! Regional Prize: Grand Prix of Québec Tourism. Building conquered by non-smokers.

From Sept-Îles, Rte. 138 East to Longue-Pointe-de-Mingan. Take the seaside road, close to the Station de Recherche des Baleines and ferries to Îles de la Minganie.

LA BÉCASSINE
Carole et Yves Chiasson
84 Bord de la mer
Longue-Pointe-de-Mingan
G0G 1V0
(418) 949-2049

$ 45, $$ 55, ☻ 10
(**rc** : 1 ch, **1er** : 4 ch) (2 sb)

J F M A M J J A S O N D

Coup de coeur pour la Minganie! Site exotique et indompté d'où émane l'odeur sauvage de la liberté. Relais hautement apprécié. Petit air coquet. Propice pour long séjour. Lauréat régional: Grands Prix du Tourisme Québécois. Endroit conquis par non-fumeur.

De Sept-Iles, rte 138 est jusqu'à Longue-Pointe-de-Mingan Emprunter le bord de mer, à proximité de la Station de Recherche des baleines et croisières des Îles de la Minganie.

4 LONGUE-POINTE-DE-MINGAN *Gîte du Passant*

F a ♿ ℜ1

As well as a magnificent view of the ocean (our land "dips its toes" in the water), Lucie and Louis will provide you with everything for a wonderful stay: calm, cheer, warm welcome... not to mention our copious breakfasts. We wish everyone a happy vacation.

From Québec City, Rte. 138 East to Longue-Pointe-de-Mingan. See the sign in the center of the village.

LA MAISONNÉE
L. Joyal et L. de Courval
3 rue du Centre
Longue-Pointe-de-Mingan
G0G 1V0
(418)949-2434/(819)336-3087

$ 35, $$ 50-55, ● 12
(**rc** : 3 ch, **1er** : 2 ch) (3 sb)

J F M A M J J A S O N D

En plus d'une magnifique vue sur la mer (notre terrain a les deux pieds «dedans») vous trouverez chez Lucie et Louis tout pour un agréable séjour: tranquillité, gaieté, accueil... sans oublier nos copieux déjeuners. Bonnes vacances à tous.

De Québec, rte 138 est jusqu'à Longue-Pointe-de-Mingan. Voir panneau indicateur au centre du village.

5 MINGAN *Gîte du Passant*

F a ℜ8

Ancestral home near the ocean, a craft boutique, with a salmon and trout fishing club 1.4 km away. Perfect haven for canoeing, waterskiing, diving. Whales are sometimes visible from our home. Generous breakfast with home-made jam made from local berries.

From Tadoussac, Rte. 138 East to Mingan. 900 ft. from the ferry boarding dock (3) you'll find the whales and puffins of Mingan and Anticosti Islands.

LE GÎTE DU VISITEUR
Ghislaine et Jules
212 rue Georges, C.P. 362
Mingan G0G 1V0
(418) 949-2475

$ 35, $$ 45, ● 10-12
(**1er** : 3 ch) (2 sb)

J F M A M J J A S O N D

Maison ancestrale près de la mer, d'un kiosque d'artisanat. Club de pêche au saumon et à la truite à 1.4 km. Havre idéal pour canotage, ski nautique, plongée sous-marine. Baleines visibles du gîte. Déjeuner copieux avec confitures de plaquebière et pimbina.

De Tadoussac, rte 138 est jusqu'à Mingan. À 900 pieds du quai d'embarquement des croisières (3) aux baleines et aux macareux des îles Mingan et d'Anticosti.

6 NATASHQUAN *Gîte du Passant*

F a ℜ1

With a view of the sea, this establishment offers relaxation, a warm welcome and personalized service. If you ask, we will even cook up a regional dish for you. Bicycle rental, river cruises, hiking, beach, everything to make your stay enjoyable. Rendezvous at Natashquan, the "Port d'Attache" awaits.

*By **BOAT**: the Relais Nordik in Rimouski (418) 723-8787 or 1-(800)-463-0680. By **AIRPLANE**: InterCanadian/Montréal (514) 636-3890 or 1-(800)-361-0200, Confortair/Havre St-Pierre (418) 538-2999.*

LE PORT D'ATTACHE
Magella Landry
70 Du Prés
Natashquan G0G 2E0
(418) 726-3569

$ 28, $$ 39
(**1er** : 3 ch) (1 sb)

J F M A M J J A S O N D

Vue sur la mer, ce gîte vous propose détente, accueil chaleureux et service personnalisé. Sur demande, on vous mijote même un plat régional. Location de vélos, descente de rivière, randonnée, plage. Rendez-vous à Natashquan, le «Port d'Attache» vous y attend.

*Le **BATEAU**: Relais Nordik à Rimouski (418) 723-8787 ou 1-(800)-463-0680. L'**AVION**: Inter Canadien/Montréal (514) 636-3890 ou 1-(800)-361-0200, Confortair/Havre St-Pierre (418) 538-2999.*

7 RIVIÈRE-AU-TONNERRE *Gîte du Passant* F A ℜ0.1

LA CHICOUTÉE
Suzie Malouin et Marc Talbot
384 Jacques-Cartier
route 138
Rivière-au-Tonnerre G0G 2L0
(418) 465-2233

$ 40, $$ 50, ☻ 15
(1er : 3 ch) (2 sb)

J F M A M J J A S O N D

This summer we take to the open sea... Whales to port! Fishermen to starboard! Rendez-vous with hospitality, salt air and fine sand. Located by the ocean. Exploration of the area and ocean excursions available on site.

From Sept-Îles, Rte. 138 East to Rivière-au-Tonnerre. Located 35 minutes from the main tourist flow on the Mingan Archipelago.

Cet été on prend le large... Baleines à babord! Pêcheurs à tribord! C'est un rendez-vous avec la chaleur des gens, l'air salin et le sable fin. Situé au bord de la mer. Découverte du milieu et excursion en mer sur place.

De Sept-Iles, rte 138 est jusqu'à Rivière-au-Tonnerre. Situé à 35 min du flot touristique de l'archipel de Mingan.

ESTRIE

*Les numéros sur la carte correpondent à la numérotation des gîtes de la région

**The numbers on the map correspond to the numbers of each establishment within the region.*

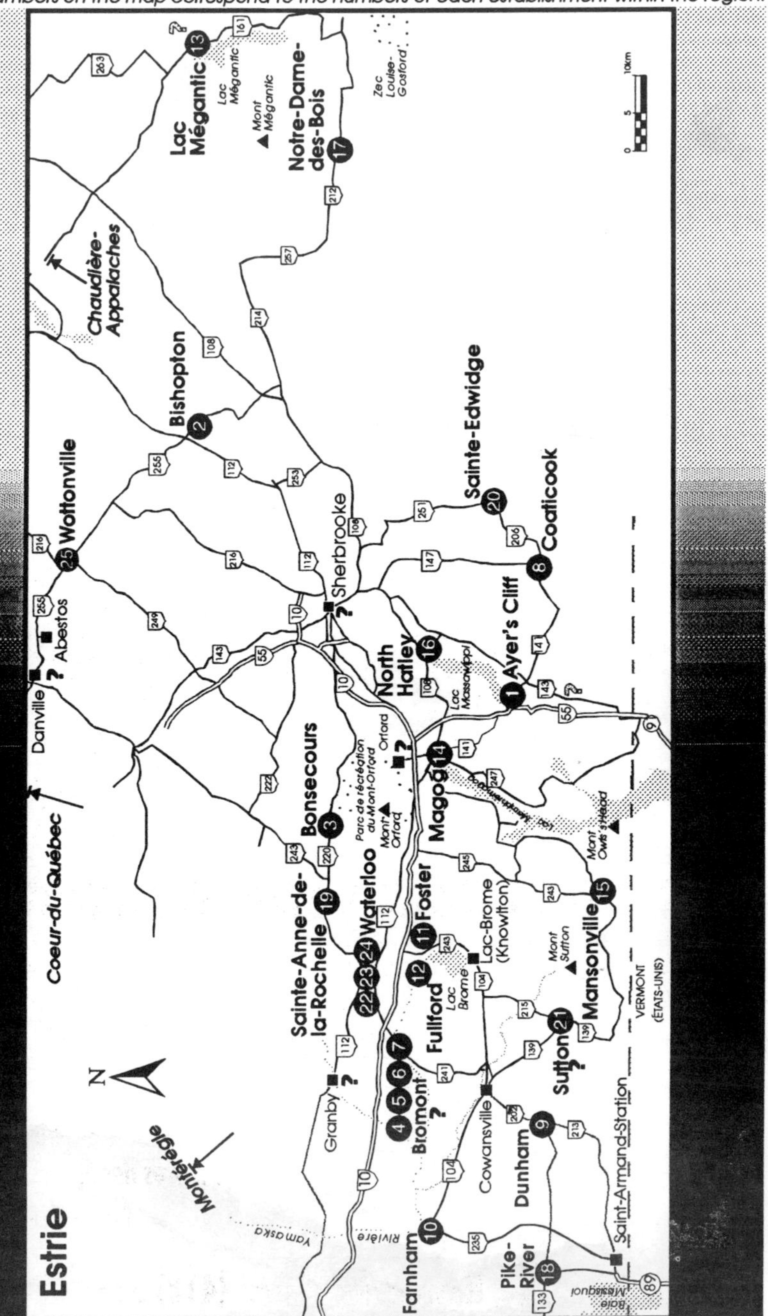

1 AYER'S CLIFF *Gîte du Passant et Gîte à la Ferme*

F

Dairy farm. Activities abound in the region. One hundred year-old house nestled in a calm area, home-made food. Swimming in Massawippi Lake is only 3 km away, summer theatre, Coaticook Gorge, golf course 15 min. away, cross-country and downhill skiing. We also offer a farm house (see p. 47).

From Montréal, Hwy. 10 East, Exit 121. Hwy. 55 South, Exit 21, Rte. 141 South. Approximately 2.5 km after the intersection of Rte. 143, take Chemin Audet left. Large white house on the hill.

Cécile et Robert Lauzier
3119 chemin Audet, rte 1
Ayer's Cliff J0B 1C0
(819) 838-4433

$ 40, $$ 50-55, ● 10
(1er : 3 ch) (2 sb)

J F M A M J J A S O N D

Ferme laitière. Les environs fourmillent d'activités. Endroit tranquille, maison centenaire, nourriture maison. Baignade au lac Massawippi à 3 km, théâtre d'été, gorge de Coaticook, ski de fond, ski alpin, golf à 15 min. Près de North-Hatley, du Mont-Orford et de Magog. Offrons aussi le gîte à la ferme (voir p 47).

De Montréal, aut. 10 est, sortie 121. Aut. 55 sud, sortie 21, rte 141 sud. Environ 2.5 km après l'intersection de la 143, prendre chemin Audet à gauche. Grosse maison blanche sur la côte.

2 BISHOPTON *Maison de Campagne*

F A M3 ℜ12 VS MC

Old American house and nice cottage located in a mountain by the lake 50 acre property. (25 min. from Sherbrooke). Furnishings, dishes, blankets, rowboat, canoe is provided. We have : bird watching, swimming, fishing, hunting, cross country ski, sleigh ride, dog sledding.

From Montréal, Hwy. 10, Exit 140 Sherbrooke - King East Rte. 112, between East Angus and Weedon, Rte. 255 North, turn left on Bloomfield for 1 km, turn right on Gosford.

AU RELAIS DES MÉSANGES
Jany Brossard et Roch Bibeau
35 Gosford
Bishopton J0B 1G0
(819) 884-2286

J F M A M J J A S O N D

Grande maison de campagne et chalet situés en montagne sur 50 acres face au lac, avec poêle à bois. Chaloupe, pédalo, plage privée. Vous pourrez observer les oiseaux, nourrir lapins et poules, chasser, pêcher. Ski de fond sur nos sentiers, patinoire, pêche sur glace. 25 min. de Sherbrooke.

De Montréal, aut. 10, sortie 140 Sherbrooke - King est (112). Rte 112 jusqu'à la jonction rte 255 nord, faire 50 pieds et tourner à gauche sur Bloomfield, faire 1 km, à droite sur Gosford.

NBR DE MAISONS	CH	PERS	$SEM-ÉTÉ	$SEM-HIVER	$WE-ÉTÉ	$WE-HIVER
2	2 à 7	6 à 16	350 à 1 050	600 à 1 050	250 à 750	400 à 750

3 BONSECOURS *Gîte du Passant*

F a ℜ1 VS MC

Superb stone house in an orchard. Springs, maple grove. Panoramic view of Mount Orford. Luxurious indoor pool. Warm welcome and authentic atmosphere. Generous breakfast (home-made products). In the heart of the Eastern Townships and its many activities.

From Montréal, Hwy. 10 East, Exit 78, Rte. 241 North. At Waterloo, Rte. 243 North. After Ste-Anne, Rte. 220 East. Drive 1.5 km past Bonsecours, on the left, sign for "Le Chat Botté".

GÎTE LE CHAT BOTTÉ
Roger Chabot
869 route 220
Bonsecours J0E 1H0
(514) 532 4400

$ 35, $$ 50, ● 15
(1er : 3 ch) (2 sb)

J F M A M J J A S O N D

Superbe maison de pierres dans un verger. Étangs, érablière. Vue panoramique sur le mont Orford. Luxueuse piscine intérieure. Accueil chaleureux et atmosphère authentique. Copieux déjeuner (produits maison). Au coeur de l'Estrie et de toutes ses activités.

De Montréal, aut. 10 est, sortie 78, rte 241 nord. À Waterloo, rte 243 nord. Après Ste-Anne, rte 220 est. Faire 1.5 km après Bonsecours, sur la gauche, enseigne «Le Chat Botté».

4 BROMONT *Gîte du Passant*

F a ℜ0.7

A few metres from the ski slopes and the golf course, our house opens its doors wide to you: two living rooms, a fireplace and cosy rooms. In-ground swimming pool, panoramic view. Walking, cycling and ski trails on site... you're the only thing missing! Nearby: water slides, spa, factory outlet.

From Montréal or Sherbrooke, Hwy. 10, Exit 78. Blvd. Bromont to Champlain on the right. Cross the golf course, keep going, and drive 0.5 km past the ski hill. White and green house on the right.

CROISSANT DE LUNE
Francine Bonin et
Claude Lussier
104 rue Champlain
Bromont J0E 1L0
(514) 534-1470

$ 40-55, $$ 50-75
(1er : 5 ch) (3 sb)

J F M A M J J A S O N D

À quelques mètres de la station de ski et du golf, notre maison vous ouvre ses portes : deux salons, un foyer et des chambres douillettes. Piscine creusée et vue panoramique. Sentiers pédestres, de vélo ou de ski à vos pieds...Il n'y manque que vous! À proximité: glissades d'eau, Spa concept, «factory outlet».

De Montréal ou Sherbrooke, aut. 10, sortie 78. Boul. Bromont jusqu'à Champlain à droite. Traverser le golf, continuer et faire 0.5 km après la station de ski. Maison blanche et verte à droite.

5 BROMONT *Gîte du Passant*

F A ℜ0.1 VS

A former farm house situated in the old village of Bromont, within walking distance of ski hill, golf course, water slide, mountain trails and open country. Down pillows, "gourmet" breakfasts, comfortable salon, wooded lawns and in-ground swimming pool.

From Montréal, Hwy. 10 East, Exit 78, to Bromont. At traffic lights, turn right on Rte. Shefford for 1.2 km.

GÎTE CHRISTOPHE
Christopher Roberts
951 rue Shefford
Bromont J0E 1L0
(514) 534-1683

$ 40-55, $ 60-70
(rc : 1 ch, 1er : 2 ch) (2 sb)

J F M A M J J A S O N D

Une maison chaleureuse située dans l'ancien village de Bromont. À proximité: centre de ski, golf, glissade, champs, boisés et montagnes. Oreillers duvet..., petits déjeuners «gourmets»..., bibliothèque, salon luxueux et piscine agrémenteront votre séjour.

De Montréal, aut. 10 est, sortie 78, direction Bromont. Aux feux de circulation, tourner à droite sur la rue Shefford, faire 1.2 km.

6 BROMONT *Gîte du Passant*

F A

On 10 acres, recently-built house with three comfortable, spacious rooms. Pure air, mountains, birds, charming countryside. On site, trails for: walking, cycling, cross-country skiing. Other activities nearby: water slides, factory outlet. Calm guaranteed. No smoking.

From Montréal, Hwy. 10 East, Exit 78. Drive 4.2 km on Blvd. Bromont. At the sign for "Iron Hill", turn right on Huntington and drive 3.8 km. On the right, grey and white house.

LA ROSELIÈRE
Rachel et Pierre Bougie
1010 Huntington
Bromont J0E 1L0
(514) 266-1456

$ 40, $$ 60, ☻ 0-10
(1er : 3 ch) (2 sb)

J F M A M J J A S O N D

Sur 10 acres, maison récente disposant de 3 chambres confortables et spacieuses. Air pur, montagne, oiseaux, paysage enchanteur. Sur terrain, sentiers pour: marche, vélo, ski de fond. Autres activités à proximité: glissades d'eau et «factory outlet». Tranquillité assurée. Gîte non-fumeur.

De Montréal, aut. 10 est, sortie 78. Faire 4.2 km sur boul. Bromont. À l'indication routière «IRON HILL» tourner à droite sur Huntington et faire 3.8 km. À droite maison grise et blanche.

7 BROMONT, CANTON DE SHEFFORD *Gîte du Passant* F A ℜ5

5 km from Bromont, come and discover the pastoral charm of Shefford mountain. Our loyalist house, built in 1825, has a dining room with a fireplace and in an adjoining wing, 3 period rooms. Near the bicycle path, cross-country skiing, downhill skiing.

From Montréal, Hwy. 10 East, Exit 78 (Bromont). At the stop, turn left and drive 4.5 km.

LA MAISON SAXBY
Marie Laurent et
Jean-Maurice Leduc
10 Montée Krieghoff
Bromont, Canton de Shefford
J2G 9J6 (514) 378-8355

$ 40, $$ 50, ● 5-10
(rc : 1 ch, 1er : 2 ch) (2 sb)
J F M A M J J A S O N D

À 5 km de Bromont, venez découvrir les charmes bucoliques de la montagne Shefford. Notre maison loyaliste de 1825 vous offre une salle à manger avec foyer et dans une aile attenante, 3 chambres d'époque. Près de la piste cyclable, ski du fond, ski alpin.

De Montréal, aut. 10 est, sortie 78 (Bromont). À l'arrêt, tourner à gauche et faire 4.5 km.

8 COATICOOK *Maison de Campagne* F a ♿ 🚗 M5 ℜ5

Thirty minutes from Mont-Orford, comfortable house for relaxing or for meetings. Hunting and fishing possible for travellers. Interesting home in a changing agricultural area. Observation and participation of farm activities for those interested.

From Montréal, Hwy. 10 East, Exit 121. Hwy. 55 South, Exit 21, Rte. 141 South to Coaticook. After the first traffic light, turn right on Rue Cutting, first farm on the left.

SÉJOUR NADEAU
Gisèle et Fernand
616 chemin Nadeau
Coaticook J1A 2S2
(819) 849-3486

J F M A M J J A S O N D

À 30 minutes du Mont-Orford, maison confortable avec poêle à bois pour le repos ou vos réunions. Chasse et pêche possibles pour les vacanciers. Site à découvrir dans un milieu mouvementé en agriculture. Observation et participation aux activités de la ferme à ceux qui le désirent.

De Montréal, aut. 10 est, sortie 121. Aut. 55 sud, sortie 21, rte 141 sud jusqu'à Coaticook. Après le 1er feux de circulation, tourner à droite sur rue Cutting. 1ère ferme à gauche.

NBR DE MAISONS	CH	PERS	$SEM-ÉTÉ	$SEM-HIVER	$WE-ÉTÉ	$WE-HIVER
1	3	10	400	400	200	200

9 DUNHAM *Gîte du Passant* F A ℜ2 VS MC

A stone house built by the first Eastern Townships loyalist pioneers. Wonderful panoramic view of flourishing orchards, private entrance, kitchen, rest room, swimming pool. For breakfast, we serve natural home-made food. Next door to Dunham vineyard.

Follow the signs for Dunham Vineyards. From Montréal, Hwy. 10 East, Exit 68. Rtes 139 South and 202 West. Located at 1 km West of Dunham village and at 1 km East of Côtes d'Ardoise vineyard.

DOMAINE PARADIS
DES FRUITS
Rachel et Pierre Charbonneau
519 rte des Vins, rte 202
Dunham J0E 1M0
(514) 295-2667

$ 30-35, $$ 45-50, ● 10-15
(rc : 1 ch, 1er : 2 ch) (2 sb)
J F M A M J J A S O N D

Spacieuse maison de pierres construite par des pionniers loyalistes. Magnifique vue panoramique sur de florissants vergers. Entrée privée, cuisine, salon, piscine. Succulent déjeuner agrémenté de nos fruits. Voisin des fameux vignobles de Dunham.

Suivre les indications pour les vignobles de Dunham. De Montréal, aut. 10 est, sortie 68, Rtes 139 sud et 202 ouest. Situé à 1 km à l'ouest du village de Dunham et à 1 km à l'est du vignoble des Côtes d'Ardoise.

10 FARNHAM *Gîte du Passant et Gîte à la Ferme*

F a

We welcome you to our home with open arms. We have three children from 10 to 14 years old. We operate a dairy farm. If you would like a breath of fresh air, come and see us. We like joie de vivre. We also offer farm vacations (see p. 48) and camping.

From Montréal, Hwy. 10 East, Exit 55. Rte. 235 South to Farnham. Follow the signs for Bedford. At the traffic light, after "Tapis Brazeau", first road on the right. Enter the cul-de-sac.

FERME VERNAL
Fernande et André Vigeant
150 chemin Jetté, R.R. #1
Farnham J2N 2P9
(514) 293-5057

$ 40, $$ 50
(1er : 2 ch) (1 sb)
J F M A M J J A S O N D

Bienvenue dans notre maison. Nous avons 3 enfants de 10 à 14 ans. Nous exploitons une ferme laitière. Si vous voulez prendre une bouffée d'air frais, venez nous voir. Nous aimons la joie de vivre. Nous offrons aussi les vacances à la ferme (voir p 48). Possibilité de camping.

De Montréal, aut. 10 est, sortie 55. Rte 235 sud jusqu'à Farnham. Suivre les indications pour Bedford. Aux feux de circulation, après «Tapis Brazeau», 1er chemin à droite. Se rendre dans le cul-de-sac.

11 LAC BROME, FOSTER *Gîte du Passant*

F A ℜ0.5 VS MC

Typical example of local charm, hospitable house in a country setting. Beautiful rooms, private dining room. Our specialty: lace-crepes. Separate entrance. Fireplace and jacuzzi. Near the lake, loyalist village of Knowlton, bicycles, trails, swimming, antiques and knick-knacks.

From Montréal, Hwy. 10 East, Exit 90, Rte. 243 South towards Lac Brome for 3 km. White house on the left. Less than an hour from Montréal.

LA PART DES ANGES
Chantal McAviney et
Bernard Brochen
728 Lakeside, route 243
Lac Brome, Foster J0E 1R0
(514) 539-4020

$ 40, $$ 50, ● 10
(1er : 4 ch) (2 sb)
J F M A M J J A S O N D

Typique du charme estrien, maison chaleureuse dans un cadre champêtre. Belles chambres, salle à manger privée avec frigo. Spécialité: crêpes-dentelle. Foyer, bain tourbillon et entrée indépendante. Près du lac, village loyaliste de Knowlton, vélo, pistes, baignade, antiquités et brocante.

De Montréal, aut. 10 est, sortie 90. Rte 243 sud direction Lac Brome, faire 3 km. Maison blanche à gauche. Moins d'une heure de Montréal.

12 LAC BROME, FULFORD *Gîte du Passant*

F A ℜ4

We welcome you in our home located 4 km from Bromont, Exit 78 from the Hwy. 10. You can admire the surrounding forests and mountains in harmony with the peaceful country.

From Montréal, Hwy. 10 East, Exit 78 to Bromont. Straight ahead to Brome Lake. Turn right on Brome range, we are located at 0.5 km from the corner.

LE TU-DOR
Ghislaine Lemay et
Jean-Guy Laforce
394 chemin Brome
Fulford, Lac Brome
J0E 1S0 (514) 534-3947

$ 45, $$ 55
(rc : 3 ch) (3 sb)
J F M A M J J A S O N D

Nous vous accueillons dans la chaleur de notre résidence située à 4 km de Bromont, sortie 78 de l'aut. 10. Vous pourrez admirer la forêt et les montagnes environnantes, en harmonie avec le calme de notre campagne.

De Montréal, aut. 10 est, sortie 78 vers Bromont. Tout droit vers le Lac Brome, tourner à droite sur le chemin Brome, nous sommes à 0.5 km.

13 LAC-MÉGANTIC *Gîte du Passant*

F a ℜ0.1

The peace of our century-old home awaits you. At the edge of the lake, every summer activity is possible. Five minutes from the train station and from downtown. Living room, T.V., dining room and patio all reserved for guests. Interesting human interaction. Sailing.

From Montréal or Sherbrooke, Hwy. 10, Rtes. 143 South, 108 East and 161 South. At Mégantic, cross the city. After the bridge, keep right. Third house after the bridge. 75 km from St-George-de-Beauce, 100 km from Sherbrooke.

HÉBERGEMENT MARIE-PAULE
Marie-Paule Fortin
3502 Agnès
Lac-Mégantic G6B 1L3
(819) 583-3515

$ 25-35, $$ 35-45, ☻ 10
(1er : 5 ch) (3 sb)
J F M A M J J A S O N D

La quiétude de notre maison centenaire vous attend. Sur le bord du lac, toutes les activités estivales sont possibles. À 5 min. de la gare et du centre-ville. Réservé aux clients: salon, T.V., salle à manger, terrasse. Relations humaines intéressantes. Voilier.

De Montréal ou Sherbrooke, aut. 10, rtes 143 sud, 108 est et 161 sud. À Mégantic, traverser la ville. Après le pont, garder votre droite. 3e maison après le pont. 75 km de St-Georges-de-Beauce, 100 km de Sherbrooke.

14 MAGOG *Gîte du Passant*

F A ℜ7

Tranquil and beautiful mountain view, 16 km from the heart of Magog, 30 km from Vermont, Orford and summer theatre. Organic farming: vegetables, herbs, small fruits. Come and enjoy our delicious vegetarian breakfasts and exchange ideas. Thank you for not smoking in the house.

From Montreal or Sherbrooke, Hwy. 10, Exit 121 then 55 South to Exit 21. Or from Vermont, I-91 then Rte. 55 north to exit 21. Go towards Magog for 1 km, turn left on Colline Bunker, drive 4 km.

FERME L'ÈRE NOUVELLE
Marion Fear et Paul Carignan
909 Colline Bunker, R.R. #1
Magog J1X 3W2
(819) 843-1742

$ 35-40, $$ 41-52, ☻ 12
(1er : 2 ch) (2 sb)
J F M A M J J A S O N D

À 16 km du coeur de Magog, 30 km du Vermont, d'Orford et des théâtres. Tranquillité et vue superbe des montagnes. Culture de légumes, fines herbes et petits fruits certifiés biologiques. Venez manger de délicieux déjeuners végétariens et partager les idées. Merci de ne pas fumer dans la maison.

De Montréal, aut. 10 est, sortie 121 puis aut. 55 sud et sortie 21. Faire 1 km vers Magog, tourner à gauche sur Colline Bunker, faire 4 km. Maison à gauche au toit rouge.

15 MANSONVILLE *Gîte du Passant*

F A ℜ5

We have a beautiful view of Owl's Head and we are near Jay Peak and Sutton. Come and appreciate the comfort of our rooms with private baths and taste our home-made breakfast. Non-smokers only. Bicycles and canoe. Fireplace. Discount 2 nights.

From Montréal or Sherbrooke, Hwy. 10, exit 106, Rtes. 245 South then 243 South, drive 6 km. On the left hand side, a big white house with a red roof.

LA CHOUETTE
F. Fortier
560 route de Mansonville
Mansonville J0E 1X0
(514) 292-3020

$ 48, $$ 65-78, ☻ 10
(rc : 1 ch, 1er : 2 ch) (3 sb)
J F M A M J J A S O N D

Situés dans une vallée avec une vue d'Owl's Head, nous sommes près de Jay Peak et Sutton. Venez apprécier le confort de nos chambres avec salle de bain privée et déguster nos copieux petits déjeuners. Gîte non-fumeur. Vélos et canot. Foyer. Rabais de 2 nuits.

De Montréal ou Sherbrooke, aut. 10, sortie 106. Prendre rtes 245 sud et 243 sud pour 6 km. À gauche, grande maison blanche avec un toit rouge.

16 NORTH-HATLEY *Gîte du Passant*

F A 🚭 🐕 🚗 ℜ5 VS

For peace, tranquillity, a place to get away. Clean air, superb view adds to the charm and warmth of our mini-farm. The cosy large rooms are situated on the semi basement floor with large window overlooking one of our several gardens. Seniors: 10% off. Non-smokers only.

From Montréal, Hwy. 10, Exit 121. Hwy. 55 South, Exit 29. Rte. 108 East to North-Hatley. Leave 108, take Côte Sherbrooke to the end. Rte. 143 South for 5 km. House on left, grey and blue.

LA CASA DEL SOLE
Sonya et Bob Bardati
909 chemin Olivier
North-Hatley J0B 2C0
(819)842-4213/(819)822-9614

$ 45, $$ 57, ● 20
(ss : 2 ch, rc : 1 ch) (3 sb)

J F M A M J J A S O N D

Vous aimez la tranquillité, la paix, l'air pur, la chaleur du foyer? Venez chez nous, vous y trouverez le tout. Vous dormirez confortablement dans des suites situées au demi sous-sol avec vue du jardin fleuri. Les chambres sont dotées de toilette privée. Gîte non-fumeur.

De Montréal, aut.10, sortie 121. Aut. 55 sud, sortie 29. Rte 108 est jusqu'à North-Hatley. Laisser la 108. Côte Sherbrooke jusqu'au bout. Rte 143 sud pour 5 km. Tourner à gauche.

17 NOTRE-DAME-DES-BOIS *Gîte du Passant, Gîte à la Ferme*

F A 🐕 🚹 ℜ7

A dream come true! A country house on the hill were we raise our goats. In the kitchen, the bread is rising and the spinning wheel is back to work in a home filled with arts and crafts. Come and experience this adventure with us. We also offer a farm house (see p. 48).

From Sherbrooke, Rtes 143 South, 108 East and 212 East until Notre-Dame-des-Bois. Take the church hill on your right to the end for 7 km. Turn to your right and drive 1 km.

LA CHÊVRÈMÉE
Jacqueline Lemieux
et Serge Burke
36 rang 10 ouest
Notre-Dame-des-Bois J0B 2E0
(819) 888-2487

$ 30, $$ 45, ● 10
(1er : 3 ch) (2 sb)

J F M A M J J A S O N D

Un vieux rêve réalisé! Une maison perchée dans les montagnes où nous faisons l'élevage des chêvres. Sur le réchaud, le pain s'est levé, le rouet s'est remis à la tâche, les chevreaux sont devenus artisans. Vivez l'aventure avec nous, on vous attend. Nous offrons aussi le gîte à la ferme (voir p 48).

De Sherbrooke, rtes 143 sud, 108 est et 212 est jusqu'à Notre-Dame-des-Bois. Prendre la côte de l'église à droite et faire 7 km jusqu'au bout du rang. Tourner à droite, faire 1 km.

18 PIKE-RIVER *Gîte du Passant*

F A 🚭 🐕 ℜ2

In a prosperous agricultural area, our family owns a large dairy farm. New house on a quiet riverside. Comfortable rooms. Hearty breakfast. Tour of the farm. Children welcome. Close to Lake Champlain and mountains, bird sanctuary, patio and garden. Perfect for cyclists.

From Montréal, Champlain Bridge, Hwy. 10 East, Exit 22, Hwy. 35 South, then Rte. 133 to St-Pierre-de-Vérone, Pike-River. At traffic lights, turn left on Chemin des Rivières, drive 1.5 km. Pink brick house.

LA VILLA DES CHÊNES
Noëlle et Rolf Gasser
300 ch. Desrivières
St-Pierre-de-Vérone à
Pike-River J0J 1P0
(514) 296-8848

$ 35, $$ 50-55
(1er : 3 ch) (2 sb)

J F M A M J J A S O N D

Au bord de la rivière, notre demeure offre calme, confort et hospitalité. Chambres spacieuses, déjeuners: spécialités suisses. À 1 h. de Montréal, sur la rte des vins, proche du lac et des montagnes, sanctuaire d'oiseaux, terrasse et jardin. Visite à la ferme. Idéal pour cyclistes.

De Montréal, pont Champlain, rte 10 est, sortie 22 vers St-Jean, rtes 35 sud et 133 jusqu'à St-Pierre-de-Vérone à Pike-River. Aux feux, tourner à gauche sur ch. Desrivières pour 1.5 km.

19 STE-ANNE-DE-LA-ROCHELLE *Gîte du Passant, Gîte à la Ferme* F a ℜ16

A smile to welcome you! A wood stove to warm you, if you're cold! Good meals to treat you! Come for a talk or a rest. Lambs, hens... You'll have memories and you'll want to come back! We also offer a farm house (see p. 48).

From Montréal or Sherbrooke, Hwy. 10 to Exit 90. Drive North on Rte. 243, direction Waterloo and Ste-Anne-de-la-Rochelle. 2 km from the village.

LE ZÉPHIR
Huguette et Claude Paquin
421 Principale est
Ste-Anne-de-la-Rochelle
J0E 2B0
(514) 539-3746

$ 25, $$ 40, ● 8-10
(1er : 3 ch) (2 sb)
J F M A M J J A S O N D

Un sourire pour t'accueillir! Un poêle à bois pour te réchauffer si tu as froid! Des produits maison qui te régaleront! Viens échanger ou te retirer. Les moutons, les poules... quel souvenir... et le goût de revenir. Offrons aussi le gîte à la ferme (voir p 48).

De Montréal ou Sherbrooke, aut. 10, sortie 90. Rte 243 nord vers Waterloo et Ste-Anne-de-la-Rochelle. À 2 km du village.

20 STE-EDWIDGE *Gîte du Passant et Gîte à la Ferme* F a ℜ20

We have a dairy farm and 2 sons aged 17 and 22, living at home. We make old-fashioned sugar, the garden and the flowers are our pride and joy. We have been sharing rich experiences with travellers for 18 years. We also offer a farm house (see p. 48).

From Sherbrooke, Rte. 143 South to Lennoxville. Rte. 108 East, drive 5 km. Rte. 251 South to Ste-Edwidge. Follow Rte. 251 South after the village to the Chemin Ste-Croix, second farm on the right.

FERME DE LA GAIETÉ
Rita et Roger Hébert
43 ch. Ste-Croix
Ste-Edwidge J0B 2R0
(819) 849-7429

$ 30, $$ 50, ● 15
(1er : 1 ch) (2 sb)
J F M A M J J A S O N D

Nous exploitons une ferme laitière avec 2 des garçons de 17 et 22 ans qui vivent avec nous. Nous faisons les sucres à l'ancienne, le jardin et les fleurs sont notre fierté. Nous partageons de riches expériences avec les vacanciers depuis 18 ans. Offrons aussi le gîte à la ferme (voir p 48).

De Sherbrooke, rte 143 sud jusqu'à Lennoxville. Rte. 108 est, faire 5 km. Rte. 251 sud jusqu'à Ste-Edwidge. Suivre la rte 251 sud après le village jusqu'au chemin Ste-Croix, 2e ferme à droite.

21 SUTTON *Auberge du Passant* F A ♿ ℜ0 VS

Very large century-old house, warm and comfortable. Living room with fireplace. In summer, veranda and pool. Late breakfasts. Refined dinner. Calm, food and revitalizing activities. Conference room, elegant dining room.

From Montréal, Hwy. 10 East, Exit 74 towards Cowansville. Turn left until the 139 towards Sutton. At the center of Sutton, Rte. 215 North for 5 km. At Sutton, take Chemin Mt-Echo for 1 km.

LE PIC-À-BOIS
Lucie Marois
389 ch. Mont-Echo
Sutton J0E 2K0
(514) 538-3776

$ 60-65, $$ 70-75, ● 2-12
(rc : 2 ch, 1er : 3 ch) (7 sb)
J F M A M J J A S O N D

Très vaste maison centenaire, chaleureuse et confortable. Salon avec foyer. L'été, véranda et piscine. Petit déjeuner tardif. Repas du soir raffiné. Son calme, sa bouffe et ses activités ressourçantes pour vous combler. Salle de réunion, élégante salle à manger.

De Montréal, aut. 10 est, sortie 74 vers Cowansville. À gauche jusqu'à la 139 vers Sutton. Au centre de Sutton, rte 215 nord pour 5 km. À Sutton, jct le ch. Mt-Echo pour 1 km.

22 WATERLOO *Auberge du Passant*

F a 𝔑1

At peace in nature, in the heart of the Eastern Townships, an ancestral home (1834) reveals its secrets. Stay here one night, on a sporting vacation or for a relaxing time. Delicious homemade food is always available.

From Montréal, Hwy. 10 East, Exit 78, Rte. 241 left for 10 km. At the traffic lights, left on Rue Western. Or from Sherbrooke, Hwy. 10 West, Exit 90, left on Rte. 112 for 3 km. Left on Allen until Western.

AU COQ DU VILLAGE
Denise et Yvon Lauzière
911 rue Western
Waterloo J0E 2N0
(514)539-4700/(514)539-3373

$ 35, $$ 50-54, ● 5
(1er : 3 ch) (2 sb)
J F M A M J J A S O N D

En accord avec la nature, au coeur des Cantons-de-l'est, une maison ancestrale (1834) vous dévoile ses secrets. Pour une nuit de passage, une vacance sportive, une halte de relaxation; de bons petits plats de la maison vous attendent.

De Montréal, aut. 10 est, sortie 78, rte 241 à gauche sur 10 km. Aux feux de circulation, à gauche rue Western. Ou de Sherbrooke, aut. 10 ouest, sortie 90, à gauche rte 112 sur 3 km. À gauche rue Allen jusqu'à Western.

23 WATERLOO *Gîte du Passant*

F A 𝔑3

In the heart of the Eastern Township mountains, come and take a breath of fresh air. The countryside is relaxing. Homemade breakfast. Delight in waking up to the birds singing. Near Bromont, Shefford and Orford.

From Montréal, Hwy. 10 East, Exit 78 Bromont. At the traffic lights, Rte. 241 North towards Waterloo. Drive 3 km.

LE VERSANT
Rita et Amédée Perras
1552 rte 241
Waterloo J0E 2N0
(514) 539-2983

$ 30, $$ 45-50, ● 10-15
(ss : 1 ch, rc : 2 ch) (1 sb)
J F M A M J J A S O N D

Au coeur des montagnes de l'Estrie, venez prendre une bouffée d'air frais. Le paysage est calme et reposant. Petit déjeuner fait maison. Savourez votre réveil avec le chant des oiseaux. À proximité de Bromont, Shefford et Orford.

De Montréal, aut. 10 est, sortie 78 Bromont. Aux feux de circulation, rte 241 nord direction Waterloo. Faire 3 km.

24 WATERLOO *Gîte du Passant*

F A 𝔑5

Near Bromont, Knowlton and the cycling path l'Estriade "bike package available". Heated pool, patios, B.B.Q. in season. Activities on the site. Air conditioning. Homemade breakfast and thoughtfulness awaits you. So if you want to relax call us.

Hwy. 10, Exit 78 turn right. At 1.6 km at the light, turn left for 6.7 km then turn right Lequin Road. At 3.8 km on your right. The hosts of l'Oasis du Canton welcome you.

L'OASIS DU CANTON
Pierrette et Maurice Lussier
200 chemin Lequin
Waterloo J0E 2N0
(514) 539-2212

$ 55, $$ 65
(rc : 3 ch) (3 sb)
J F M A M J J A S O N D

Situé près de Bromont, Knowlton et de la piste cyclable l'Estriade, «forfaits vélo disponibles». Piscine chauffée, patios et B.B.Q. en saison. Activités sur place. Maison climatisée. Un copieux déjeuner et autres petites attentions n'attendent que vous.

Aut. 10, sortie 78, tourner à droite. À 1.6 km aux feux de circulation, tourner à gauche. À 6.7 km, tourner à droite. À 3.8 km, tourner à droite. Vous êtes à l'Oasis du Canton. Bienvenue.

25 WOTTONVILLE *Gîte du Passant*

F A ℜ7 VS MC

Spacious log home with 6 greens gables. Recently built in a wooded area near a small river with thousands of melodies and marvellous aromas. These natural spaces bring us a quiet way of life, interior peace, and a wish to share this with you.

From Montréal Hwy. 20 East Exit 147, Rte. 116 East to Danville, Rte. 255 to Wottonville. In the village, turn left: drive 2 km, right: drive 1 km, left: drive 3 km, right: drive 3 km, right: drive 150 meters.

L'ESPACE TEMPS
Suzanne et Daniel
42 rang 16
Wottonville J0A 1N0
(819) 828-3070

$ 40, $$ 50, ● 10
(1er : 3 ch) (1 sb)

J F M A M J J A S O N D

Spacieuse maison de bois rond coiffée de 6 pignons. Située au coeur d'un boisé près d'une rivière aux milles mélodies et aux parfums sublimes. Ces espaces champêtres nous apportent douceur de vivre, paix intérieure et le goût de les partager avec vous.

De Montréal, aut. 20 est, sortie 147. Rte 116 est jusqu'à Danville, rte 255 sud jusqu'à Wottonville. À la croisée, tourner à gauche: faire 2 km, à droite: faire 1 km, à gauche: faire 3 km, à droite: faire 3 km, à droite: faire 150 mètres.

GASPÉSIE

*Les numéros sur la carte correpondent à la numérotation des gîtes de la région

**The numbers on the map correspond to the numbers of each establishment within the region.*

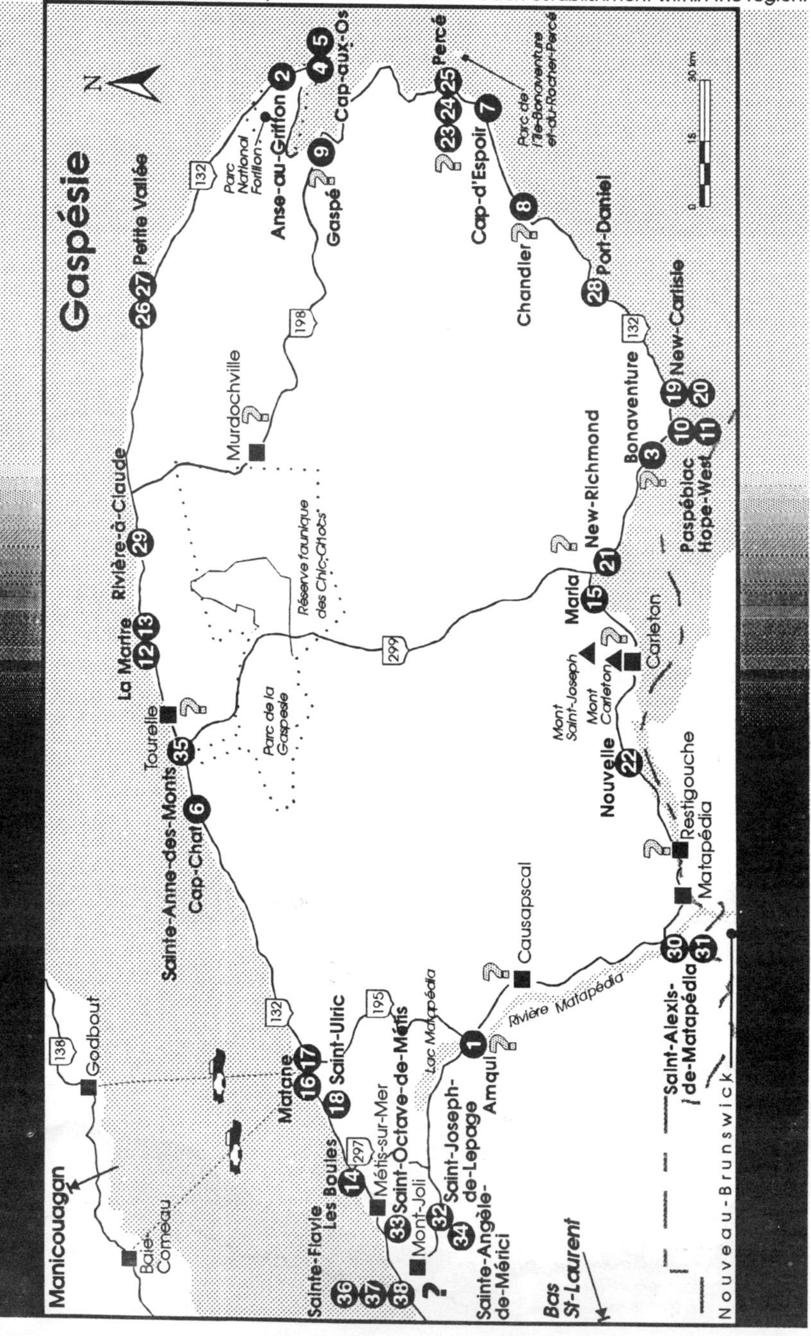

1 AMQUI *Gîte du Passant* F a

Our large old-fashioned house located near Lac Matapédia will be a relaxing stop. Private beach, fishing, boating, camping in the wild. Our breakfast and home-made wine combined with our warm welcome will make you want to come back.

From Québec City, Hwy. 20 East, Rte. 132 East to Ste-Flavie. Rte. 132 East toward Vallée de la Matapédia.

DOMAINE DU LAC MATAPÉDIA
Carmelle et Roland Charest
780 route 132 ouest
Amqui G0J 1B0
(418) 629-5004

$ 35, $$ 45, ● 5-10
(1er : 3 ch) (2 sb)
J F M A M J J A S O N D

Notre grande maison d'antan située près du lac Matapédia sera une halte de repos. Venez vous baigner à notre plage privée, pêcher, faire du bateau ou du camping sauvage. Notre déjeuner et notre vin fait maison accompagnés de notre accueil familial donnent le goût de revenir.

De Québec, aut. 20 est, rte 132 est jusqu'à Ste-Flavie. Rte 132 est direction Vallée de la Matapédia.

2 ANSE-AU-GRIFFON *Gîte du Passant* F a

Century-old house, located near a small fishing port on the edge of Parc Forillon. Working atmosphere, welcoming, easily-made contacts, relaxation areas and interesting activities. Our objective: that you feel at home.

From Québec City, Hwy. 20 East, Rte. 132 East to Anse-au-Griffon. At the beginning of Cap-des-Rosiers, on the right.

GÎTE FORILLON
Géraldine Gaul
934 boul. Griffon, route 132
Anse-au-Griffon G0E 1A0
(418) 892-5335

$ 30, $$ 45, ● 5-10
(1er : 3 ch) (2 sb)
J F M A M J J A S O N D

Maison centenaire située près d'un petit port de pêche en bordure du parc Forillon. Milieu ouvrier, accueillant, contacts faciles, endroits de détente, activités intéressantes. Notre objectif: que vous vous sentiez chez vous.

De Québec, aut. 20 est, rte 132 est jusqu'à Anse-au-Griffon. À l'entrée de Cap-des-Rosiers, sur la droite.

3 BONAVENTURE, THIVIERGE *Gîte du Passant* F ℜ8

Here, life is healthy and filled with the pleasure of meeting people who want to share our environment. If you are looking for a calm and relaxing place, we are waiting for you on our farm. Holidays at your pace, numerous tourist activities. We will tell you all about it...

From Québec City, Hwy. 20 East, Rte. 132 East to Bonaventure West. Take Forest Street (located beside the Molson/O'Keefe warehouse) and drive 4.5 km, you are at Thivierge, turn right and drive 1 km.

Pauline et Renaud Arsenault
188 Thivierge
Bonaventure G0C 1E0
(418) 534-2697

$ 30, $$ 40, ● 8-14
(1er : 3 ch) (2 sb)
J F M A M J J A S O N D

Ici, la vie est saine et remplie du plaisir de rencontrer des gens qui aiment partager notre environnement. Si vous cherchez un endroit calme et reposant, nous vous attendons sur notre ferme. Vacances à votre rythme, nombreuses activités touristiques, nous vous raconterons...

De Québec, aut. 20 est, rte 132 est jusqu'à Bonaventure ouest. Prendre la rte Forest (située voisin de l'entrepôt Molson/O'Keefe), et faire 4.5 km, vous êtes à Thivierge, tourner à droite et faire 1 km.

4 CAP-AUX-OS, FORILLON *Gîte du Passant*

F A ℜ4

Relax with a hearty breakfast including local products. Walk through the flower gardens, visit the hens and rabbits and tour the vegetable garden. A woodland trail leads you to Gaspé Bay and more discoveries. Non-smokers only.

From Gaspé, Rte. 132 to Parc Forillon, 3.5 km past Penouille, second house on the right. Or from Cap-des-Rosiers, Rte. 132 to Cap-aux-Os, 2.5 km past the church, on the Bay side.

LE GÎTE DU LEVANT
W. Zomer
1626 boul. Forillon, rte 132
Cap-aux-Os, Forillon
G0E 1J0
(418) 892-5814

$ 45, $$ 55, ● 5-10
(**rc**:1ch, **1er**:2ch, **2e**:1ch) (3sb)
J F M A M J J A S O N D

Le repos avec un bon petit déjeuner fait de produits locaux. Venez vous promener dans nos jardins fleuris, rencontrer nos poules et lapins et visiter notre potager. Un sentier boisé longe la baie et vous mène à la découverte. Gîte non-fumeur.

De Gaspé, rte 132 vers le Parc Forillon, 3.5 km après Penouille, la 2e maison à votre droite. Ou de Cap-des-Rosiers, rte 132 vers Cap-aux-Os, 2.5 km après l'église du côté de la baie.

5 CAP-AUX-OS, FORILLON *Gîte du Passant*

F a ℜ0.5

Sea and nature lovers, the "Gîte du Parc" is the perfect place for you. Facing a beautiful sandy beach, near the Parc Forillon, our charming establishment will surely be to your liking. A generous breakfast suited to everyone.

From Québec City, Hwy. 20 East, Rte. 132 East to Cap-aux-Os. Nextdoor to the grocery store "Omni". 30 km from Gaspé.

LE GÎTE DU PARC
Solange et Claude Cassivi
2045 route 132
Cap-aux-Os, Forillon
G0E 1J0
(418) 892-5864

$ 30-40, $$ 40-45, ● 7
(**1er** : 3 ch) (2 sb)
J F M A M J J A S O N D

Amoureux de la mer et de la nature, le «Gîte du Parc» est pour vous l'endroit tout désigné. Faisant face à une belle plage de sable, à proximité du Parc Forillon, notre gîte saura vous charmer. Un copieux petit déjeuner comblera tous les appétits.

De Québec, aut. 20 est, rte 132 est jusqu'à Cap-aux-Os. Voisin de l'épicerie «Omni». 30 km de Gaspé.

6 CAP-CHAT *Gîte du Passant*

F A ℜ3 VS

Close your eyes and imagine youself with us, enjoying the sound of the waves on the shore, the cries of the seagulls, the extraordinary sunsets... You will have a wonderful time with us. Visit the tallest vertical wind generator in the world just 2 km away. Fishing out at sea.

From Québec City, Hwy. 20 East and Rte. 132 East to Cap-Chat. At the western entrance of Cap-Chat, our Canadian stone house is on the right-hand side.

AU CRÉPUSCULE
Monette Dion et Jean Ouellet
239 Notre-Dame ouest
route 132
Cap-Chat G0J 1E0
(418) 786-5751

$ 30, $$ 45, ● 10
(**ss** : 3 ch, **rc** : 2 ch) (3 sb)
J F M A M J J A S O N D

Viens te joindre à nous, au son de la vague, au cri des goélands, ferme tes yeux comme au soleil couchant, tu passeras un temps charmant. Visitez la plus grosse éolienne à axe vertical au monde à 2 km. Centre d'interprétation des vents et de la mer. Pêche en haute mer.

De Québec, aut. 20 est, rte 132 est jusqu'à Cap-Chat. À l'entrée ouest de Cap-Chat, maison de pierres style canadien, face à la mer à votre droite.

7 CAP D'ESPOIR, PERCÉ *Maison de Campagne*

F a M1.5 ℜ7

Set back on a cliff, at the end of a spit of land surrounded by water, our two houses with 4 or 6 bedrooms will let you enjoy the life of lighthouse keepers. Cosy comfort, antique furniture. Fully equipped. View of the Percé Rock.

From Québec City, Hwy. 20 East and 132 East towards Percé. From Percé, on Rte. 132 West. At Cap d'Espoir, take the Route du Phare, on the left.

LES MAISONS DU PHARE
Lison Grenier, André Boudreau, Denis Loiselle
92 et 96 route du Phare
Cap d'Espoir, Percé G0C 1G0
(418) 782-5367

J F M A M J J A S O N D

Retirées sur la falaise, au bout d'une pointe de terre entourée de mer, nos deux maisons de 4 et 6 chambres vous feront connaître l'ambiance de la vie des gardiens de phare. Confort douillet, meubles anciens. Entièrement équipées. Vue côté Percé.

De Québec, aut. 20 est et rte 132 est jusqu'à Percé. Ou de Percé, sur la rte 132 ouest. À Cap d'Espoir, prendre la route du Phare, sur la gauche.

NBR DE MAISONS	CH	PERS	$SEM-ÉTÉ	$SEM-HIVER	$WE-ÉTÉ	$WE-HIVER
2	4 à 6	8 à 12	600	450	---	---

8 CHANDLER *Gîte du Passant*

F a ℜ0.1

Downtown Chandler, near a shopping centre, a leisure centre, the Gaspésia stationery store, a golf course, restaurants, the beach, salmon fishing, 40 km from Percé; these are but a few of the attractions making your stay with us more pleasant. Taking care of you will be our pleasure.

From Québec City, Rte. 132 East. At Chandler, Blvd. René Lévesque to Rue Rehel, and turn right. Or from Percé, Rte. 132 West. At Chandler, Rue Rehel and turn left. Next to the Hotel St-Laurent.

LA PETITE-AUBERGE
Georges et Micheline
493 avenue Rehel
Chandler G0C 1K0
(418)689-7100/(418)689-3473

$ 35-39, $$ 41-45, ● 5-6
(rc : 1 ch, 1er : 3 ch) (2 sb)

J F M A M J J A S O N D

À 40 km de Percé, au centre-ville de Chandler, à proximité d'un centre d'achat, centre de loisirs, de la papeterie Gaspésia, du golf, des restaurants, de la plage, de la pêche au saumon ne sont qu'une partie de nos attraits pouvant agrémenter votre séjour. Prendre soin de vous sera notre plaisir.

De Québec, rte 132 est. À Chandler, boul. René Lévesque jusqu'à rue Rehel et tourner à droite. Ou de Percé, rte 132 ouest. À Chandler, rue Rehel et tourner à gauche. Voisin hôtel St-Laurent.

9 GASPÉ *Gîte du Passant*

F a ℜ1

The warmth of our welcome will make your stay with us very pleasant. The pretty Baie-de-Gaspé will capture your imagination. We can suggest many tourist activities. Near Parc Forillon and the Gaspésie museum. A hearty breakfast is the crowning touch. Welcome.

From Québec City, Hwy. 20 East, Rte. 132 East. At the Gaspé Bridge, do not take the bridge, but keep going straight for 1 km along the bay. Or, from Percé, Rte. 132 West, after Gaspé Bridge, turn left. Drive 1 km.

GÎTE BAIE JOLIE
Blanche A. Blanchette
270 Montée Wakeham
C.P. 1413, route 198
Gaspé G0C 1R0
(418) 368-2149

$ 35-40, $$ 45-50, ● 10
(rc : 1 ch, 1er : 3 ch) (2 sb)

J F M A M J J A S O N D

La chaleur de notre accueil rendra votre séjour chez nous des plus agréables. La jolie Baie-de-Gaspé saura capter votre regard. De nombreuses activités touristiques vous seront suggérées. À proximité du parc Forillon et du musée de la Gaspésie. Copieux petit déjeuner maison.

De Québec, aut. 20 est, rte 132 est. Au pont de Gaspé, ne pas prendre ce dernier et continuer tout droit, faire 1 km en longeant la baie. Ou de Percé, rte 132 ouest, après le pont de Gaspé, à gauche et faire 1 km.

10 HOPE-WEST, PASPÉBIAC *Gîte du Passant, Gîte à la Ferme*

f A ℜ3

Visit with us on our 5th generation farm. We serve an old fashioned breakfast of farm eggs, fresh biscuits, muffins and cinnamon rolls. Walk to the nearby beach on the Baie-des-Chaleurs or to the river on our property. Sea water therapy inn nearby (3 km). We also offer a farm house (see p. 49).

From Québec City, Hwy. 20 East, Rte. 132 East, towards Matapedia to Hope West. On your left 1 km past "Roland Roussy" garage in Hope. We are 100 km west of Percé.

LA FERME MACDALE
Anne et Gordon MacWhirter
365 route 132
Hope-West, Paspébiac
G0C 2K0
(418) 752-5270

$ 40, $$ 45, ● 10
(1er : 2 ch, 2e : 1 ch) (3 sb)

J F M A M J J A S O N D

Rendez-nous visite sur notre ferme ancestrale (5 générations). Déjeuner à l'ancienne: oeufs frais, galettes, muffins et brioches à la cannelle maison. Promenade sur nos plages ou sur nos terres, qui mène à la rivière Bonaventure. Auberge de thallasothérapie à 3 km. Offrons aussi le gîte à la ferme (voir p 49).

De Québec, aut. 20 est, rte 132 est direction Matapédia jusqu'à Hope West. 1 km après le garage «Roland Roussy», à votre gauche. 100 km à l'ouest de Percé.

1 HOPE-WEST, PASPÉBIAC *Maison de Campagne*

f A M3 ℜ3

A farmhouse and a small semi-detached house 5 minutes away from the farm and the beach, facing Baie des Chaleurs. Go for a walk in the fields, pick wild fruit, or come feed the chickens on the farm. Near a playground and a mini-golf course.

From Québec City, Hwy. 20 East, Rte. 132 East towards Matapédia to Hope West. 1 km after the "Roland Roussy" garage, turn left. 100 km West of Percé.

LA FERME MACDALE
Anne et Gordon MacWhirter
365 route 132
Hope West, Paspébiac
G0C 2K0
(418) 752-5270

J F M A M J J A S O N D

Une maison de ferme et une petite maison semi-détachée situées à 5 min. de marche de la ferme et de la plage, face à la Baie des Chaleurs. Faites une randonnée dans les champs, cueillez des fruits sauvages ou venez nourrir les poules à la ferme. Près d'un terrain de jeux et d'un mini-golf.

De Québec, aut. 20 est, rte 132 est direction sud vers Matapédia jusqu'à Hope West. 1 km après le garage «Roland Roussy», à votre gauche. 100 km à l'ouest de Percé.

NBR DE MAISONS	CH	PERS	$SEM-ÉTÉ	$SEM-HIVER	$WE-ÉTÉ	$WE-HIVER
2	1 à 4	4 à 8	250 à 350	250 à 350	120 à 200	120 à 200

2 LA MARTRE *Gîte du Passant*

F a ℜ6

In an enchanting little village, facing the sea and surrounded by mountains, discover the peaceful country life. Generous breakfasts. Near the Parc de la Gaspésie. Lighthouse in the village.

From Québec City, Hwy. 20 East, Rte. 132 East to La Martre. Before the "Esso station", take Rte. Mont-Martre to the right then Rue Gagnon to the right.

LA MER VEILLE
Suzie Gagnon et Yves Sohier
2 rue Gagnon
La Martre G0E 2H0
(418) 288-5893

$ 30, $$ 40
(1er : 3 ch) (2 sb)

J F M A M J J A S O N D

Dans un petit village enchanteur, face à la mer et entouré de montagnes, retrouvez la vie paisible de la campagne. Petits déjeuners copieux. À proximité du parc de la Gaspésie. Phare dans le village.

De Québec, aut. 20 est, rte 132 est jusqu'à La Martre. Avant le garage «Esso», prendre la rte Mont-Martre à droite puis la rue Gagnon à droite. Première maison à droite.

13 LA MARTRE *Gîte du Passant*

F A 🐕 🚗 ℜ6 MC

Welcome to our charming haven any time of the year. We are located between Metis Garden and Forillon Park. Trails along the river. Lighthouse and Interpretation Center. Near the Parc de la Gaspésie. Let us make you happy.

From Québec City, Hwy 20 East, Rte. 132 East. 25 km from Ste-Anne-des-Monts or from Mont St-Pierre, on Rte. 132. Beside "Jovi" general store in the center of La Martre. Big white house with blue shutters.

GÎTE DE L'AUBERGE
Michèle Doran et
Rogers Fournier
8 avenue Keable
La Martre G0E 2H0
(418) 288-5533

$ 35-45, $$ 45-65, ● 0-15
(1er : 3 ch) (2 sb)

J F M A M J J A S O N D

On vous attend en toute saison dans notre petit havre charmant, entre le Jardin de Métis et le parc Forillon. Sentiers de randonnée bordant la rivière, phare et Centre d'interprétation. Près du parc de la Gaspésie. Venez vous laisser gâter.

De Québec, aut. 20 est, rte 132 est. À 25 km de Ste-Anne-des-Monts ou de Mont St-Pierre, sur la rte 132. À côté du magasin «Jovi» en plein centre du village de La Martre, grosse maison blanche aux volets bleus.

14 LES BOULES *Gîte du Passant*

F A 🐕 ℜ0.5

Near the "Jardins de Métis" (Métis Gardens), we will give you a warm welcome in our spacious house in a picturesque village beside the ocean. Golf course 2 km away, seafood restaurant 3 km away. This area is a must-see!

From Québec City, Hwy. 20 East, Rte. 132 East. 15 minutes past Ste-Flavie, pass the Boule Rock golf course, go down towards the ocean. Turn left at the church.

GÎTE AUX CAYOUX
Huguette et Gaétan
80 Principale
C.P. 129
Les Boules G0J 1S0
(418) 936-3842

$ 40, $$ 50, ● 10
(1er : 5 ch) (2 sb)

J F M A M J J A S O N D

Près des Jardins de Métis, on vous reçoit chaleureusement dans une maison spacieuse d'un petit village pittoresque, au bord de la mer. Golf à 2 km, restaurant de fruits de mer à 3 km. Il faut voir ce coin de pays!

De Québec, aut. 20 est, rte 132 est. 15 min. après Ste-Flavie, dépasser le golf Boule Rock, descendre vers la mer. À l'église, tourner à gauche.

15 MARIA *Gîte du Passant*

F A 🚭 🚗 ℜ5

Peaceful surroundings, where the sea breeze and the gentle bleating of the goats will prove to you that the hospitality of the Gaspé is more than just a beautiful smile. Good coffee, fresh goat cheese, the sea and the mountains, an unforgettable experience. Non-smokers only.

From Québec City, Hwy. 20 East and then Rte. 132 to Maria. West of the church, take Rte. des Geais to 2nd Rang. Turn left and drive 3.4 km.

GITE DU VIEUX BOUC
L. Poirier et J. Boucher
140 rang 2
Maria G0C 1Y0
(418) 759-3248

$ 30, $$ 45, ● 10
(rc : 1 ch, 1er : 2 ch) (1 sb)

J F M A M J J A S O N D

Un environnement paisible où seul le bruissement de l'air salin et le doux bêlement des chèvres vous convaincra que l'hospitalité gaspésienne n'est pas qu'un beau sourire. Un bon café, du fromage de chèvre, la mer et la montagne, une expérience inoubliable. Gîte non-fumeur.

De Québec, aut. 20 est, rte 132 est jusqu'à Maria. Prendre la rte des Geais à l'ouest de l'église jusqu'au 2e rang, tourner à gauche et faire 3.4 km.

16 MATANE *Gîte du Passant*

F A 🚭 🚗 ℜ0.1 VS MC

Former site of the Seigneurie Fraser, where the Matane River joins the St-Lawrence River. Take advantage of the calm and the fresh river air, near downtown Matane. Friendly, comfortable atmosphere. Sink in every room. Non-smokers only.

From Québec City, Hwy. 20 East, Rte. 132 East. At Matane, Avenue du Phare, after the "Tim Horton Donuts", right on Rue Druillette, at the 148, welcome and parking.

AUBERGE LA SEIGNEURIE
Diane et Benoît Bouffard
621 rue St-Jérôme, C.P. 7
Matane G4W 3M9
(418) 562-0021

$ 40, $$ 60, ☻ 10-15
(**1er** : 3 ch, **2e** : 2 ch) (2 sb)
J F M A M J J A S O N D

Ancien site de la Seigneurie Fraser au confluent de la rivière Matane et du fleuve St-Laurent. Profitez de la tranquillité et de l'air du fleuve, à proximité du centre-ville de Matane. Atmosphère chaleureuse et confortable. Lavabo dans chaque chambre. Gîte non-fumeur.

De Québec, aut. 20 est, rte 132 est. À Matane, avenue du Phare, après "Tim Horton", à droite rue Druillette, au 148, accueil et stationnement.

17 MATANE *Gîte du Passant*

F A 🚭 🚗 ℜ2

If you like the sea, the song of the waves, sunsets, our riverside home, facing the St-Lawrence, is the ideal spot to rest. Our wish is to assure you comfort in a quiet environment, interesting conversation, and a very good breakfast. Non-smokers only.

From Québec City, Hwy. 20 East, Rte. 132 East, Matane. At 500 meters left on Matane-sur-Mer street to 2112 facing the St-Lawrence River.

MAISON SUR LE FLEUVE
J.A. Lavoie
2112 rue Matane-sur-Mer
Matane G4W 3M6
(418) 562-2019

$ 35, $$ 45-50, ☻ 10
(**1er** : 4 ch) (2 sb)
J F M A M J J A S O N D

Vous aimez la mer, le chant des vagues, les couchers de soleil, une atmosphère agréable et le bon air du majestueux fleuve St-Laurent; notre désir est de vous assurer le confort, des rencontres agréables, et vous servir un copieux petit déjeuner. Gîte non-fumeur.

De Québec, aut. 20 est, rte 132 est jusqu'à Matane. À 500 mètres à gauche, sur rue Matane-sur-Mer jusqu'au 2112. Gîte situé sur le bord du fleuve.

18 MATANE, ST-ULRIC *Gîte du Passant*

F a 🚗 ℜ4

After watching the fisherman work, buying some shrimp and visiting the migration path of the salmon, come to our place and breathe the pure river air, admire superb sunsets and taste our home-made jams. "Jardins de Métis" 40 km away.

From Montréal, Hwy. 20 East, Rte. 132 East. We are 45 km East of Ste-Flavie and 18 km West of Matane. Or from Gaspé, Rte. 132 North. From Matane, drive 18 km on the Rte. 132.

CHEZ NICOLE
Nicole et René Dubé
3371 route 132
St-Ulric ouest, Matane
G0J 3H0
(418) 737-4896

$ 30, $$ 40-45, ☻ 7
(**1er** : 3 ch) (2 sb)
J F M A M J J A S O N D

Après avoir regardé les pêcheurs à l'oeuvre, fait provision de crevettes et visité la passe migratoire de saumons; venez respirer l'air pur du fleuve, admirer les superbes couchers de soleil et déguster nos confitures maison. «Jardins de Métis» à 40 km.

De Montréal, aut. 20 est, rte 132 est. C'est à 45 km à l'est de Ste-Flavie et à 18 km à l'ouest de Matane. Ou de Gaspé, rte 132 nord. À Matane, faire 18 km sur la rte 132.

19 NEW CARLISLE *Gîte du Passant*

f A ℜ5

Tranquil seaside environment with panoramic coastline view. Beside Fauvel Golf Course. Home-made jams, fresh fruit in season, eggs from our farm at breakfast. Supper with reservation. Handicrafts on display. August folk music and dance. Hiking, swimming.

From Québec City, Hwy. 20 East, Rte. 132 East, midway between New Carlisle and Bonaventure on the Baie des Chaleurs, the last house before the Fauvel Golf Course.

BAY VIEW MANOR
Helen Sawyer
395 route 132
Bonaventure est
New Carlisle G0C 1Z0
(418)752-2725/(418)752-6718

$ 25, $$ 35, ● 5
(1er : 3 ch) (2 sb)

J F M A M J J A S O N D

Profitez d'un séjour de détente près d'une magnifique plage et du terrain de golf Fauvel. Nous tissons des pièces artisanales. Déjeuner au goût et copieux, confiture et nourriture maison, oeufs frais de notre ferme. Soirées de musique et danse folklorique.

De Québec, aut. 20 est, rte 132 est, à mi-chemin entre Bonaventure et New Carlisle dans la Baie-des-Chaleurs. C'est la dernière maison avant le terrain de golf Fauvel.

20 NEW CARLISLE *Gîte du Passant*

F A ℜ0.1

Situated on a 32 acres property overlooking the Baie-des-Chaleurs, we welcome you to the historic home (1844) of judge J.G. Thompson. Discover the charm, intimacy and warmth of yesteryear. A B&B experience of historical value where "heart and hearth await you". Non-smoking please.

From Québec City, Hwy. 20 East, Rte. 132 East to New Carlisle multicultural village in the heart of Baie-des-Chaleurs. Approximately 150 km from Matapédia/Campbellton. 125 km west of Percé.

LA MAISON DU JUGE THOMPSON
Judy et Normand Desjardins
105 rue Principale, C.P. 754
New Carlisle G0C 1Z0
(418)752-6308/(418)752-5744

$ 40, $$ 45, ● 7
(1er : 5 ch) (3 sb)

J F M A M J J A S O N D

Surplombant la splendide Baie-des-Chaleurs, nous vous accueillons dans la maison historique (1844) du juge J.G. Thompson. Ambiance d'antan où vous goûterez à la traditionnelle hospitalité de la Gaspésie. C'est une invitation à vivre avec nous un vrai «séjour d'époque». Gîte non-fumeur.

De Québec, aut. 20 est, rte 132 est jusqu'à New Carlisle, village multiculturel au coeur de la Baie-des-Chaleurs. Environ 150 km de Matapédia/Campbellton (N.B.) et 125 km à l'ouest de Percé.

21 NEW RICHMOND *Gîte du Passant*

F A ℜ1.5 VS

Among beautiful white birch on the Baie des Chaleurs, our cottage awaits you with a warm welcome, home-made breakfast, and peaceful surroundings. Massotherapy and creativity workshops with reservations.

From Québec City, Hwy. 20 East, Rte. 132 East to New Richmond. Intersection 299 and New Richmond turn right, drive 3.5 km to Rue de la Plage. Or from Percé turn left at same intersection.

GÎTE «LES BOULEAUX»
Pat et Charles Gauthier
142 de la Plage, C.P. 796
New Richmond G0C 2B0
(418) 392-4111

$ 30, $$ 40-50, ● 10
(ss : 1 ch, rc : 2 ch) (2 sb)

J F M A M J J A S O N D

Maison située dans une nature aux accents sauvages sur le bord de la Baie des Chaleurs. Accueil chaleureux, ambiance familiale, massothérapie et ateliers de créativité sur réservations.

De Québec, aut. 20 est, rte 132 est jusqu'à New Richmond. À l'intersection de la rte 299 et New Richmond, à droite, faire 3.5 km. Ou de Percé, intersection rte 299, tourner à gauche.

22 NOUVELLE *Gîte du Passant*

F a ℜ4

Our spacious house is part of a beautiful landscape near Carleton where the mountain meets the sea. A large yard for relaxation. Fossil museum at Miguasha within minutes by car. Ferry to New Brunswick. Full breakfast, home-made muffins and jams.

From Québec City, Hwy. 20 East, Rte. 132 East to Nouvelle. 4 km east of the church, watch for the sign next to the "Community Centre" near our home. From Percé, 225 km.

Marguerite et Lucie Gauthier
628 route 132 est
Nouvelle G0C 2E0
(418) 794-2767

$ 30, $$ 45, ● 10
(1er : 3 ch) (2 sb)

J F M A M J J A S O N D

Grande maison ancestrale avec cour où l'on peut relaxer. Centre de paléontologie de Miguasha à 10 km. Panorama splendide, plage: un oasis de paix. Près de Carleton et du traversier pour le Nouveau Brunswick. Confitures et muffins maison.

De Québec, aut. 20 est, rte 132 est jusqu'à Nouvelle. 4 km à l'est de l'église, surveillez le panneau indicateur, voisin du «pavillon communautaire». À 225 km de Percé.

23 PERCÉ *Gîte du Passant*

F A ℜ1

You are invited to stop for a peaceful view of the sea, a green space surrounded by trees, a few minutes' walk from the Rock. Rustic cedar house, fresh coffee! I am a local artist; paintings, art ceramics, sculpture. A good guide! Room for 4 available. Whole-wheat bread, croissants.

From Québec City, Hwy. 20 East, Rte. 132 East to Percé. 300 meters past the Petro Canada station, go North, in the Côte du Pic.

LA MAISON TOMMI
Marie-Josée Tommi
31 route 132
Percé G0C 2L0
(418) 782-5104

$ 24, $$ 36, ● 10
(rc : 1 ch, 1er : 2 ch) (2 sb)

J F M A M J J A S O N D

Je vous invite à une halte avec vue sur la mer, espace vert entouré d'arbres, à quelques minutes de marche de la plage et du rocher Percé. Maison rustique en cèdre, café frais! Je suis artiste native d'ici; peintures, poteries d'art, sculptures. Au plaisir de vous voir et vous guider.

De Québec, aut. 20 est, rte 132 est jusqu'à Percé. À 300 mètres du Pétro-Canada vers le nord, dans la Côte du Pic.

24 PERCÉ *Gîte du Passant*

F A ℜ0.8

Come and join us for a warm welcome typical of the region, in the company of a real lobster fisherman. All this just a few steps away from the famous "Percé Rock" and the unforgettable Île Bonaventure. Non-smokers only.

From Québec City, Rte. 132 East to the village of Percé, entry opposite the pavillon "Le Revif". We are located close to the bus stop. White brick bungalow.

LE RENDEZ-VOUS
Anita Bourget
84 route 132
Percé G0C 2L0
(418) 782-5152

$ 35, $$ 40-45
(rc : 3 ch) (2 sb)

J F M A M J J A S O N D

Venez vous joindre à nous, à notre accueil chaleureux dans une ambiance typiquement gaspésienne en compagnie d'un véritable pêcheur de homards. Tout cela à quelques pas du célèbre «rocher Percé» et de l'inoubliable Île Bonaventure. Gîte non-fumeur.

De Québec, rte 132 est jusqu'au village de Percé, entrée face au pavillon «le Revif». Nous sommes situés à proximité de l'arrêt d'autobus. Bungalow en briques blanches.

25 PERCÉ *Gîte du Passant*

F A ℜ0.2 VS

We live in the village, a long way from the street. Papa fished for lobsters, but now he takes people on hikes in the mountains. Mommy creates masks. If you like, in the evening, on season, she will cook the lobster you've bought from the fisherman in the village. Me and my cat Roger like visitors. Léon, 7 years old.

From Québec City, Hwy. 20 East, Rte. 132 East to Percé. In the village of Percé look for "l'ex garage #224"; use side entrance to go to the back to #222.

L'EXTRA
Danielle, Denis et Léon
222 route 132 ouest
Percé G0C 2L0
(418)782-5347/(418)782-5054

$ 30, $$ 40, ● 8-12
(1er : 3 ch) (2 sb)
J F M A M J J A S O N D

Nous vivons au village, loin de la rue. Papa pêchait le homard. Maintenant, il guide des gens en montagne. Maman crée des masques. Si vous voulez, le soir, en saison elle vous fait cuire du homard que vous aurez acheté du pêcheur au village. Moi, et mon chat Roger on aime la visite.
Léon, 7 ans.

De Québec, aut. 20 est, rte 132 est jusqu'à Percé. Continuer jusqu'à «l'ex garage #224»; se diriger derrière l'ex garage au #222.

26 PETITE-VALLÉE *Gîte du Passant*

F a ℜ1

On a long point stretching out to sea, far off Route 132 and one hour away (70 km) from the Parc Forillon, our house opens its doors wide to welcome you and provide you with numerous cultural, sporting and recreational activities.

From Québec City, Hwy. 20 East, Rte. 132 East to Petite Vallée. At the entrance to the village, after the "coukerie", take the first street on the left. At the fork, turn left.

LA MAISON LEBREUX
Denise Lebreux
2 Longue Pointe
Petite-Vallée G0E 1Y0
(418) 393-2662

$ 35, $$ 45, ● 7-10
(1er : 5 ch) (3 sb)
J F M A M J J A S O N D

Sur une longue pointe qui s'avance dans la mer, en retrait de la route 132 et à une heure (70 km) du Parc Forillon, notre maison ouvre grandes ses portes pour vous accueillir et vous suggérer de nombreuses activités culturelles, sportives et récréatives.

De Québec, aut. 20 est, rte 132 est jusqu'à Petite Vallée. À l'entrée du village, après la «coukerie», prendre la 1ère rue à gauche. À l'embranchement, tourner à gauche.

27 PETITE-VALLÉE *Maison de Campagne*

F a M1 ℜ0.5

At the edge of the ocean, three magnificent, fully equipped cabins will provide all that's necessary for you to relax. Falling asleep and waking up to the sound of the waves, watching the sun rise and set on the water, all this and more awaits you.

From Québec City, Hwy. 20 East, Rte. 132 East to Petite-Vallée. After the "Couker[illegible] the entrance to the village, take the first road on the left. At the fork, turn left.

LA MAISON LEBREUX
Denise Lebreux
2 Longue Pointe
Petite-Vallée G0E 1Y0
(418) 393-2662

J F M A M J J A S O N D

En bordure de mer, trois magnifiques chalets entièrement équipés vous procureront la détente désirée. Vous endormir et vous réveiller au bruit des vagues, surprendre le coucher ou le lever du soleil sur la mer; voilà ce qui vous attend ici.

De Québec, aut. 20 est, rte 132 est jusqu'à Petite-Vallée. Après la «Coukerie», à l'entrée du village, prendre la 1ère rue à gauche. À l'embranchement, tourner à gauche.

NBR DE MAISONS	CH	PERS	$SEM-ÉTÉ	$SEM-HIVER	$WE-ÉTÉ	$WE-HIVER
3	1	4	450	300	150	150

28 PORT-DANIEL *Gîte du Passant*

F A ℜ0.5 VS

We are happy to welcome you to our superb Victorian-style house, where we will serve you breakfast accompanied by fruit in season, and watch you leave with many warm memories... with tenderness, Caroline and Marc.

From Ste-Flavie or from Percé, Rte. 132 to the village of Port-Daniel. We are located on the Port-Daniel bay. 45 minutes from Percé.

LA MAISON ENRIGHT
Caroline et Marc
504 route 132, C.P. 248
Port-Daniel G0C 2N0
(418) 396-2062

$ 30, $$ 45, ● 10
(1er : 4 ch) (2 sb)
J F M A M J J A S O N D

C'est avec bonheur que nous vous ouvrons les portes de notre superbe maison de style victorien, que nous préparons pour vous des petits déjeuners accompagnés des fruits de la saison et que nous vous regardons partir remplis de bons souvenirs... Avec tendresse. Caroline et Marc.

De Ste-Flavie ou de Percé, rte 132 jusqu'au village de Port-Daniel. Nous sommes situés au bord de la baie de Port-Daniel. 45 min. de Percé.

29 RIVIÈRE-À-CLAUDE *Gîte du Passant*

F a ℜ0.5

At the center of the village, facing the sea, ancestral home with large rooms and memories of the past. Fishing on the wharf: trout, mackerel, cod. Mont St-Pierre hang-gliding center 7 km away. Mont Jacques Cartier 40 km away.

From Québec City, Hwy. 20 East, Rte. 132 East to Rivière-à-Claude. Drive approximately 1 km past the church.

LA MAISON AUCLAIR
Annette et Henri Auclair
route 132
Rivière-à-Claude G0E 1Z0
(418) 797-2808

$ 30, $$ 40, ● 5
(rc : 1 ch, 1er : 2 ch) (2 sb)
J F M A M J J A S O N D

Au centre du village, face à la mer, maison ancestrale avec grandes chambres aux souvenirs d'autrefois. Pêche au quai: truite, maquereau, morue. À 7 km du centre de delta-plane du Mont St-Pierre. À 40 km du Mont Jacques Cartier.

De Québec, aut. 20 est, rte 132 est jusqu'à Rivière-à-Claude. Faire 1 km après l'église.

30 ST-ALEXIS-DE-MATAPÉDIA *Gîte du Passant*

F A ℜ1

Modern fieldstone house located near a snowmobile trail which is also a hiking trail. Family vegetable garden and flower beds. Warm atmosphere and generous breakfasts. Public pool less than 200 m away.

From Rimouski, Rte. 132 East, drive 160 km. Cross the St-Alexis Bridge. At the sign for "Gites du Passant", drive 11 km. Or from Pointe-à-la-Croix, drive to Matapédia, cross the river, go right for 11 km.

DOMAINE RUSTICO
Viola et Richard Gallant
157 rue Rustico Nord
St-Alexis-de-Matapédia
G0J 2E0
(418) 299-2460

$ 35, $$ 40
(rc : 2 ch) (1 sb)
J F M A M J J A S O N D

Maison moderne en pierres des champs située près d'une piste de motoneige pouvant servir de sentier de randonnée pédestre. Potager et terrain fleuri. Ambiance chaleureuse et copieux déjeuners. Piscine publique à moins de 200 mètres.

De Rimouski, rte 132 est, faire 160 km. Traverser le pont de St-Alexis. À l'indication «Gîtes du Passant», faire 11 km. Ou de Pointe-à-la-Croix, aller à Matapédia, traverser la rivière, à droite, faire 11 km.

31 ST-ALEXIS-DE-MATAPÉDIA *Gîte du Passant* F A ℜ1.2

Solar house, 11 km from Rte. 132, exclusive design, harmony with the countryside, light, space, immense wooded grounds, in-ground heated pool outdoors, hiking trail, salmon fishing, bilingual activities, sports package.

From Rimouski, Rte. 132 East, drive 160 km. Cross the St-Alexis Bridge. At the sign for "Gites du Passant", drive 11 km. Or from Pointe-à-la-Croix, drive to Matapédia, cross the river, go right for 11 km.

LES BOIS D'AVIGNON
Laura Chouinard
171 Rustico
St-Alexis-de-Matapédia
G0J 2E0
(418) 299-2537

$ 50, $$ 55, ● 5-10
(1er : 2 ch) (1 sb)

J F M A M J J A S O N D

Maison solaire passive, 11 km de la rte 132, design exclusif, harmonie avec le paysage, lumière, espace, immense terrain boisé, piscine extérieure creusée et chauffée, piste de randonnée, pêche au saumon, animation bilingue, forfait activité physique.

De Rimouski, rte 132 est, faire 160 km. Traverser le pont de St-Alexis. À l'indication «Gîtes du Passant», faire 11 km. Ou de Pointe-à-la-Croix, aller à Matapédia, traverser la rivière, à droite, faire 11 km.

32 ST-JOSEPH-LEPAGE *Gîte du Passant* F a ℜ2

House located on a large property, on Rte. 132, 2 km from Mont-Joli. Near the airport, art galleries, beach, good restaurants. Golf course, downhill skiing centre 30 minutes' drive away. Ski season accommodation.

From Québec City, Hwy. 20 East, Rte. 132 East. Drive 2 km from Mont-Joli. Or from the Matapédia Valley, our home is located before Mont-Joli, 5 minutes from the shopping centre.

LE GÎTE BELLEVUE
Émilien et Nicole Cimon
2332 rue Principale, route 132
St-Joseph-Lepage G5H 3N6
(418) 775-2402

$ 30, $$ 40-45, ● 5-15
(2e : 3 ch) (2 sb)

J F M A M J J A S O N D

Maison avec grand terrain située sur la rte 132 à 2 km de Mont-Joli. À proximité de l'aéroport, galerie d'art, plage, bons restaurants. Terrain de golf, centre de ski alpin à 30 min. de route. Possibilité d'hébergement durant la saison du ski.

De Québec, aut. 20 est, rte 132 est. Faire 2 km de Mont-Joli. Ou de la vallée de la Matapédia, le gîte est situé avant Mont-Joli, à 5 min. du centre d'achat.

33 ST-OCTAVE-DE-MÉTIS *Gîte du Passant* F a ℜ5

Five kilometres from Rte. 132. Come relax in the center of a little village at the foot of a mountain. Panoramic view of the river. Near the "Jardins de Métis", restaurants and tourist attractions. We await you with pleasure.

From Québec City, Hwy. 20 East, Rte. 132 East to the "Jardins de Métis". Take the road St-Octave to the right at the fork, then turn left. Drive 5 km, white house on the corner on the right.

Francine et Donald Ouellet
200 rue de l'église, C.P. 13
St-Octave-de-Métis G0J 3B0
(418) 775-7923

$ 25, $$ 40, ● 5-10
(1er : 3 ch) (2 sb)

J F M A M J J A S O N D

À 5 km de la route 132. Venez relaxer au centre d'un petit village au flanc de la montagne. Vue panoramique sur le fleuve. Près des «Jardins de Métis», restaurants et attractions touristiques. On vous attend avec joie.

De Québec, aut. 20 est, rte 132 est jusqu'aux «Jardins de Métis». Prendre embranchement St-Octave à droite puis tourner à gauche. Faire 5 km, maison blanche sur le coin à droite.

34 STE-ANGÈLE-DE-MÉRICI *Gîte du Passant* F ℜ0.2

Located at the entrance to the village where the calm is second only to the beauty of the mountains. To take a rest from noise and pollution, come listen to the murmur of the river and the birds' song. "Jardins de Métis" 13 km away. Near Route 132.

From Québec City, Hwy. 20 East, Rte. 132 East to Ste-Flavie. From there, towards Ste-Angèle via Mont-Joli. Drive 15 km. Second house on the left in the village.

Lucille et Jean-Paul
435 boul. de la Vallée
Ste-Angèle-de-Mérici
G0J 2H0
(418) 775-2290

$ 30, $$ 35
(1er : 2 ch) (2 sb)
J F M A M J J A S O N D

Situé à l'entrée du village où règne le calme dans la beauté des montagnes. Pour vous reposer du bruit et de la pollution, venez écouter le murmure de la rivière et le chant des oiseaux. «Jardins de Métis» à 13 km. Près de la route 132. Bienvenue.

De Québec, aut. 20 est, rte 132 est jusqu'à Ste-Flavie. De là, direction Ste-Angèle via Mont-Joli. Faire 15 km. 2e maison à gauche dans le village.

35 STE-ANNE-DES-MONTS *Gîte du Passant* F a ℜ1

Why come to Ste-Anne-des-Monts? You will discover the magnificent Parc de la Gaspésie, the Albert and Jacques-Cartier mountains. Golf, horseback riding, and a warm welcome from residents. Welcome. 10% reduction for stays of three days or more. Rooms in the basement with separate entrance.

From Québec City, Hwy. 20 East, Rte. 132 East to Ste-Anne-des-Monts. Before the bridge, turn left on 1st Avenue. Beige brick house, third on the left.

CHEZ MARTHE ANGÈLE
Marthe-Angèle Lepage
268, 1ère Avenue ouest
C.P. 3159
Ste-Anne-des-Monts G0E 2G0
(418) 763-2692

$ 30, $$ 48, ☻ 5-10
(ss : 3 ch, rc : 2 ch) (3 sb)
J F M A M J J A S O N D

Pourquoi venir à Ste-Anne-des-Monts? Vous y découvrirez le magnifique parc de la Gaspésie, monts Albert et Jacques-Cartier. Golf, équitation et l'accueil chaleureux de ses habitants. Réduction: 10% - 3 jours et plus. Quelques chambres au sous-sol avec entrée indépendante.

De Québec, aut. 20 est, rte 132 est jusqu'à Ste-Anne-des-Monts. Avant le pont, tourner à gauche. À l'arrêt, tourner à gauche sur la 1ère ave. Maison de briques beige, 3e à gauche.

36 STE-FLAVIE *Gîte du Passant* F a ℜ5

I will be waiting for you by the river, at the gateway to the Gaspé region. Here, the days begin with the sound of the waves, warm up with human contact and end in the colours of a beautiful sunset. The charm and comfort of a wood house await.

From Québec City, Hwy. 20 East, Rte. 132 East to Ste-Flavie. 5 km past the church, driving along the sea towards the East. Or from Gaspé, Rte. 132 West. 60 km from Matane.

LA QUÉBÉCOISE
Cécile Wedge
705 de la mer, route 132
Ste-Flavie est G0J 2L0
(418)775-2898/(418)775-3209

$ 35, $$ 45-50
(1er : 3 ch) (2 sb)
J F M A M J J A S O N D

Je vous attend face au fleuve dans le charme et le confort d'une maison de bois blond, aux portes de la Gaspésie. Ici les journées commencent au son des vagues, se réchauffent au contact des gens et se terminent sous les couleurs d'un soleil couchant.

De Québec, aut. 20 est, rte 132 est jusqu'à Ste-Flavie. C'est à 5 km de l'église, en longeant la mer vers l'est. Ou de Gaspé, rte 132 ouest. À 60 km de Matane.

37 STE-FLAVIE *Gîte du Passant*

F A ℜ0.1

This is a super place! We have a relaxing stop by the ocean. You can walk on our large, wooded property right to the falls. "Jardins de Métis" 5 km away, art center 0.7 km away. We also have a large family room.

From Québec City, Hwy. 20 East, Rte. 132 East to Ste-Flavie. Drive to 571, route de la Mer.

LES CHUTES
Yvon et Aline Robert
571 route de la Mer
Ste-Flavie G0J 2L0
(418) 775-9432

$ 35, $$ 45-75
(1er : 4 ch) (2 sb)
J F M A M J J A S O N D

Le site est super! C'est une halte reposante juste en face de la mer. Le terrain est grand et boisé; on peut y suivre un sentier longeant le ruisseau jusqu'à la chute. Jardins de Métis à 5 km, centre d'art à 0.7 km. Nous disposons d'une grande chambre familiale.

De Québec, aut. 20 est, rte 132 est jusqu'à Ste-Flavie. Se rendre jusqu'au 571, route de la Mer.

38 STE-FLAVIE *Gîte du Passant*

F A VS

In the very gate of Gaspé peninsula near the famous "Jardins de Métis", the Salmon Interpretation Center, 12 km from Boule Rock Golf Club, newly renovated typical old house fronting the sea, few km to regional airport. I would be pleased to meet you.

From Québec City, Hwy 20 East to Cacouna, then Rte. 132 East to Ste-Flavie. In the village, South side of the Rte. 132, 8th house after the church.

MAISON EN T
France Maës
525 route de la Mer
Ste-Fravie G1J 2L0
(418) 775-9212

$ 30, $$ 45, ☻ 10
(rc : 1 ch, 1er : 4 ch) (3 sb)
J F M A M J J A S O N D

Aux portes de la Gaspésie tout près des Jardins de Métis, de la CISA, 12 km du golf «Boules Rock». Ancienne maison restaurée, vue sur la mer, coucher de soleil presque quotidien. Venez me rencontrer ça me fera plaisir.

De Québec, aut. 20 est jusqu'à Cacouna. Puis rte 132 est jusqu'à Ste-Flavie. Dans le village côté sud sur rte 132, 8e maison après l'église.

Marque déposée par
Fédération des Agricotours du Québec

Je dois vous féliciter pour la belle initiative du Gîte du Passant car mon épouse et moi avons fait le tour de la Gaspésie avec cette formule. Étant des habitués des motels, mon épouse m'avait précisé qu'elle ne voulait rien savoir des gîtes du passant. Après une nuit dans un gîte, ce qui devait arriver, arriva. Nous nous sommes hébergés dans les gîtes tous les soirs tellement on a adoré la formule. Les gens étaient très accueillants et le voyage très enrichissant. Encore une fois bravo!

St-Hubert

ÎLES-DE-LA-MADELEINE

*Les numéros sur la carte correpondent à la numérotation des gîtes de la région

**The numbers on the map correspond to the numbers of each establishment within the region.*

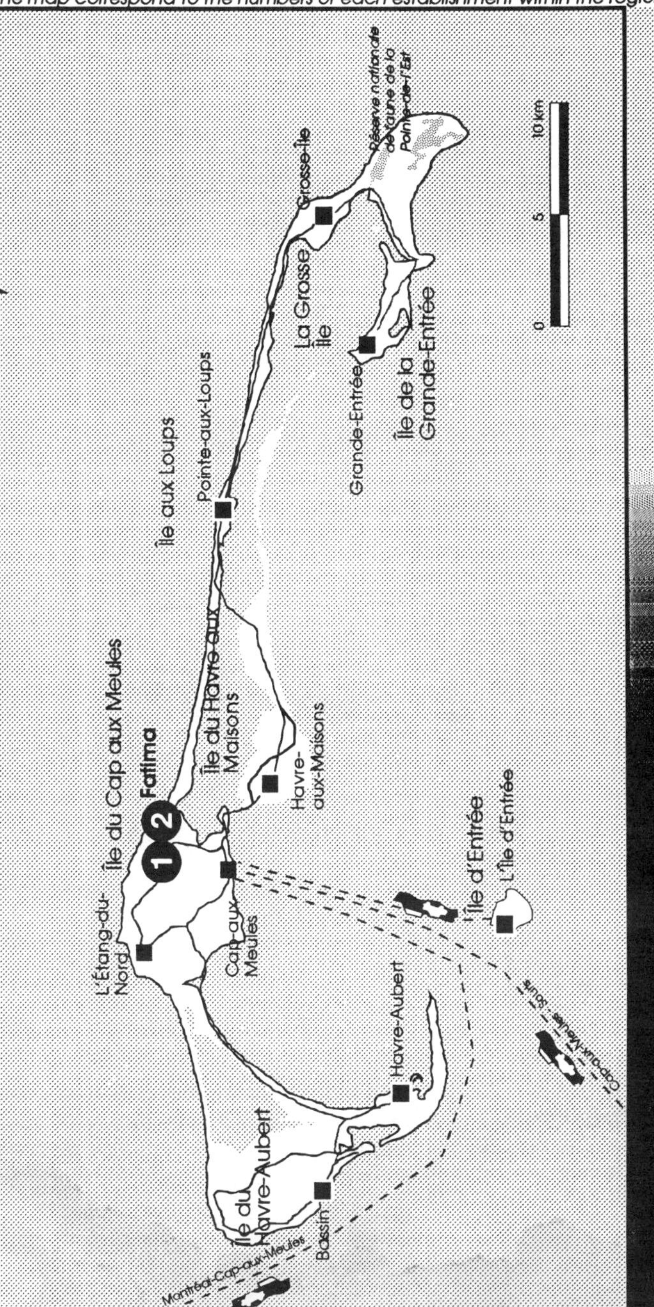

1 FATIMA *Gîte du Passant*

F a ℜ1.5

Take advantage of a real Magdalenian family's hospitality. Wooded area, calm, near amenities, in a residential neighbourhood of the island Cap-aux-Meules. Generous breakfast, comfor-table rooms, 1 km from the beach. Friendly atmosphere and warm welcome. Non-smokers only.

From the ferry, Rte. 199 East, Chemin Marconi to Chemin les Caps. At Fatima, near the church take Chemin de l'Hôpital. Turn left on Chemin Thorne.

Blandine et Thomas
56 chemin E. Thorne
Fatima G0B 1G0
(418)986-3006/(418)986-2121

$ 35, $$ 40, ● 5
(1er : 2 ch) (2 sb)

J F M A M J J A S O N D

Profitez de l'hospitalité d'une vraie famille madelinienne. Site boisé, tranquille, près des services dans un quartier résidentiel de l'île de Caps-aux-Meules. Petit déjeuner copieux, chambres confortables à 1 km de la plage. Ambiance amicale et accueil chaleureux. Gîte non-fumeur.

Du traversier, rte 199 est, ch. Marconi vers ch. les Caps. À Fatima près de l'église, prendre ch. de l'hôpital. Tourner à gauche au ch. Thorne.

2 FATIMA *Gîte du Passant*

F a ℜ0.3

In the heart of Ile de Cap-aux-Meules, in a residential and quiet area, come take advantage of the welcome and hospitality of a Magdalen Islands family. You will be served a copious breakfast. 1 km from the beach and various other activities. Welcome! Non-smokers only.

From the ferry, Rte. 199 East, Chemin Marconi towards the Chemin les Caps. At the center of Fatima, Chemin L'Eveil, 4th house on the left. Or from the airport, Rte. 199 West towards Cap-aux-Meules, take Chemin les Caps...

Marie-Marthe et
René H. Longuépée
37 chemin L'Éveil, C.P. 234
Fatima, Îles de la Madeleine
G0B 1G0
(418)986-4482/(418)969-5260

$ 35, $$ 40, ● 3-5
(rc : 3 ch) (1 sb)

J F M A M J J A S O N D

Au centre de l'Île de Cap-aux-Meules, dans un site résidentiel et tranquille, venez profiter de l'accueil et l'hospitalité d'une famille madelinienne. Un copieux déjeuner vous sera servi. Situé à 1 km de la plage et diverses activités. Bienvenue à tous. Gîte non-fumeur.

Du traversier, rte 199 est, chemin Marconi vers chemin les Caps. Au centre de Fatima, chemin L'Éveil, 4e maison à gauche. Ou de l'aéroport, rte 199 ouest vers Cap-aux-Meules, emprunter chemin les Caps...

Marque déposée par
Fédération des Agricotours du Québec

Depuis 1986, je cumule les souvenirs heureux en me rappelant mes nombreuses haltes dans les Gîtes du Passant, au gré de longs ou courts voyages. J'ai toujours apprécié l'accueil et l'ambiance différent mais jamais décevant que chaque endroit offrait au visiteur. La générosité et la simplicité des hôtes me font réaliser que l'être humain a besoin de communiquer et que c'est une façon peu coûteuse de connaître l'histoire d'une région et d'échanger avec des gens de partout.

Représentante Esso Impérial
Montréal

LANAUDIÈRE

*Les numéros sur la carte correpondent à la numérotation des gîtes de la région

**The numbers on the map correspond to the numbers of each establishment within the region.*

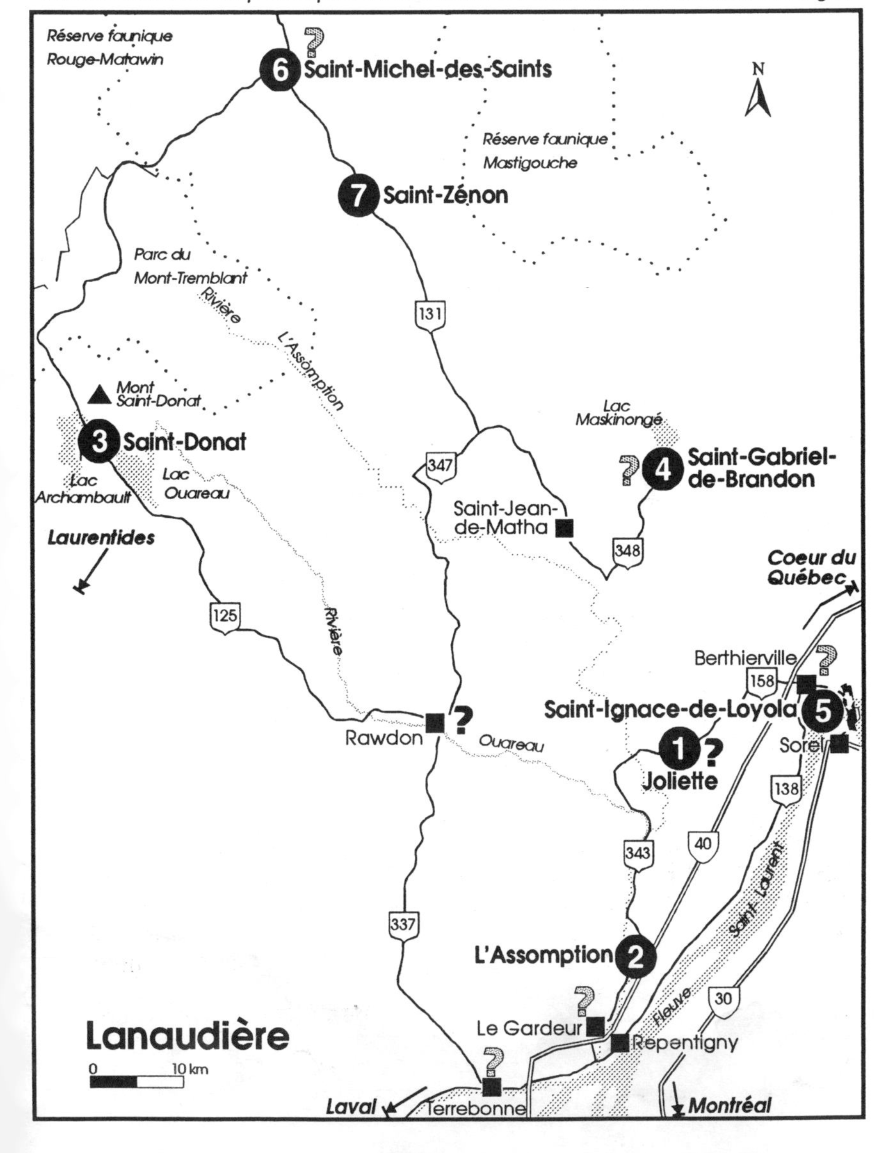

1 JOLIETTE *Gîte du Passant*

F A 🚗 ℜ2 VS MC

45 min. from Montréal and Mirabel airport, we have a comfortable "Québécoise" home, built in a pine tree forest. Discover a quiet hideaway. In the summer, treat yourself to the music festival. In winter time, skating on the river (12 km). Canoeing, swimming pool, bicycles. Hablamos español. Yours truly.

From Montréal, Hwy. 40 East, Exit 122 on to Hwy. 31. Proceed North to Joliette, take St-Charles Boromée Street North, turn right on Barrette Blvd., then left on Rang Ste-Julie for 2.5 km.

MANOIR SOUS LES PINS
Sylvie et Roger
239 rang Ste-Julie
Notre-Dame-des-Prairies
J6E 7Y8
(514)759-8741

$ 40, $$ 50-65, ● 15
(1er : 3 ch) (4 sb)
J F M A M J J A S O N D

À 45 min. de Montréal et Mirabel, notre vaste manoir est au coeur d'une pineraie. Découvrez un endroit calme, bordé par la rivière. L'été, le festival de musique; l'hiver, la patinoire sur la rivière. Canot, piscine, vélo. Hablamos español. Chaleureusement vôtre.

De Montréal, aut. 40 est, sortie 122 Joliette. Prendre rue St-Charles Boromée nord. Au «Canadian Tire», à droite boul. Barrette. Faire 1.5 km, à gauche au rang Ste-Julie, faire 2.5 km.

2 L'ASSOMPTION *Gîte du Passant*

F A ℜ1.5

15 min. from Montréal, manor built in 1832, situated on a domain facing L'Assomption river. Direct bus from the door to Radisson metro station. On site: bathing, tennis, canoeing, fishing, sauna. Near: golf course, museum, art gallery...

From Montréal, Hwy. 40 East, Exit 108. Rte. 341 North, drive 2.1 km. Rte. 344 West, drive 0.5 km.

MANOIR SEIGNEURIAL
Mario Milord
1001 Bas de L'Assomption N.
Route 344
L'Assomption J0K 1G0
(514)589-7890/(514)592-1914

$ 35, $$ 55, ● 5 -10
(ss:1ch,rc:1ch,1er:3ch) (3sb)
J F M A M J J A S O N D

À 15 min. de Montréal, manoir datant de 1832, situé sur domaine longeant la rivière l'Assomption. Liaison directe par autobus de la porte à la station de métro Radisson. Sur place: baignade, tennis, canot, pêche, sauna. Tout près: golf, musée, galerie d'art...

De Montréal, aut. 40 est, sortie 108. Rte 341 nord, faire 2.1 km. Rte 344 ouest, faire 0.5 km.

3 ST-DONAT *Gîte du Passant*

F a 🚗 ℜ0.1 VS MC

I have a simple, comfortable house, surrounded by a veranda and spacious property, near a pure water lake. It will be a real tonic for your health. Near activities all year round. Three rooms with sink and TV. Warm welcome.

From Montréal, Hwy. 15 North, Exit 89. Rte. 329 to St-Donat. Or Hwy. 25 and 125 North to St-Donat.

LA MAISON ROBIDOUX
Annie Robidoux
284 rue Bellevue
St-Donat J0T 2C0
(819) 424-2379

$ 35, $$ 55, ● 10-15
(1er : 3 ch) (2 sb)
J F M A M J J A S O N D

J'ai pour vous une maison confortable, entourée d'une véranda et d'un terrain spacieux, tout près d'un lac à l'eau pure. Ce sera un vrai tonique pour ta santé. À proximité: activités d'été et d'hiver. 3 chambres avec lavabo et TV. Accueil chaleureux.

De Montréal, aut. 15 nord, sortie 89. Rte. 329 jusqu'à St-Donat. Ou aut. 25 et 125 nord jusqu'a St-Donat.

4 ST-GABRIEL-DE-BRANDON *Gîte du Passant* F A

A new friendship experience, our home is warm and a good place to rest. Our welcome is hearty and simple. At Lake Masquinongé, only 3 km away, facilities include golfing, a beach, sailing, and pedalboats. Cross-country skiing 10 minutes away. Non-smokers only.

From Montréal, Hwy. 40 East, Exit 144. Rte. 347 North to St-Gabriel. From the church, drive 1.5 km, turn left at the 6e Rang. Drive 0.5 km, turn right towards Lac Lamarre, for 2.5 km. Turn right on Rue Pigeon towards Chemin Arthur.

LE RELAIS DE L'AMITIÉ
M. et F. Jaquemot
71 chemin Arthur
St-Gabriel-de-Brandon
J0K 2N0
(514) 835-1003

$ 35, $$ 45-50, ☻ 10
(1er : 3 ch) (2 sb)
J F M A M J J A S O N D

Une nouvelle expérience d'amitié dans la chaleur et la simplicité de notre maison située au Lac Lamarre. Grande chambre, lieu calme et reposant dans la nature. Lac Masquinongé à 3 km: plage, pédalo, voile. Ski de fond à 10 min. Gîte non-fumeur.

De Montréal, aut. 40 est, sortie 144. Rte 347 nord jusqu'à St-Gabriel. De l'église, faire 1.5 km. À gauche au 6e rang, faire 0.5 km. Tourner à droite vers lac Lamarre, faire 2.5 km. À droite rue Pigeon vers chemin Arthur.

5 ST-IGNACE-DE-LOYOLA *Gîte du Passant* F A ℜ5

Farm ideally located for a rest during your car, bike, or motocycle trips. Children will appreciate the place: playground, animals to feed, tractor ride occasionally. Possibility to accommodate pets.

Hwy. 40, Exit 144. Rte. 158 East, follow signs for ferry, 7.8 km. At the ferry, turn left on Rang St-Michel, drive 3.8 km; it becomes Rang Ste-Marie. Drive 1.2 km.

FERME LA FOURMILIÈRE
R. Grou et S. Manseau
1474 rang Ste-Marie
St-Ignace-de-Loyola J0K 2P0
(514) 836-1469

$ 31, $$ 47, ☻ 10
(1er : 2 ch) (1 sb)
J F M A M J J A S O N D

Ferme idéalement située pour une halte lors de vos voyages, vos randonnées à vélo ou moto. Les enfants apprécieront cet arrêt chez nous: terrain de jeux, animaux à nourrir, tour de tracteur à l'occasion. Possibilité d'hébergement pour petits animaux.

Aut. 40, sortie 144. Rte 158 est, suivre indications pour traversier, faire 7.8 km. Au traversier, tourner à gauche sur rang St-Michel, faire 3.8 km; devient rang Ste-Marie, faire 1.2 km.

6 ST-MICHEL-DES-SAINTS *Gîte du Passant* F a ℜ7

Close to the nature reserves, parks and cross-Québec snowmobile paths, former farm on 290 acres. On our hiking paths, you will discover the creek, the plantation and the woods. Perfect place for bird and wild animal watchers. Two rooms with sinks.

From Montréal, Hwy. 40 North then Hwy. 31 to Joliette. From there, Rte. 131 towards St-Michel. Located 7 km from the village towards St-Guillaume. Bus service from the village, Joliette and Montréal.

LA VIEILLE FERME
Denyse et Yves
1310 chemin Cypres
St-Michel-des-Saints J0K 3B0
(514)833-5596/(514)438-3742

$ 25-30, $$ 40-45, ☻ 10-12
(1er : 3 ch) (1 sb)
J F M A M J J A S O N D

À proximité des réserves, parc et pistes de motoneiges trans-Québec, ancienne ferme sise sur 290 acres. Des sentiers vous feront découvrir la «crique», la plantation et le boisé. Site idéal pour les observateurs d'oiseaux et d'animaux sauvages. 2 ch. avec lavabo.

De Montréal, aut. 40 nord puis aut. 31 jusqu'à Joliette. De là, rte 131 vers St-Michel. Situé à 7 km du village direction St-Guillaume. Service d'autobus entre le village, Joliette et Montréal.

7 ST-ZÉNON *Gîte du Passant* F a ℜ0.1

Discover Matawinie and relax in a century-old house at the heart of the highest altitude village in Québec. Warm welcome, comfortable rooms and generous breakfast. Nature, golf and history lovers will feel at home. As well, weekend rental from September to April.

From Montréal, Hwy. 40 North and Hwy 31 towards Joliette. Rte. 131 towards St-Michel-des-Saints. Our place is located 15 km before St-Michel. Bus service Saint Zénon/Joliette/Montréal.

AU VENT VERT
Denise et Marcel Plante
6300 rue Principale
St-Zénon J0K 3N0
(514) 884-0169
(514) 754-2232

$ 40, $$ 45, ● 0-10
(1er : 2 ch) (2 sb)

J	F	M	A	M	J	J	A	S	O	N	D

Découvrez la Matawinie et reposez-vous dans une maison centenaire au coeur du village le plus élevé du Québec. Accueil chaleureux, chambres confortables et déjeuner copieux. Amants de la nature, du golf et de l'histoire régionale se sentiront chez eux. De sept. à avril: location de fin de semaine seulement.

De Montréal, aut. 40 nord et aut. 31 vers Joliette. Rte 131 vers St-Michel-des-Saints. Le gîte est situé à 15 km avant St-Michel. Service d'autobus Saint-Zénon/Joliette/Montréal.

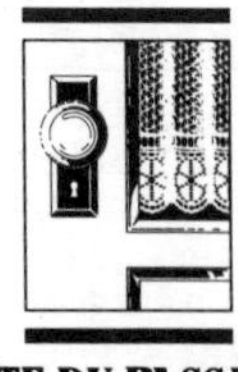

GÎTE DU PASSANT MD

Marque déposée par
Fédération des Agricotours du Québec

C'est notre première expérience et nous avons beaucoup apprécié l'hospitalité de nos hôtes. Nous n'hésiterons pas à revenir et à recommander la formule des Gîtes du Passant à nos amis.

Électricien, Ville St-Laurent

L'information touristique et l'accueil sont excellents dans les Gîtes du Passant du Québec

Enseignant, France

LAURENTIDES

*Les numéros sur la carte correpondent à la numérotation des gîtes de la région

**The numbers on the map correspond to the numbers of each establishment within the region.*

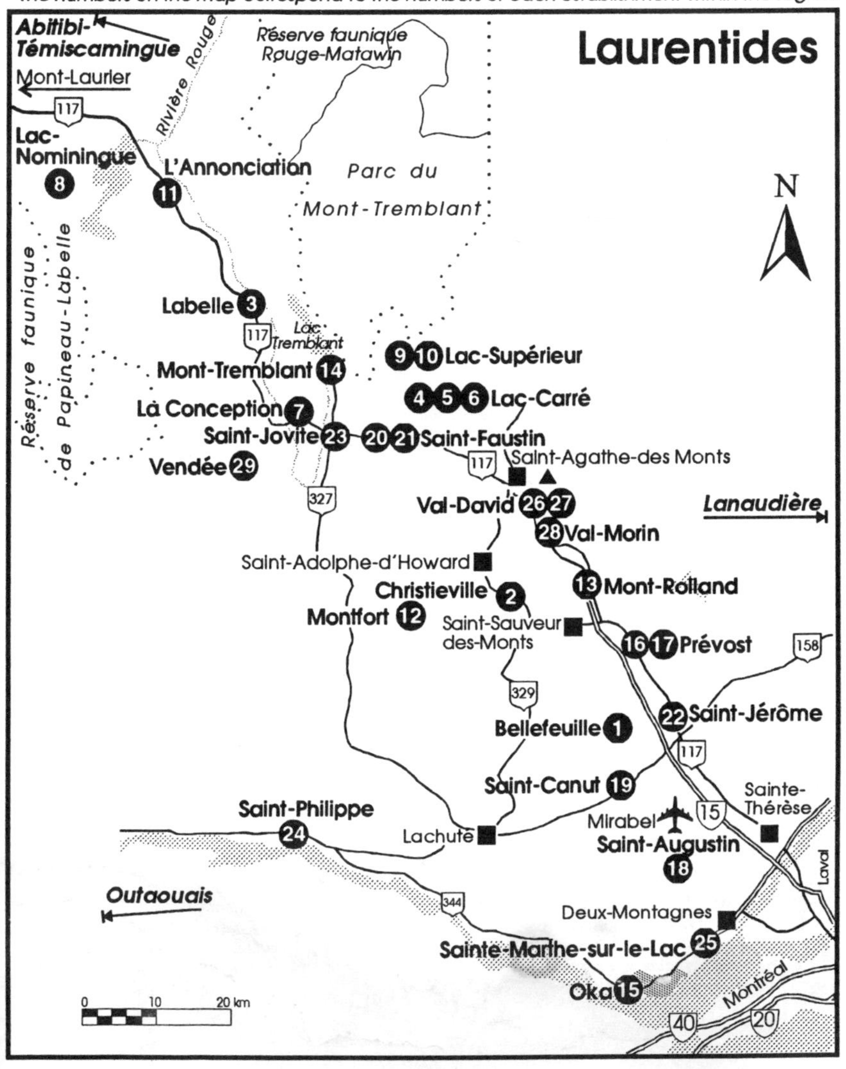

1 BELLEFEUILLE *Gîte du Passant*

F ℜ12

On the mountain, near the ski slopes, protected by nature, we are happy to welcome you. Pleasant rooms, 2 with private bathrooms. Cross-country skiing right outside, hiking trails, private lake and healthy breakfasts are yours to enjoy. Everything is steeped in calm and relaxation. 12 km from Hwy. 15.

From Montréal or Mirabel, Hwy. 15 North, Exit 43 West - Bellefeuille. You are on Rue De Martigny, which becomes De la Montagne and Blvd. Lasalette. After the traffic lights and the church, right on St-Camille, drive 4.8 km.

GÎTE FLEURS DES BOIS
Monique F. Morin
et Rémi Gagnon
1331 rue St-Camille, R.R. #2
Bellefeuille J0R 1A0
(514) 438-7624

$ 30-40, $$ 45-55, ● 10
(rc : 1 ch, 1er : 4 ch) (3 sb)

J F M A M J J A S O N D

Sur la montagne, près des pentes de ski, protégé par la nature, nous vous accueillons avec joie. Agréables chambres dont 2 avec salle de bain privée. Ski de fond à la porte, sentiers pédestres, lac privé et déjeuner «santé» sont à votre disposition. Tout respire repos et calme. 12 km de l'aut. 15.

De Montréal ou Mirabel, aut. 15 nord, sortie 43 ouest - Bellefeuille. Vous êtes sur rue De Martigny qui devient de la Montagne et boul. Lasalette. Après les feux de circulation et l'église, à droite sur la rue St-Camille, faire 4.8 km.

2 CHRISTIEVILLE, MORIN HEIGHTS *Gîte du Passant*

F A ℜ5 VS MC

Located between St-Sauveur and Morin Heights. Your stay will be peaceful. Winter and summer sports await, or, if you prefer, a good book in a corner by the fire. We will be happy to serve you breakfast near the fire in the morning. Rooms with soft duvets.

From Montréal, Hwy. 15 North, Exit 60. West on Rte. 364 towards Morin Heights. At Christieville sign turn right, then left on Papineau to the little bridge, then right on Legault.

AUX BERGES DE LA RIVIÈRE
Denise et Léon Trudeau
54 rue Legault
Christieville, Morin Heights
J0R 1H0 (514) 226-1322

$ 47-68, $$ 62-90, ● 0-12
(1er : 5 ch) (4 sb)

J F M A M J J A S O N D

Situé entre St-Sauveur et Morin Heights. La tranquillité accompagnera votre séjour. Les sports d'hiver et d'été vous attendent, sinon ce pourrait être un bon livre au coin du feu. Au plaisir de vous accueillir à la table du matin près du feu de cheminée. Chambres aux moelleux duvets.

De Montréal, aut. 15 nord, sortie 60. Vers l'ouest sur rte 364 vers Morin Heights. À Christieville à droite, puis à gauche sur Papineau jusqu'au pont puis à droite sur Legault.

3 LABELLE *Gîte du Passant*

F A ℜ4

A 20 min. drive from Mt-Tremblant, you'll enjoy comfortable rooms, a playroom with a fireplace, a generous breakfast and even more: swimming, canoeing, sailing, fishing, cross-country skiing (at the door step) and alpine skiing. Wow!

From Montréal, Hwy. 15 North, then 117 North to Labelle. Turn left 2 km after the village at the flashing light towards Lac Labelle. Follow signs for Domaine du Beau Séjour.

LA CLOCHE DE VERT
Thérèse et Normand Brunette
1080 chemin Saindon
Lac Labelle
Labelle J0T 1H0
(819)686-5850/(514)277-1148

$ 35, $$ 50, ● 10
(rc : 2 ch) (1 sb)

J F M A M J J A S O N D

À 20 min de Mont Tremblant, notre maison offre des chambres confortables avec lavabo, une salle de jeux avec foyer, des déjeuner princiers et des activités comme: baignade, canotage, voile, pêche, ski de fond (à la porte) et ski alpin. Bref, la vie de château.

De Montréal, aut. 15 nord et rte 117 jusqu'à Labelle. À 2 km du village aux feux clignotants, tourner à gauche direction Lac Labelle et suivre les indications du domaine Beau Séjour.

4 LAC-CARRÉ *Gîte du Passant*

F A 🚗 ℜ0.1 VS

"La Licorne", facing a lake. The ideal place for you to participate in the joys of sports. In summer, canoe, pedalboat, windsurfing: free for guests. In winter, skiing, skating, snowshoeing , this and more, all in the best environment in the heart of the Laurentians.

From Montréal, Hwy. 15 North to Ste-Agathe, continue on Rte. 117 North for 18 km, Exit Lac-Carré. Drive 1 km from St-Faustin, turn right. Close to Mt-Tremblant (20 km) St-Jovite (10 km).

LA LICORNE
Patricia et Robin
390 rue Principale
Lac-Carré J0T 1J0
(819) 688-3030

$ 35, $$ 48, ● 8
(1er : 3 ch) (2 sb)

J F M A M J J A S O N D

«La Licorne», oasis de paix et de tranquillité, face à un lac limpide, dans un décor enchanteur. On vous attend pour goûter aux joies du sport. L'été: canot, pédalo, planche à voile sur place, l'hiver: ski, patin, raquette. Atmosphère calme et chaleureuse.

De Montréal, aut. 15 nord et rte 117 nord. Après Ste-Agathe, faire 18 km, sortie Lac-Carré. Faire 1 km de St-Faustin. 20 km de Mt-Tremblant et 10 km de St-Jovite.

5 LAC-CARRÉ *Gîte du Passant*

F A ♿ 🚗 ℜ0.1 VS MC

Near St-Jovite, entrance to Mont-Tremblant. Luxurious house with whirlpool, living room, gardens, heated pool, fireplace. Facing the beach. Breakfast and beverage served upon arrival. Reduced prices for bookings of more than one week.

From Montréal, Hwy. 15 North, Rte. 117 North. 18 km after Ste-Agathe, Lac-Carré Exit. Drive 1 km. Corner of Desjardins and Principale. Turn right opposite Lac-Carré in Rte. Mont-Tremblant.

LA ROCAILLE
Louisette et Gérard Piché
328 Desjardins
Lac-Carré J0T 1J0
(819) 688-2852

$ 35, $$ 48, ● 10-15
(1er : 3 ch) (3 sb)

J F M A M J J A S O N D

À proximité de St-Jovite, porte d'entrée du Parc du Mont-Tremblant. Maison luxueuse avec bain tourbillon, salle de séjour, jardins, piscine chauffée, foyer. Face à la plage. Breuvage servi à l'arrivée. Prix réduit pour plus de 7 jours.

De Montréal, aut. 15 nord, rte 117 nord. 18 km après Ste-Agathe, sortie Lac-Carré. Faire 1 km. Coin Desjardins et Principale. À droite en face du Lac-Carré sur rte Mont-Tremblant.

6 LAC-CARRÉ *Gîte du Passant*

F a 🐕 🚗 ℜ0.5

For a short escape or a long rest, our home offers: calm, nature, and sports year round. For you: bread, jam, crêpes, and home-made paté, all served near the old stove or among the flowers on the patio, depending on the season. Stop by our place on your way by.

From Montréal, Hwy. 15 North and Rte. 117 North. 18 km from Ste-Agathe, Lac Carré exit. At the crossing, go right, drive 1.2 km and take Rue de la Gare on the right. Or from St-Jovite, Rte. 117 South, drive 10 km.

LE ROUPILLON
Patricia et Michel
390 de la Gare
Lac-Carré J0T 1J0
(819) 688-6780

$ 35, $$ 48, ● 10-15
(1er : 3 ch) (1 sb)

J F M A M J J A S O N D

Petite fugue ou long répit, notre gîte vous offre: calme, nature et sports en toute saison. Pour vous: pain, confitures, crêpes, pâtés «maison» et servis près du vieux poêle ou sur la terrasse fleurie selon la saison. Venez faire un tour chez nous en passant.

De Montréal, aut. 15 nord et rte 117 nord. 18 km de Ste-Agathe sortie Lac Carré. Au croisement, prendre à droite, faire 1.2 km et prendre rue de la Gare à droite. Ou de St-Jovite, rte 117 sud, faire 10 km.

7 LA CONCEPTION-LAC XAVIER *Gîte du Passant* F A ℜ6

Enchanting location by the water. In the heart of nature where the mountains, the crystal clear water and the magnificent view are part of the surroundings. Cruises, swimming, water sports, golf, fishing (trout and blue jay), horseback riding. Ideal for spending several days. Reduction for stays of 5 days or more.

From Montréal, Hwy. 15 North and Rte. 117 North to La Conception. After the bridge and the flashing light, left on rue Des Érables. At the sign for Lac-Xavier, continue to chemin des Pins Blancs. Turn left.

Madeleine et Rolland Gosselin
2388 chemin des Pins Blancs
La Conception J0T 1M0
(819) 686-2807

$ 35-50, $$ 45-60, ● 10-15
(ss : 1 ch, rc : 1 ch) (2 sb)
J F M A M J J A S O N D

Site enchanteur au bord de l'eau. Au coeur de la nature où les montagnes, l'eau cristalline et la vue magnifique font partie du décor. Croisières, baignade, activités nautiques, golf, pêche (truite et geai bleu), équitation. L'idéal est d'y passer quelques jours. Réd. 5 jours et plus.

De Montréal, aut. 15 nord et rte 117 nord jusqu'à La Conception. Après le pont et la lumière clignotante, à gauche rue Des Érables. À l'indication Lac-Xavier continuer jusqu'au chemin des Pins Blancs. Tourner à gauche.

8 LAC-NOMININGUE *Gîte du Passant* F A ℜ0.5

The former residence of the Ste-Croix order of nuns, this typical spacious house offers peace and harmony in a beautiful forest setting. It is a great pleasure to have you as our guests. Rooms with sinks.

From Montréal, Hwy. 15 North and Rte. 117 North to l'Annonciation. At the end of the village, left at the flashing light towards Nominingue. Go through the village, last street St-Ignace left at the traffic circle.

LE PROVINCIALAT
P. Seers et G. Petit
2292 Sacré-Coeur
Lac-Nominingue J0W 1R0
(819) 278-4928

$ 40, $$ 60
(1er : 3 ch) (2 sb)
J F M A M J J A S O N D

Ancien provincialat des soeurs de Ste-Croix, cette très grande maison typique offre paix et harmonie dans un cadre superbe à l'orée du bois. Nous vous y accueillerons avec grand plaisir. Chambres avec lavabo.

De Montréal, aut. 15 nord et rte 117 nord jusqu'à l'Annonciation. À la sortie du village, à gauche aux feux clignotants vers Nominingue. Traverser le village, dernière rue St-Ignace à gauche au rond point.

9 LAC-SUPÉRIEUR *Gîte du Passant* F A ℜ10 VS

At the foot of Mont-Tremblant, in this area of lakes and rivers, on 35 acres of property with the Boulée River running through, we built our house. Come and share this gentle way of life for a while...

From Montréal, Hwy. 15 North, Rte. 117 North, Exit Lac-Carré. At the stop, turn right for 2.3 km. Follow the sign to Parc Mont-Tremblant for 5.7 km. Left Chemin Lac-à-L'Équerre for 3.6 km.

CHEZ NOR-LOU
L. Lachance et N. Sauvé
803 chemin du Lac-à-L'Équerre, R.R.#1
Lac-Carré J0T 1J0
(819) 688-3128

$ 38-42 $$ 48-53, ● 15
(1er: 2ch, Grenier: 1ch) (2sb)
J F M A M J J A S O N D

Au pied du Mont-Tremblant, dans ce pays de lacs et de rivières, sur un domaine boisé de 35 acres traversé par la rivière Boulée, nous avons bâti maison. Venez partager cette douceur de vivre en passant...

De Montréal, aut. 15 nord, rte 117 nord, sortie Lac-Carré. À l'arrêt, à droite, faire 2.3 km. Suivre indications Parc Mont-Tremblant, faire 5.7 km. À gauche, chemin Lac-à-L'Équerre, faire 3.6 km.

10 LAC-SUPÉRIEUR *Maison de Campagne*

F A M10 ℜ6 VS

A haven nestled in the arms of Mother Nature, where the tranquillity is equalled only by the splendour of the countryside. The gentleness of Victorian style, the murmur of the river... The serenity of the house is guaranteed, as there is a 5-minute walk in the woods to reach it. Wood stove.

From Montréal, Hwy. 15 North, Rte. 117 North, Exit Lac-Carré. At the stop, turn right for 2.3 km. Follow the sign to parc Mont-Tremblant for 5.7 km. Left, chemin Lac-à-L'Équerre for 3.6 km.

LE REFUGE NOR-LOU
Louise Lachance et
Normand Sauvé
803 chemin Lac-à-l'Équerre
Lac-Supérieur J0T 1J0
(819) 688-3128

J F M A M J J A S O N D

Un refuge niché dans les bras de mère nature, là où le calme n'a d'égal que la splendeur du paysage. La douceur du style victorien, le murmure de la rivière...Vous contribuerez à la sérénité des lieux par une marche d'approche de 5 min. dans la forêt. Poêle à bois.

De Montréal, aut. 15 nord, rte 117 nord, sortie Lac-Carré. À l'arrêt, à droite, faire 2.3 km. Suivre indications parc Mont-Tremblant, faire 5.7 km. À gauche, chemin Lac-à-L'Équerre, faire 3.6 km.

NBR DE MAISONS	CH	PERS	$SEM-ÉTÉ	$SEM-HIVER	$WE-ÉTÉ	$WE-HIVER
1	2	4	550	600	200	225

11 L'ANNONCIATION *Gîte du Passant*

F A ℜ6

Country house located in the woods, bordered by the Rivière Rouge. Walking and cross country ski trails at your doorstep. Canoes and bicycles available. Private bathroom available. Come relax on our screened patio. Discount on ski tickets and golf. Welcome.

From Montréal, Hwy. 15 North and Rte. 117 North to L'Annonciation. At the traffic lights keep straight 7.5 km. Turn right on Rte. 321 North, and drive 5 km.

LE GEAI BLEU
Simone et Claude Leclerc
250 chemin de l'Ascension
Route 321 nord,
L'Annonciation J0T 1T0
(819) 275-2319

$ 45, $$ 60, ☻ 15
(rc : 1 ch, 1er : 2 ch) (2 sb)
J F M A M J J A S O N D

Maison de campagne située sur un boisé de 50 acres bordé par la rivière Rouge. Pistes de ski de fond dans la cour. Bicyclettes et canots disponibles. Marche en forêt. Salle de bain privée disponible. Patio. Rabais sur billets de ski et golf. Bienvenue.

De Montréal, aut. 15 nord et rte 117 nord jusqu'à L'Annonciation. Aux feux de circulation, continuer tout droit et faire 7.5 km. Tourner à droite sur la rte 321 nord, faire 5 km.

12 MONTFORT *Gîte du Passant*

F A ℜ10

Our quiet log home retreat awaits you in a peaceful and rustic atmosphere on 17 acres of tranquil forest. This inviting country setting on lake Saint-François Xavier offers direct access to many outdoor activities.

From Montréal, Hwy. 15 North, Exit 60, Rte. 364 West for 15 km. At the Montfort sign turn left and drive 3.3 km. At the sign for Laurel, turn right and drive 0.7 km. At Rue Newaygo, turn left and drive 1.6 km. At Rue Corridor Aerobic, turn left and drive 0.2 km, and turn right at the sign for out place.

CARILLONS DE LA MONTAGNE
Élisabeth et Pierre Plante
Lac Saint-François Xavier,
C.P. K-9, Montfort J0T 1Y0
(514) 226-3629

$ 35, $$ 55, ☻ 10-15
(1er : 2 ch) (2 sb)
J F M A M J J A S O N D

Notre maison de bois rond vous attend dans une atmosphère paisible et rustique parmi 17 acres de terrain boisé. Ce domaine champêtre en bordure du lac Saint-François Xavier permet un accès direct à plusieurs activités de plein-air.

De Montréal, aut. 15 nord, sortie 60, rte 364 ouest et faire 15 km. À l'enseigne Montfort, à gauche et faire 3.3 km. À l'enseigne Laurel, à droite et faire 0.7 km. À la rue Newaygo, à gauche et faire 1.6 km. À la rue Corridor Aérobic, à gauche et faire 0.2 km et à droite à l'enseigne de notre gîte.

13 MONT-ROLLAND *Gîte du Passant*

F a VS

Our house is located 3 km from the village, at the heart of the Laurentians. A welcoming place with five rooms, two with private bathrooms, provides the ideal surroundings for relaxing. Parks and hikes are nearby.

From Montréal, Hwy. 15 North, Exit 67, Rte. 117 North to the traffic lights. Turn right at Mont-Rolland, Rue St-Joseph. At the stop sign, turn left on Rue Rolland. Drive about 3 km.

AUBERGE DES SORBIERS B&B ENR.
Gisèle et Michel Lamoureux
4120 rue Rolland
Mont-Rolland J0R 1G0
(514) 229-3929

$ 25-45, $$ 40-60, ● 10-15
(rc : 5 ch) (4 sb)

J F M A M J J A S O N D

Notre maison est située à 3 km du village, au coeur des Laurentides. Un gîte accueillant avec ses cinq chambres dont deux avec salle de bain privée vous attend dans un environnement idéal pour vous reposer. Parcs et sentiers pédestres à votre portée.

De Montréal, aut. 15 nord, sortie 67, rte 117 nord jusqu'aux feux de circulation. Tourner à droite à Mont-Rolland rue St-Joseph. À l'arrêt, tourner à gauche sur la rue Rolland. Faire environ 3 km.

14 MONT-TREMBLANT *Gîte du Passant*

F A ℜ1 VS MC

Less than 1 km from the ski hill of Mont-Tremblant. Cross country skiing and mountain bike trails at your doorstep. Log house, spacious rooms, living room with fireplace. Beach access. Tennis, golf, horseback riding nearby. Discount on ski tickets. Welcome. Lupin sign.

From Montréal, Hwy. 15 North, Rte. 117 North. Pass St-Jovite, take a right on Montée Ryan until the end. Turn left, along the lake, the 1st street (Rue Pinoteau) on the left.

AUBERGE LE LUPIN
Sylvie Senécal et
Pierre Lachance
127 Pinoteau
Mont-Tremblant J0T 1Z0
(819) 425-5474

$ 45, $$ 70, ● 10-15
(rc : 1 ch, 1er : 2 ch) (3 sb)

J F M A M J J A S O N D

À moins de 1 km des pistes de ski du Mont-Tremblant. Au coeur des sentiers de ski de fond et de vélo de montagne. Maison de bois rond, grandes chambres, salon avec foyer. Accès à la plage, tennis, golf, équitation à proximité. Rabais sur billet de ski. Bienvenue.

De Montréal, aut. 15 nord, rte 117 nord. Passé St-Jovite, prendre Montée Ryan à droite jusqu'au bout. Tourner à gauche, longer le lac, 1ère rue (rue Pinoteau) à gauche. Affiche Lupin.

15 OKA *Gîte du Passant*

F a ℜ0.5

A complete change of scenery 40 minutes from Mirabel, 45 minutes from Montréal. Charming site on a lake. Bicycle path. Parc Oka nearby. Sailing package available. In summer, water sports and golf are available. In winter, cross-country skiing, ice-fishing, and snowmobile riding.

From Mirabel, Hwy. 15 South, Exit 640 West to the end. Right on Rte. 344 West to Oka, left on Rue Olier. We are on the right, next to the water, 8.5 km from the end of the 640 West.

LA MAISON DUMOULIN
Pierrette et Charles
53 rue St-Sulpice
C.P. 1072
Oka J0N 1E0
(514) 479-6753

$ 40-50, $$ 50-60
(1er : 3 ch) (1 sb)

J F M A M J J A S O N D

Dépaysement total à 40 min. de Mirabel, 45 min. de Montréal. Site enchanteur au bord du lac. Piste cyclable. Voisin du parc d'Oka. Forfait voile disponible. L'été, possibilité de pratiquer vos sports nautiques et le golf. L'hiver, ski de fond, pêche blanche, motoneige.

De Mirabel, aut. 15 sud, sortie 640 ouest jusqu'à la fin. À droite rte 344 ouest jusqu'à Oka, rue Olier à gauche. Sommes à votre droite au bord de l'eau à 8.5 km de la fin de la 640 ouest.

16 PRÉVOST *Gîte du Passant* F A

20 min. from Europe from Mirabel (45 min. from Montréal), we have a relaxing decor (fireplace in both the living and dining rooms, SPA in the solarium, healthy breakfasts) and the outdoors is perfect for sports, leisure, cultural and tourist activities in all seasons.

From Montréal or Mirabel Airport, Hwy. 15 North, Exit 45, Rte. 117 North. Drive 10.2 km (second light). Turn right on Station St. and drive 1.3 km. Voie Lactée, turn left, third house on right in the mountain.

CHEZ MADELEINE ET PIERRE
M. Sévigny et P. Lavigne
1460 Voie Lactée, C.P. 92
Prévost J0R 1T0
(514)431-8393/(514)224-4628

$ 35, $$ 45
(rc : 2 ch) (2 sb)
J F M A M J J A S O N D

À 20 min. de l'Europe par Mirabel (45 min. de Montréal) vous attendent un intérieur propice à la détente (foyer au salon et à la salle à manger, spa au solarium, petits déjeuners santé) et un extérieur propice aux sports, loisirs, activités culturelles et touristiques en toutes saisons.

De Montréal ou Mirabel, aut. 15 nord, sortie 45, rte 117 nord. Faire 10.2 km (2e lumière). Rue de la Station, à droite faire 1.3 km. Voie Lactée, à gauche. 3e maison à droite, dans la montagne.

17 PRÉVOST *Gîte du Passant* F A

Warmth, comfort and magic. Hundred year-old house on the outskirts of a wooded park where a river runs; hiking, bicycle and ski trails abound. Quiet village near all the activities and services available in the Laurentians. Wood stove. Sink in rooms. Bus stop nearby.

From Montréal, Hwy. 15 North, Exit 55. Turn right two times, then on Principale for 1.5 km; third house on the left after golf course. Also accessible by way of Rte. 117 North.

GÎTE DE CAMPAGNE
Rachelle Régimbald
1028 Principale
Prévost J0R 1T0
(514) 224-7631

$ 26, $$ 45, ☻ 12
(rc : 3 ch) (2 sb)
J F M A M J J A S O N D

Chaleur, confort et magie. Demeure centenaire aux abords d'un grand parc: boisé, rivière et sentiers vélo, marche, ski. Village paisible à proximité de toutes activités et services. Poêle à bois. Chambres avec lavabo. Arrêt d'autobus. Au plaisir!

De Montréal, aut. 15 nord, sortie 55. Tourner deux fois à droite. Faire 1.5 km sur la rue Principale. 3e maison à gauche après le terrain de golf. Aussi accessible par la rte 117 nord.

18 ST-AUGUSTIN-DE-MIRABEL *Gîte du Passant* F A VS MC

1818, historic house, we'll tell you all about it! Region with many activities, we'll chat about it! Air-conditioned interior: 4 seasons, 1 piano, 3 places to have breakfast, think about it! Outside: pool, space, tours in a 1967 Cadillac, bicycle loans... 12 minutes from the Mirabel airport. Enchanting?

From Montréal, Hwy. 15 or Hwy 13 North to Hwy. 640 West, Exit 11. Rte. 148 towards Lachute, drive 11km. Or from Mirabel airport, drive towards Ottawa-Hull and turn left on Rte. 148.

LA GALERIE
Katherine Daoust
et André Alix
12256 route 148
Saint-Augustin-de-Mirabel
J0N 1J0 (514) 258-4665

$ 35, $$ 45, ☻ 10
(rc : 1 ch, 1er : 2 ch) (3 sb)
J F M A M J J A S O N D

1818, maison d'histoire, on contera! Région riche d'activités, on jasera! Maison climatisée, 4 salons, 1 piano, 3 endroits où déjeuner, songez! Dehors: piscine, espace, tours en Cadillac 1967, prêt de vélos... À 12 min. de l'aéroport de Mirabel. Envoûté?

De Montréal, aut. 15 ou aut. 13 nord jusqu'à l'aut. 640 ouest, sortie 11. Rte 148 direction Lachute et faire 11 km. Ou de l'aéroport de Mirabel, suivre direction Ottawa-Hull et à la rte 148, tourner à gauche.

19 ST-CANUT, MIRABEL *Gîte du Passant*

F A ℜ5

Ten minutes from Mirabel Airport. Near sports activities. Luxurious house where calm and rest are part of life, where the waterfalls in the river charm the mountain. A generous breakfast, served in the dining room with a magnificent view. Two rooms with private bathroom.

From Montréal or Mirabel, Hwy. 15 North, Exit 39. Rte. 158 West, drive 7 km. Exit St-Canut, Rue McKenzie. Cross the iron bridge, right on Chemin Rivière du Nord. Drive 4 km.

AU CHANT DES CASCADES
Verna et Albert
11505 chemin Rivière du nord
St-Canut J0R 1M0
(514) 436-4070

$ 65, $$ 65
(ss : 1 ch, 1er : 1 ch) (2 sb)

J F M A M J J A S O N D

À 10 minutes de l'aéroport de Mirabel. À proximité des activités sportives. Luxueuse maison où règne calme et détente, où la rivière en cascades vient charmer la montagne. Un copieux petit déjeuner, servi dans la salle à diner avec vue panoramique. Deux chambres avec salle de bain privée.

De Montréal ou Mirabel, aut. 15 nord, sortie 39. Rte 158 ouest, faire 7 km. Sortie St-Canut, rue McKenzie. Franchir le pont de fer, à droite sur le chemin Rivière du nord. Faire 4 km.

20 ST-FAUSTIN *Gîte du Passant*

F A ℜ0.5 VS MC

Mont-Tremblant region. Century-old house with old-fashioned warmth and a respect for intimacy. Living room and dining room with fireplace. All summer and winter sports available nearby. Festival of colours in the fall. Indoor activities, weekend and ski-week packages. Reductions on ski passes.

From Montréal, Hwy. 15 North, Rte. 117 North, Exit St-Faustin. At the second stop, left on Rue Principale.

LA BOHÉMIENNE
Chantal et Jean-Pierre Harbour
1119 Principale
St-Faustin J0T 2G0
(819) 688-2460

$ 35, $$ 48, ☻ 10-15
(1er : 4 ch) (2 sb)

J F M A M J J A S O N D

Région Mont-Tremblant, maison centenaire avec chaleur d'antan et intimité respectée. Salon et salle à manger avec foyer. Tous les sports d'été et d'hiver à proximité. Festival des couleurs. Activités intérieures. Forfait week-end et ski-week. Réduction sur billet de ski.

De Montréal, aut. 15 nord, rte 117 nord, sortie St-Faustin. Au 2e arrêt, à gauche sur rue Principale.

21 ST-FAUSTIN *Gîte du Passant*

F ℜ1

A magnificent trail leads to our house, hidden away in the woods. Calm, nature, enchantment, summer and winter sports: all this at your doorstep. Even one little trip will become a delightful stay. Welcome. Located between St-Jovite and Ste-Agathe, very near Mont-Blanc and in the heart of the Laurentians.

From Montréal, Hwy. 15 North and Rte. 117 North, turn towards Mont Blanc, take a little detour on Rte. 117 South for about 1 km and exit on Chemin Poirier, 1st street on the right, Rue des Hauteurs.

LE PETIT DÉTOUR
Claudette Berman
15 rue des Hauteurs
St-Faustin J0T 2G0
(819) 688-3207

$ 35, $$ 50
(rc : 3 ch) (1 sb)

J F M A M J J A S O N D

Un magnifique sentier conduit à notre maison nichée dans un boisé. Tranquillité, nature, enchantement, sports d'été et d'hiver: tout cela à votre portée. Il suffit d'un petit détour pour cet agréable séjour. Bienvenue. Situé entre St-Jovite et Ste-Agathe, à deux pas du Mont-Blanc et au coeur des Laurentides.

De Montréal, aut. 15 nord, rte 117 nord, tourner vers Mont-Blanc, faire un retour sur la rte 117 sud d'environ 1 km et sortir au chemin Poirier, 1ère rue à droite, rue des Hauteurs.

22 ST-JÉRÔME *Gîte du Passant*

F A ℜ0.3

Québec hospitality within 10 min. of Mirabel airport. Three comfortable bedrooms, generous breakfast. Ideal experience to make Québec familiar with your hosts Gérard, history teacher and Marie-Thérèse, journalist.

From Montréal or Mirabel airport, Hwy. 15 North, Exit 43 East to the city center. Just before the cathedral, turn on rue du Palais. Drive to rue Melançon. 430 is on the left, not far.

L'ÉTAPE
Marie-Thérèse et
Gérard Lemay
430 Melançon
St-Jérôme J7Z 4K4
(514) 438-1043

$ 30, $$ 45, ● 10-12
(rc : 1 ch, 1er : 2 ch) (2 sb)

J F M A M J J A S O N D

Hospitalité à la québécoise à 10 min. de l'aéroport de Mirabel. Trois chambres confortables, copieux petit déjeuner. Étape toute indiquée pour s'apprivoiser au Québec en compagnie de vos hôtes, Gérard, professeur d'histoire et Marie-Thérèse, journaliste.

De Montréal ou de l'aéroport de Mirabel, aut. 15 nord, sortie 43 est vers centre-ville. Prendre rue du Palais, à gauche de la cathédrale jusqu'à rue Melançon. Maison située au 2e coin de rue à gauche.

23 ST-JOVITE *Gîte du Passant et Gîte à la Ferme*

F A ℜ10

We have built a very cosy log house with a big fire place. Let us share the joyful life of the farm with you. The ski centres are close by and there is great tobogganing. The rooms are annexed to the barn. We welcome all the family! We also offer a farm house (see p. 49).

From Montréal, Hwy. 15 North to St-Jovite, then Rte. 327 South towards Arundel for 2 km. Turn left on Chemin Paquette for 6 km. Or from Hull to Montebello follow the 323 North.

FERME DE LA BUTTE MAGIQUE
Diane et Maud
1724 chemin Paquette
St-Jovite J0T 2H0
(819) 425-5688

$ 35, $$ 50, ● 20
(1er : 3 ch) (2 sb)

J F M A M J J A S O N D

Chez nous, c'est la vie simple de la ferme, qui nourrit! Les chambres sont annexées à la grange dans la tranquillité des montagnes. À la maison, le rouet file et le feu crépite, dehors, le petit lac écoute. Notre ferme auto-construite est en culture biologique. Nous offrons aussi le gîte à la ferme (voir p 49).

De Montréal, aut. 15 nord jusqu'à St-Jovite, rte 327 sud vers Arundel pour 2 km. À gauche au chemin Paquette, faire 6 km. Ou de Hull, à Montebello suivre la 323 nord.

24 ST-PHILIPPE *Maison de Campagne*

f A M6 ℜ5

Quiet country vacation, enjoy farm animals and activities. Pony and tractor rides, evening campfires, help make maple syrup, cross-country ski, walk in fall leaves. Play area for children. Our boys are 10, 8 and 3 years old. Always open, also holidays.

From Montréal, Hwy. 15 North, Rte. 158 to Lachute, becomes Rte. 148 in Lachute. 10 km to Montée Robert on left, 3 km to Montée Fuller on right. We are 20 min. from Mirabel airport.

FERME McCAIG
Debbie et Ross McCaig
44 Montée Fuller R.R. #1
St-Philippe J0V 2A0
(514) 562-8649

J F M A M J J A S O N D

Vacances à la campagne où vous apprécierez les animaux et activités de la ferme. Balades en tracteur, poneys, feux de camps, fabrication du sirop d'érable, ski de randonnée, promenades dans les feuilles l'automne. Terrain de jeux. Nos garçons ont 10, 8 et 3 ans. Ouvert à l'année.

De Montréal, aut. 15 nord, rte 158 vers Lachute, devient rte 148 à Lachute. À gauche sur Montée Robert faire 10 km, à droite sur Montée Fuller faire 3 km. Situé à 20 min. de l'aéroport de Mirabel.

NBR DE MAISONS	CH	PERS	$SEM-ÉTÉ	$SEM-HIVER	$WE-ÉTÉ	$WE-HIVER
1	3	6	250	200	90	90

25 STE-MARTHE-SUR-LE-LAC *Gîte du Passant* F A ℜ1

35 minutes from downtown Montréal, 25 minutes from Mirabel; large, beautiful, wooded property with flowers; calm and relaxing site; facing Lac des Deux Montagnes (herons, ducks). Pool, patio. Welcoming you and sharing this peace will be our pleasure.

Hwy. 15 or 13, Exit 640 West towards Oka, Ste-Marthe Exit. Left at the traffic lights, 20th Avenue South. At the lights, Chemin d'Oka right, going West. Drive 1 km. Facing the convent.

LA SITELLE
Monique Létourneau et Maurice Déry
2806 chemin d'Oka
Ste-Marthe-sur-le-Lac
J0N 1P0 (514) 473-6935

$ 40, $$ 55, ☻ 10-15
(1er : 3 ch) (1 sb)

J F M A M J J A S O N D

À 35 min. du centre-ville de Montréal, 25 min. de Mirabel, beau grand domaine boisé et fleuri, site calme et reposant, face au Lac des Deux-Montagnes (hérons, canards). Piscine, terrasse. Notre plaisir est de vous accueillir et de partager cette quiétude.

Aut. 15 ou 13, sortie 640 direction ouest Oka, sortie Ste-Marthe. Aux feux à gauche, 20e avenue sud. Aux feux, chemin d'Oka à droite direction ouest. Faire environ 1 km face au couvent.

26 VAL-DAVID *Gîte du Passant* F A ℜ0.5

Rustic house welcomes you in this small village renowned for arts and crafts, mountain climbing and walking. A cosy fireplace, a log-wall living room, often a "rendez-vous" with foreigners. Upstairs, 3 bedrooms: single or double bed. Reading den.

From Montréal, Hwy. 15 North, Exit 76, Rte. 117 North. Past the sign, "Bienvenue Val-David", first traffic light, turn right on Rue de L'Église. Turn right on Rue de la Sapinière, two blocks away.

LA CHAUMIÈRE AUX MARGUERITES
Lise et Camil
1267 chemin de la Sapinière
Val-David J0T 2N0
(819)322-6379

$ 30, $$ 50, ☻ 15
(1er : 3 ch) (1 sb)

J F M A M J J A S O N D

Maison rustique faisant partie de l'histoire d'un village d'artisans, d'alpinistes, et de randonneurs. Un bon feu de foyer, un salon tout en bois rond, souvent un rendez-vous avec l'étranger. À l'étage, 3 chambres: lit simple ou double. Coin-lecture.

De Montréal, aut. 15 nord, sortie 76, rte 117 nord. Passé "Bienvenue Val-David" 1ère lumière, à droite sur rue de L'Église, à droite rue de la Sapinière. 2e coin de rue.

27 VAL-DAVID *Maison de Campagne* F A M0.5 ℜ0.5

One hour North of Montréal, enjoy your stay by the river, in a little house under the pine trees, or by Lac Doré, in a sunny cottage, or in the heart of the village, in a large rustic house. Happiness comes easy in this wonderland: Val-David. Houses with fireplaces.

From Montréal, Hwy. 15 North, Exit 76, Rte. 117 North. Past "Au Petit Poucet" restaurant, first traffic light, turn right on rue de l'Église. Turn right on rue de la Sapinière. Second corner.

LA CHAUMIÈRE AUX MARGUERITES
Lise et Camil
1267 rue de la Sapinière
Val-David J0T 2N0
(819)322-6379/(514)253-9521

J F M A M J J A S O N D

À une heure de Montréal, la «Petite Maison» sous les grands pins au bord de la rivière ou le «Chalet Ensoleillé» au Lac Doré ou la «Grande Maison Rustique» au coeur du village, vous feront apprécier la vie dans ce royaume du plein air qu'est Val-David. Maisons avec foyer.

De Montréal, aut. 15 nord, sortie 76, rte 117 nord. Passé "Restaurant Au Petit Poucet", 1ère lumière, à droite sur rue de l'église, à droite sur rue de la Sapinière, 2e coin de rue.

NBR DE MAISONS	CH	PERS	$SEM-ETE	$SEM-HIVER	$WE-ETE	$WE-HIVER
3	2 à 5	4 à 11	350 à 400	400 à 1 200	100 à 120	120 à 400

28 VAL-MORIN *Gîte du Passant*

F a ℜ2 VS MC

Beside the tracks for the "p'tit train du Nord" for hiking, cycling or cross-country skiing. Large living room for coffee breaks or reading. Warm, calm hospitality. My breakfasts are generous and delicious.

From Montréal, Hwy. 15 North, Exit 72. Follow signs for "Centre équestre Val-Morin" or Exit 76 Rte. 117 North. Turn on Curé Corbeil, right on 7e Rue, go to the end.

LES FLORETTES
Simone Fabre
1803 chemin de la Gare
Val-Morin J0T 2R0
(819) 322-7614

$ 37, $$ 50
(1er : 4 ch) (2 sb)

J F M A M J J A S O N D

En bordure de la piste du «p'tit» train du Nord pour vos randonnées pédestres, en vélo ou en ski de fond. Grand salon pour une pause-café ou la lecture. Chaleureuse hospitalité dans le calme. Mes déjeuners sont copieux et appréciés.

De Montréal, aut. 15 nord, sortie 72. Suivre indication "Centre équestre Val-Morin" ou sortie 76 rte 117 nord. Tourner sur Curé Corbeil, à droite sur Morin. À gauche sur 7e rue, aller jusqu'au bout.

29 VENDÉE *Gîte du Passant*

F A ℜ5

Come find peace with nature. Relax pool side, or bicycle. Quiet walks on 120 acres followed by fireside snooze. Winter offers downhill or cross-country nearby, skating on private lake. Summer boating or swimming and fishing. Tranquillity welcomes you.

From Montréal, Hwy. 15 North, Rte. 117 North to St-Jovite. Rte. 323 South to Brébeuf followed by 28 km to intersection Vendée. Turn right 3 km. Or from Ottawa/Hull, Rte. 148 to Montebello, take Rte. 323 North.

L'ENGOULEVENT
Carole Lindsay
314 chemin Vendée
Vendée J0T 2T0
(819) 687-2757

$ 40, $$ 55, ☻ 15
(rc : 1 ch, 1er : 2 ch) (2 sb)

J F M A M J J A S O N D

Venez vous réconcilier avec la nature, décompresser un peu, respirer l'air pur et flâner sur un lac où nous sommes seuls à habiter. Piscine, sentiers pédestres, baignade, ski de randonnée et alpin. Près de St-Jovite, du Mont-Tremblant et de Montebello.

De Montréal, aut. 15 nord, rte 117 nord jusqu'à St-Jovite. Rte 323 sud direction Brébeuf. Faire 28 km jusqu'à intersection Vendée. Tourner à droite, faire 3 km. Ou de Ottawa/Hull, rte 148 jusqu'à Montebello, puis rte 323 nord.

1 2 6 7

*Les numéros sur la carte correpondent à la numérotation des gîtes de la région

The numbers on the map correspond to the numbers of each establishment within the region.

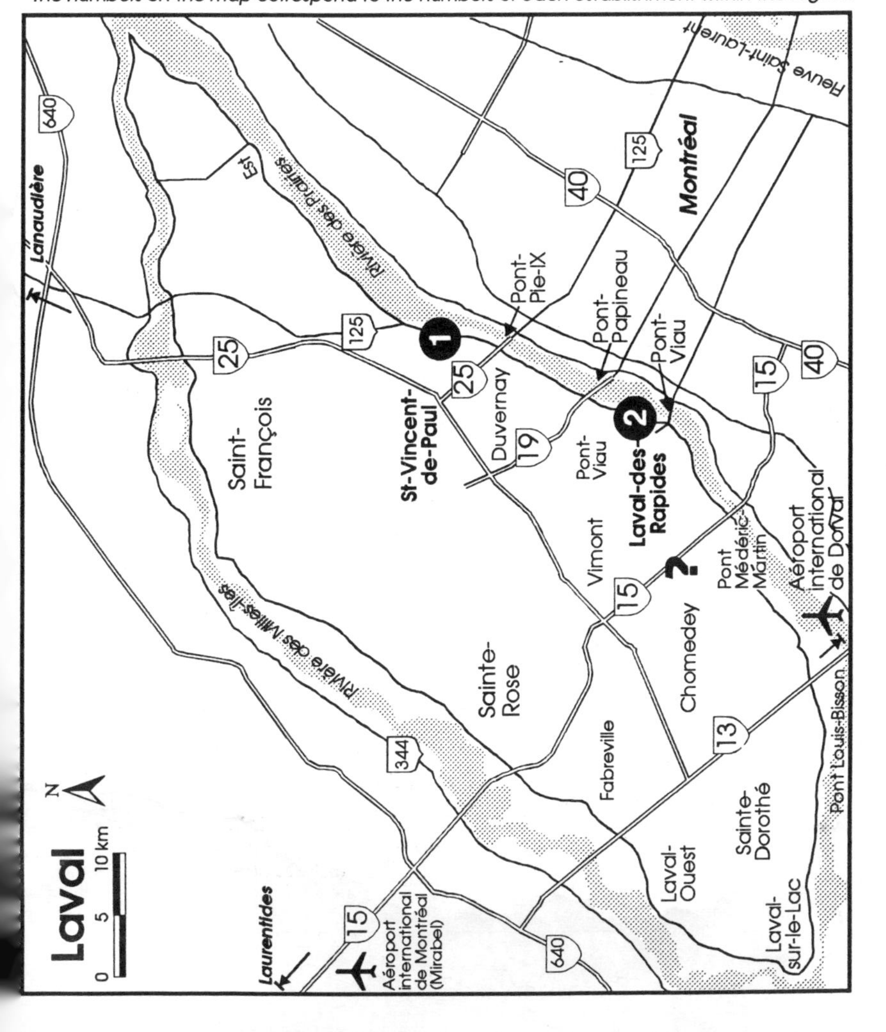

1 LAVAL *Gîte du Passant* F A ℜ1

Located in St-Vincent-de-Paul, very near Montréal, air-conditioned house, peaceful surroundings. Easy access by car or by metro (30 minutes from downtown). Spacious wooded surroundings, warm welcome, good breakfast. Restaurants nearby and Nature Centre 15 minutes' walk away.

From Mirabel, Hwy. 15 South, Exit 8, Blvd. St-Martin East to the end, to the sign "fin 148" (end of 148). Keep going and take the turn to Place Chénier on the left. Take the second street, Seigneur-Lussier, to Rue Jérôme.

LA MAISON SOUS LES ARBRES
Carmelle et Bernard Campbell
7 rue Jérôme
Laval H7C 2G7
(514) 661-3215

$ 35, $$ 45-50, ● 10
(rc : 3 ch) (1 sb)

J F M A M J J A S O N D

Situé à St-Vincent-de-Paul, tout près de Montréal, maison climatisée, secteur paisible. Accès facile en auto ou métro (30 minutes du centre-ville). Grand terrain boisé, accueil chaleureux, bon déjeuner. Restaurants à proximité et Centre de la nature à 15 minutes de marche.

De Mirabel, aut. 15 sud, sortie 8 boul. St-Martin est, jusqu'au bout à l'indication «fin 148». Continuer et prendre la courbe jusqu'à Place Chénier à gauche. Prendre la 2e rue, Seigneur-Lussier, jusqu'à la rue Jérôme.

2 LAVAL-DES-RAPIDES *Gîte du Passant* F a ℜ1

Wonderful site 3 km from Montréal but surrounded by trees. Patio full of flowers, pool. Warm welcome, generous breakfast made to your liking. Children welcome. Animals allowed. Reduction for longer stays. Half price for longer than seven days.

From Montréal, Hwy. 15 North, Exit 7. About 5 minutes to the East on the Blvd. des Prairies. From Mirabel, Hwy. 15 South. Exit 7. About 5 minutes to the East on the Blvd. des Prairies.

L'ABRI DU TEMPS
Marguerite et Raoul St-Jean
2 boul. Bon Pasteur
Laval-des-Rapides H7N 3P9
(514) 663-5094

$ 35, $$ 50, ● 2-10
(1er : 4 ch) (2 sb)

J F M A M J J A S O N D

Site privilégié à 3 km de Montréal. Maison entourée d'arbres. Terrasse fleurie, piscine creusée. Accueil chaleureux, déjeuner copieux au goût. Enfants bienvenus. Animaux acceptés. Moitié prix après 7 jours.

De Montréal, aut. 15 nord, sortie 7. Environ 5 minutes vers l'est sur le boul. des Prairies. De Mirabel, aut. 15 sud, sortie 7. Environ 5 minutes vers l'est sur le boul. des Prairies.

MANICOUAGAN

*Les numéros sur la carte correpondent à la numérotation des gîtes de la région

**The numbers on the map correspond to the numbers of each establishment within the region.*

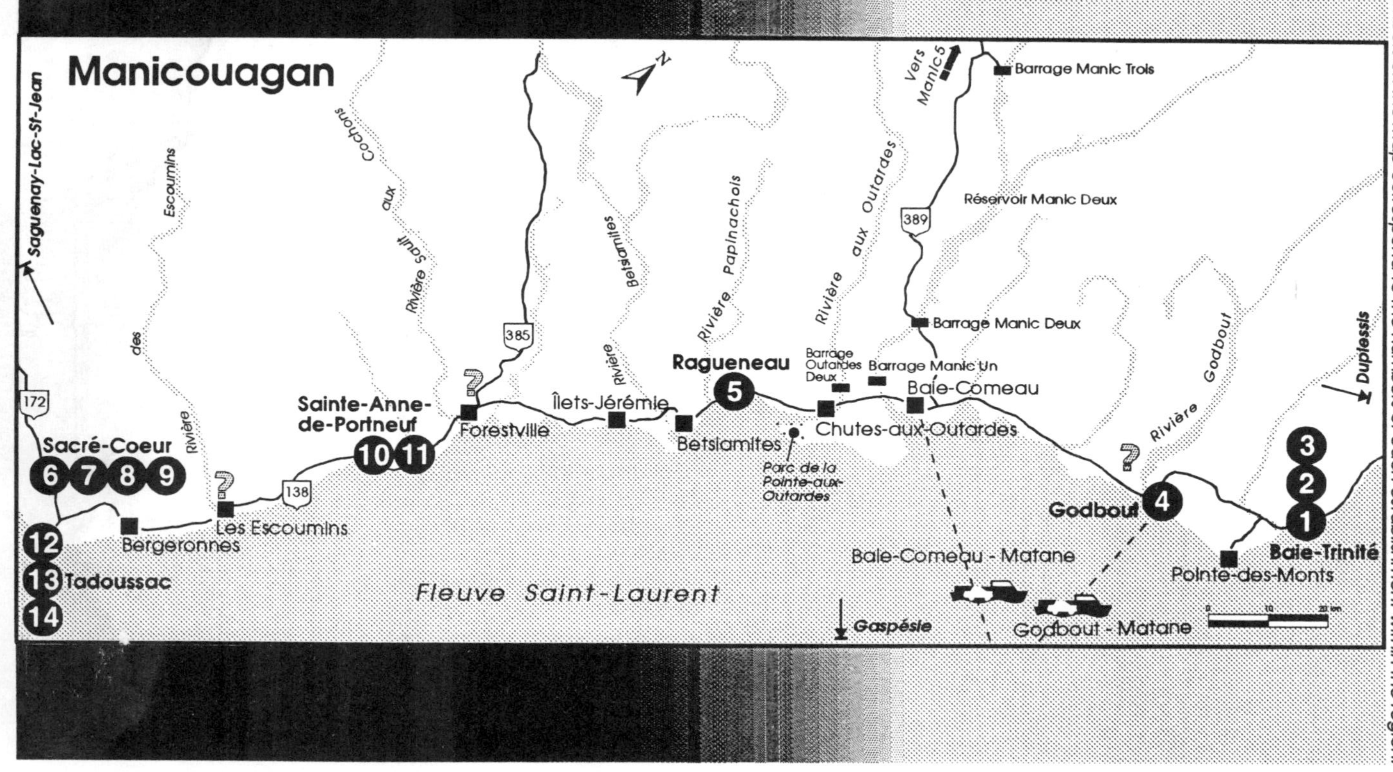

1 BAIE-TRINITÉ *Gîte du Passant*

F a ℜ0.5

Rooms with bathrooms in little log houses built beside the sea. New and luxurious. Guaranteed calm and a remarkable view of the sea. TV, clock radio. Breakfast is served in the dining room of the old lighthouse. Welcome to the Vieux Phare de Pointe-des-Monts.

From Québec City, Rte. 138 East. 4 km West of Baie-Trinité, a secondary road which ends in the parking lot of the Vieux Phare. The bridge must be crossed on foot with luggage.

LE GÎTE DU PHARE DE POINTE-DES-MONTS
Jean-Louis Frenette
Chemin du Vieux Phare
Baie-Trinité G0H 1A0
(418)589-8408/(418)939-2332

$ 46, $$ 54
(rc : 5 ch) (5 sb)

J F M A M J J A S O N D

Chambres avec salle de bain dans petits pavillons individuels en bois rond construits au bord de la mer. Neufs et luxueux. Tranquillité garantie et vue remarquable sur la mer. T.V., radio réveille-matin. Le petit déjeuner est servi à la salle à manger du Vieux Phare de Pointe-des-Monts. Accueil au Vieux Phare.

De Québec, rte 138 est. À 4 km à l'ouest de Baie-Trinité, une route secondaire qui prend fin directement sur le stationnement du Vieux Phare. On doit traverser le pont à pied avec ses bagages.

2 BAIE-TRINITÉ *Maison de Campagne*

F a M11 ℜ11

Near the old lighthouse, right on the beach. 4 magnificent log cabins. New and luxurious. Two bedrooms, bathroom. Sofa-bed in the living room. Complete kitchenette. Colour T.V. Rental by day available.

From Québec City, Rte. 138 East. 4 km West of Baie-Trinité, a secondary road leads to the parking lot of the Vieux Phare of Pointe-des-Monts.

LE GÎTE DU PHARE DE POINTE DES MONTS
Chemin du Vieux Phare
de Pointe-des-Monts
Baie-Trinité G0H 1A0
(418)589-8408/(418)939-2332

J F M A M J J A S O N D

Près du vieux phare, directement au bord de la plage. 4 magnifiques chalets en bois rond: neuf et luxueux, 2 chambres chacun, salle de bain, divan-lit dans salle de séjour, cuisinette complète, T.V. couleur. Location à la journée si désirée.

De Québec, rte 138 est. À 4 km à l'ouest de Baie-Trinité, une route secondaire mène au stationnement du Vieux Phare de Pointe-des-Monts.

NBR DE MAISONS	CH	PERS	$SEM-ÉTÉ	$SEM-HIVER	$WE-ÉTÉ	$WE-HIVER
4	2	6	450	---	150	---

3 BAIE-TRINITÉ *Gîte du Passant*

F a ℜ0

In the former house of the lighthouse keeper: rooms on the second floor, a fine seafood restaurant. An intimate experience with the sea and the history of the Côte-Nord. Old Lighthouse Museum. Whaling boat expeditions, whales and sea lions.

From Québec City, Rte. 138 East. 4 km west of Baie-Trinité, a secondary road which ends in the parking lot of the Vieux Phare. The bridge must be crossed on foot with luggage.

MAISON DU GARDIEN
PHARE DE POINTE-DES-MONTS
Jean-Louis Frenette
Chemin du Vieux Phare
Baie-Trinité G0H 1A0
(418)939-2332/(418)589-8408

$ 32, $$ 40, ● 8
(1er : 4 ch) (2 sb)

J F M A M J J A S O N D

Dans l'antique maison du gardien: chambres à l'étage, restaurant de fine cuisine dédiée à la mer. Rendez-vous intime avec la mer et l'histoire de la Côte-Nord. Musée du Vieux Phare. Excursion en baleinière, pêche, observation baleines et loup-marins.

De Québec, rte 138 est. À 4 km à l'ouest de Baie-Trinité, une route secondaire qui prend fin directement sur le stationnement du Vieux Phare. On doit traverser le pont à pied avec ses bagages.

4 GODBOUT *Auberge du Passant*

F a ℜ0.1

Come and stay by the sea, near the ferry. Breakfast served in our restaurant "Aux Berges". Dinner with reservations. Calm and beautiful landscape, beaches, fishing, tourist sites, sea excursions. Waterfalls and salmon-jumping sightings.

From Québec City, Rte. 138 East to Godbout. Located near the ferry.

AUX BERGES
L. Cordeau et E. Deschênes
180 Pascal Comeau
Godbout G0H 1G0
(418) 568-7748
(418) 568-7816 (oct. à mai)

$ 35, $$ 45, ● 5-10
(rc : 1 ch, 1er : 2 ch) (2 sb)

J F M A M J J A S O N D

Séjourner au bord de la mer, près du traversier. Déjeuner servi à notre restaurant «Aux Berges». Souper avec réservation. Calme et beauté du paysage; plages, pêche, circuit touristique, excursion en mer. Observation des chutes et des saumons athlètes.

De Québec, rte 138 est jusqu'à Godbout. Situé près du traversier.

5 RAGUENEAU *Gîte du Passant*

F A ℜ3

Facing the St-Lawrence River, welcoming house. Large spaces, access to the forest, bird watching, seal colony. Hunting and fishing paradise. Near hydroelectric dams. Come and relax. In autumn, magnificent aurora borealis. Specials for children.

From Montréal, Hwy. 20 East or 40 East, towards Ste-Anne-de-Beaupré. Rte. 138 East. 19 km from the Betsiamites Native reserve. Two hours from Tadoussac. House built of cedar.

GÎTE AU PIGNON BLEU
Françoise Richard et
Eric Samson
680 route 138
Ragueneau G0H 1S0
(418)567-4571/(418)589-7669

$ 30, $$ 40-50, ● 10
(ss:1ch, rc:1ch, 1er:1ch)(2sb)

J F M A M J J A S O N D

Face au fleuve St-Laurent, maison accueillante. Grands espaces, accès à la forêt, observation d'oiseaux, colonie de phoques. Paradis chasse et pêche. Près barrage hydroélectrique. Venez vous reposer. En automne, magnifique aurores boréales. Spécial enfants.

De Montréal, aut. 20 est ou 40 est direction Ste-Anne-de-Beaupré. Rte 138 est. À 19 km de la réserve autochtone de Betsiamites. À 2 heures de Tadoussac. Maison en planches de cèdre.

6 SACRÉ-COEUR *Gîte du Passant*

F a ℜ0.5 VS

Come and experience and old-fashioned rhythm. Tour our farm, its sugar shack, different animals (buffalo, deer, wild boar, horses). Taste our home-made products and our traditions. Choice of activities: tennis, pool, trout and salmon fishing, cruise on the fjord, whale watching, horseback riding...

From Tadoussac, Rtes. 138 and 172 West towards Chicoutimi, 6 km from the Sacré-Coeur Church. Or from Chicoutimi North, Rte. 172 South on the right 60 meters from the road stop.

FERME 5 ÉTOILES
Imelda et Claude Deschênes
465 route 172
Sacré-Coeur G0T 1Y0
(418) 236-4551

$ 40, $$ 45, ● 10
(1er : 3 ch) (2 sb)

J F M A M J J A S O N D

Vivez au rythme de la vie d'antan. Visitez notre ferme, sa cabane à sucre, ses animaux variés (bisons, chevreuils, sangliers, chevaux). Goûtez nos produits maison et nos traditions. Choix d'activités: tennis, piscine, pêche à la truite et saumon, croisière sur le fjord ou à la baleine, équitation...

De Tadoussac, rtes 138 et 172 ouest vers Chicoutimi. 6 km de l'église de Sacré-Coeur. Ou de Chicoutimi nord, rte 172 sud, à droite, 60 mètres avant la halte routière.

7 SACRÉ-COEUR *Maison de Campagne*

F a ♿ M6 ℜ1 VS

Comfort and peace in modern cabins on a farm with many animals: buffalo, horses, deer, doe, wild boar... Tennis, pool, sugar shack, fishing lake. Nearby: fjord cruises, horseback riding, forest hiking. The prices include the G.S.T. and the provincial tax. Some cabins have a fireplace or wood stove.

From Tadoussac, Rtes. 138 and 172 West towards Chicoutimi, 6 km from the Sacré-Coeur Church. Or from Chicoutimi North, Rte. 172 South, right, 60 metres before the road stop.

FERME 5 ÉTOILES
Imelda et Claude Deschênes
465 route 172
Sacré-Coeur G0T 1Y0
(418) 236-4551

J F M A M J J A S O N D

Confort et paix de chalets modernes sur une ferme aux animaux variés: bisons, chevaux, chevreuils, daims, sangliers... Tennis, piscine, cabane à sucre, lac de pêche. Près: croisière au fjord, aux baleines, équitation, sentier en montagne. Les prix incluent T.P.S et T.V.Q. Certains chalets ont un foyer ou poêle à bois.

De Tadoussac, rtes 138 et 172 ouest vers Chicoutimi. 6 km de l'église de Sacré-Coeur. Ou de Chicoutimi nord, rte 172 sud, à droite, 60 mètres avant la halte routière.

NBR DE MAISONS	CH	PERS	$SEM-ÉTÉ	$SEM-HIVER	$WE-ÉTÉ	$WE-HIVER
7	1 à 2	4 à 6	425 à 575	295 à 420	125 à 189	95 à 130

8 SACRÉ-COEUR *Gîte du Passant*

F a

Modern house recognizable by its large spaces, its cleanliness, the warmth and cheer of its residents. Breakfast served in the large sunroom with a view of the lake, the geese, the ducks and the other farm animals.

From Tadoussac, Rtes. 138 East and 172 North. Or from Chicoutimi North, Rte. 172 South. Watch for our sign: Ferme Camil et Ghislaine.

Ghislaine Gauthier
243 route 172 nord
Sacré-Coeur G0T 1Y0
(418) 236-4372

$ 30, $$ 40, ☻ 15
(ss : 3 ch) (2 sb)
J F M A M J J A S O N D

Maison moderne reconnue pour ses grands espaces, sa propreté, l'accueil et la bonne humeur des gens qui l'habitent. Déjeuner servi dans la grande verrière avec vue sur le lac, les bernaches, les canards et autres animaux de la ferme.

De Tadoussac, rtes 138 est et 172 nord. Ou de Chicoutimi nord, rte 172 sud. Surveiller notre panneau: Ferme Camil et Ghislaine.

9 SACRÉ-COEUR *Gîte du Passant*

F a

In a scented garden, smell and taste home-made bread, muffins and jam. The welcome and the relaxation of an agricultural village. Near the Saguenay fjord. Salmon river, lake, sugar shack nearby. 15 km from Tadoussac. Whale watching. Honeymoon suite.

From Tadoussac, Rte. 138 East and 172 East to Sacré-Coeur. Turn left on Rue Lavoie, and right on Morin. Or from Chicoutimi, Rte. 172 East towards Sacré-Coeur. After the church, Rue Morin on the left.

LES MARGUERITES
Adeline Deschênes et J.P.S.
65 rue Morin est
Sacré-Coeur G0T 1Y0
(418) 236-4307

$ 32, $$ 42, ☻ 7-10
(rc : 1 ch, 1er : 4 ch) (2 sb)
J F M A M J J A S O N D

Dans un jardin parfumé, humez et goutez confitures, muffins et pain maison. L'accueil, le repos d'un village agricole. Près du fjord du Saguenay. Rivière à saumon, lac, cabane à sucre. À 15 km de Tadoussac et des baleines. Chambre nuptiale.

De Tadoussac, rtes 138 est et 172 est jusqu'à Sacré-Coeur. 1ère rue à gauche, rue Lavoie et à droite rue Morin. Ou de Chicoutimi, rte 172 est vers Sacré-Coeur. Après l'église, rue Morin à gauche.

10 STE-ANNE-DE-PORTNEUF *Gîte du Passant* F ℜ0.1

A warm welcome;
Dreamy rooms;
A well-earned sleep;
A generous breakfast;
Fresh fruit and vegetables;
Tides to contemplate;
A beach for walking;
Birds to watch;
An enchanted forest;
Trails for everyone;
Friendship assured.

From Québec City, Rte. 138 East to Ste-Anne-de-Portneuf, 288 km and 84 km from Tadoussac. Or from the Gaspé, take the Matane\Baie-Comeau ferry, Rte. 138 West. Drive 135 km.

GÎTE LA NICHÉE
Camille et Joachim Tremblay
46 Principale, route 138
Ste-Anne-de-Portneuf
G0T 1P0
(418) 238-2825

$ 25, $$ 40, ● 10
(1er : 4 ch) (2 sb)
J F M A M J J A S O N D

Un accueil attentionné;
Des chambres pour rêver;
Un sommeil bien mérité;
Un copieux déjeuner;
Des légumes frais récoltés;
Une marée à observer;
Une plage où se promener;
Des oiseaux à contempler;
Une forêt enchantée;
Des sentiers à volonté;
Une amitié assurée.

De Québec, rte 138 est faire 288 km jusqu'à Ste-Anne-de Portneuf et 84 km de Tadoussac. Ou de la Gaspésie, prendre le traversier Matane/Baie-Comeau, rte 138 ouest. Faire 135 km.

11 STE-ANNE-DE-PORTNEUF *Gîte du Passant* F ℜ1

Superb view of the sea. A sand bar located alongside the village where numerous birds make their homes. Recent fishermen, a village between the sea and the forest, where everything is right at hand. If you are looking for calm, this is a good choice. Bird observatory.

From Québec City, Rte. 138 East to Ste-Anne-de-Portneuf, 288 km from Québec City, and 100 km from Tadoussac. Or from the Gaspé, take the ferry from Matane to Baie-Comeau, 135 km de Ste-Anne-de-Portneuf.

LA MAISON FLEURIE
Germina Fournier
193 route 138, C.P. 40
Ste-Anne-de-Portneuf
G0T 1P0
(418) 238-2153

$ 25, $$ 40, ● 10
(1er : 3 ch) (2 sb)
J F M A M J J A S O N D

Vue superbe sur la mer. Un banc de sable longe le village où nombre d'oiseaux s'y refugient. Une vocation récente de pêcheurs, un village entre la forêt et la mer, où tout est à la portée de la main. Si vous avez le goût de la tranquillité, c'est un choix assuré. Observatoire d'oiseaux.

De Québec, rte 138 est jusqu'à Ste-Anne-de-Portneuf, 288 km de Québec et 100 km de Tadoussac. Ou de la Gaspésie, prendre le traversier Matane/Baie-Comeau, 135 km de Ste-Anne-de-Portneuf.

12 TADOUSSAC *Gîte du Passant* F ℜ0.1 VS

We are happy to welcome you into our home. Seen from Tadoussac, the Saguenay is breathtaking. Cruises with whale watching. Bus service at (1) one kilometre. Welcome to our home.

From Québec City, Rte. 138 East to the ferry across the Saguenay. Once off the ferry, take the first road on the right.

MAISON FORTIER
Madeleine B. Fortier
176 des Pionniers
Tadoussac G0T 2A0
(418) 235-4215

$ 38, $$ 48, ● 12
(rc : 1 ch, 1er : 4 ch) (3 sb)
J F M A M J J A S O N D

Nous sommes heureux de vous accueillir dans notre maison. Vu de Tadoussac, le Saguenay est grandiose. Croisières avec observation des baleines. Services d'autobus à (1) un kilomètre. Bienvenue chez nous.

De Québec, rte 138 est jusqu'au traversier de la rivière Saguenay. En débarquant du traversier, prendre 1ère rue à droite.

13 TADOUSSAC *Gîte du Passant*

F A VS MC

Century-old house with a view of the Saguenay river. Access to the lake. Rooms with private bathroom. Continental breakfast. Whale watching. Golf, tennis, boardwalk, near the bus station and restaurants. Hope to see you soon.

From Québec City, Rte. 138 East up to the Saguenay ferry at Baie Ste-Catherine. Once off the ferry, 250 meters on your left.

MAISON GAUTHIER
Lise Martin Hovington
159 du Bateau Passeur
Tadoussac G0T 2A0
(418)235-4525/(514)671-4656

$ 70, $$ 70, ● 10-15
(rc:1ch, 1er:1ch, 2e:3ch)(3sb)

J F M A M J J A S O N D

Maison centenaire, vue sur le Saguenay. Accès au lac. Chambres avec salle de bain privée. Déjeuner continental. Excursions aux baleines, golf, tennis, randonnée pédestre. Près des autobus et des restaurants. Au plaisir de vous rencontrer.

De Québec, rte 138 est jusqu'au traversier de la rivière Saguenay à Baie Ste-Catherine. À la sortie du traversier à 250 mètres à gauche vous y êtes.

14 TADOUSSAC *Gîte du Passant*

F A VS MC

Century-old house with a view of the St-Lawrence river. Rooms with private bathroom. Continental breakfast. Whale watching. Near the bus station and restaurants. The Hovington family is proud to welcome you to their house.

From Québec City, Rte. 138 East to Baie Ste-Catherine. Take the ferry. In Tadoussac take the first street on your right. You are on Rue Pionniers. Just straight ahead.

MAISON HOVINGTON
Lise et Paulin Hovington
285 des Pionniers
Tadoussac G0T 2A0
(514)671-4656/(418)235-4466

$ 55, $$ 55-70, ● 15
(rc : 1 ch, 1er : 4 ch) (4 sb)

J F M A M J J A S O N D

Maison centenaire, vue sur le St-Laurent. Les chambres ont toutes salle de bain privée. Petit déjeuner continental. Excursions aux baleines. Près des autobus et des restaurants. La famille Hovington est fière de vous accueillir dans sa maison familiale.

De Québec, rte 138 est jusqu'à Baie Ste-Catherine. Prendre le traversier, à la sortie prendre la 1ère rue à droite, rue des Pionniers.

MONTÉRÉGIE

*Les numéros sur la carte correpondent à la numérotation des gîtes de la région

The numbers on the map correspond to the numbers of each establishment within the region.

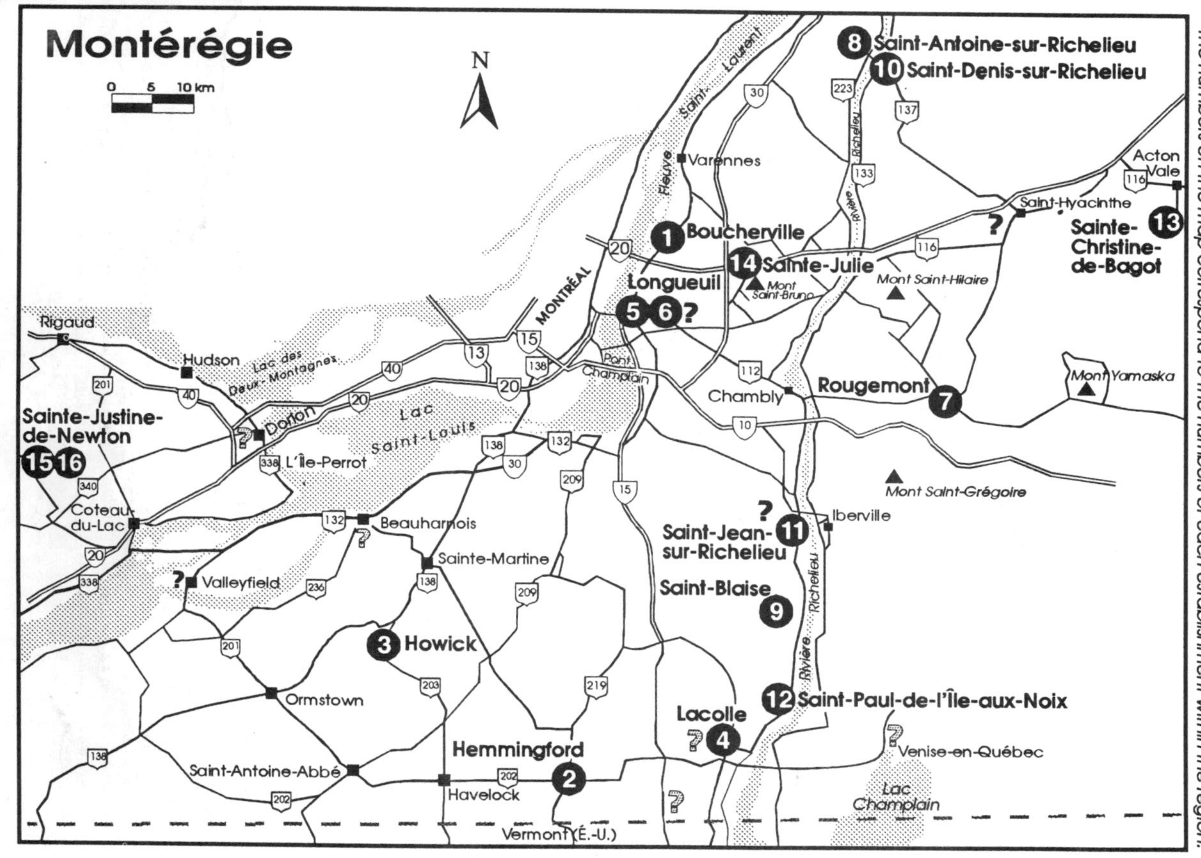

1 BOUCHERVILLE *Gîte du Passant*

F A ℜ0.5

10 min. from Montréal historical village circuit. Summer theatre. Cycle tracks by the river and on the islands. Bicycles available graciously. 20 min. from "La Ronde". Bus to the métro. Air conditioning. Fireplace. Welcome like a member of the family. Plentiful breakfast. Non-smokers only.

From Montréal by Louis H. Lafontaine tunnel or from Québec City, Hwy. 20, Exit 90 - Varennes. Rte. 132 East until Exit 9 - Montarville. Turn left to Fort St-Louis. Turn left and drive 1.2 km.

LE RELAIS DES ÎLES PERCÉES
Colette et Raymond Leblanc
85 des Îles Percées
Boucherville J4B 2P1
(514)655-3342/(514)449-5483

$ 40, $$ 50, ● 10
(ss : 1 ch, rc : 1 ch) (2 sb)
J F M A M J J A S O N D

À 10 min de Montréal. Village historique. Circuit patrimonial. Théâtres d'été. Pistes cyclables au bord du fleuve et dans les îles. Bicyclettes et tandem disponibles gratuitement. 20 min. de «La Ronde». Autobus vers le métro. Climatisation, foyer. Déjeuners copieux. Gîte non-fumeur.

De Montréal par tunnel Louis H. Lafontaine ou de Québec, aut. 20, sortie 90 direction Varennes. Rte 132 est, sortie 9 - Montarville. Tourner à gauche jusqu'à Fort St-Louis. À gauche faire 1.2 km.

2 HEMMINGFORD *Gîte du Passant*

F A ℜ3

Victorian house, located in charming country side, 45 min. from Montréal, 10 min. from U.S. border, 5 min. from Safari Park and golf. In May, apple blossom. In autumn, U-Pick apples. Cider-house and museum visit. 2 bikes available. See you soon.

From Montréal, Hwy. 15 South, Exit 6. Right on Rte. 202 to Hemmingford's village, right on Rte. 219, 4 km until small fork to the right on Vieux Chemin.

LA MAISON DU VIEUX CHEMIN
L. Provencher/R. Lescarbeau
818 Vieux Chemin Hemmingford J0L 1H0
(514) 247-3670

$ 40-45, $$ 50-55, ● 0-10
(1er : 3 ch) (1 sb)
J F M A M J J A S O N D

Maison victorienne située dans un décor champêtre, à 45 min. de Montréal, 10 min. des États-Unis, 5 min. du parc Safari et du golf. En mai, floraison des vergers; à l'automne, cueillette des pommes. Visitez un musée et une cidrerie. 2 vélos à prêter. On vous attend.

De Montréal, aut. 15 sud, sortie 6, à droite rte 202 jusqu'au village de Hemmingford, à droite rte 219, faire 4 km jusqu'à petite fourche et à droite sur Vieux Chemin.

3 HOWICK *Gîte du Passant et Gîte à la Ferme*

f A ℜ3

Enjoy country hospitality on our 150 acre 5th generation dairy farm. Enjoy helping with the daily chores, feeding small animals, take a hay ride or just relax by the pool. We look forward to visiting with new friends around the campfire. Non-smokers only. We also offer a farm house (see p. 49).

From Montréal, Hwy. 20 West, Mercier Bridge, Rte. 138 West. Rte. 203 to Howick (about 40 km). Cross the bridge, turn left on Lambton Street. Take English River Road and drive 2 km.

HAZELBRAE FARM
Gloria et John Peddie
1650 English River Road
Howick J0S 1G0
(514) 825-2390

$ 30, $$ 50, ● 5-9
(rc : 1 ch, 1er : 2 ch) (3 sb)
J F M A M J J A S O N D

Ferme laitière de 150 acres, 5e génération. Variété de petits animaux. Pour vos loisirs: feu de camp, tours de charrette et piscine. Zoo de Hemmingford à 30 km. Bicyclettes disponibles, cueillette de fruits et vente aux enchères à proximité. Gîte non-fumeur. Offrons aussi le gîte à la ferme (voir p 49).

De Montréal, aut. 20 ouest, pont Mercier, rte 138 ouest. Rte. 203 jusqu'au village de Howick (environ 40 km). Traverser le pont, rue Lambton à gauche. Prendre English River Road et faire 2 km.

4 LACOLLE *Gîte du Passant*

F A ℜ3

One hour from Montréal, close to Champlain Lake in the U.S. for great sailing. Warm welcome, lavish breakfast, homemade bread, fresh eggs. Much open space, quiet, comfort. Welcome nature lovers, especially cyclists and sailors. Non-smokers only.

From Montréal, Hwy. 15 South to U.S.A. border, Exit 1, Montée Guay, drive 5 km.

L'AUBERGINE
Richard Grenier
21 rang Edgerton
Lacolle J0J 1J0
(514) 246-2740
(514) 946-4880

$ 45, $$ 60, ● 10-15
(ss : 1 ch, rc : 2 ch) (2 sb)

J F M A M J J A S O N D

À moins d'une heure de Montréal, près du lac Champlain aux USA pour la voile. Accueil chaleureux, déjeuner plantureux, pain maison, oeufs du poulailler. Beaucoup d'espace, quiétude, confort. Bienvenue aux amants de la nature: cyclistes et marins. Gîte non-fumeur.

De Montréal, aut. 15 sud direction USA, sortie 1, montée Guay, faire 5 km.

5 LONGUEUIL *Gîte du Passant*

F A ℜ0.1

Located in a quiet area of Old Longueuil, spacious air-conditioned house. A few mi-nutes from the metro and downtown Montréal. We also speak Italian. Massotherapy available. Copious and varied breakfast. It will be a pleasure to accommodate you. Non-smokers only.

Coming from Montréal, Jacques-Cartier bridge, St-Charles Exit. Or from Rte. 132, Exit 8. One street East of City Hall and perpendicular to St-Charles.

Claudette Biron
235 rue St-Jacques
Longueuil J4H 3B8
(514) 674-4203

$ 30, $$ 50, ● 5-10
(1er : 2 ch) (1 sb)

J F M A M J J A S O N D

Le charme du vieux Longueuil à quelques minutes du métro et du centre-ville de Montréal. Grande maison climatisée. Parlons aussi italien. Optionnel: massothérapie. Petit déjeuner complet et varié. C'est un plaisir de vous accueillir chez nous. À bientôt. Gîte non-fumeur.

De Montréal, pont Jacques-Cartier, sortie St-Charles. Ou rte 132, sortie 8. Une rue à l'est de l'Hôtel de ville et transversale à St-Charles.

6 LONGUEUIL *Gîte du Passant*

F a ℜ0.1

A century-old house provides you with a poetic ambience in the heart of Old Longueuil, close to the metro and downtown Montréal; sit by the fire in winter and on the terrace in the summer, tasting Loulou's delicious home-made pastries.

From Montréal, Jacques-Cartier bridge, St-Charles Exit. Or, from Rte. 132, Exit 8. Rue St-Charles to Rue St-Jean on the right. House behind the Longueuil city hall.

LE REFUGE DU POÈTE
Louise Vézina et Jaime Serey
320 rue Longueuil
Longueuil J4H 1H4
(514) 442-3688

$ 30-40, $$ 40-50
(rc : 1 ch, 1er : 1 ch) (2 sb)

J F M A M J J A S O N D

Venez profiter d'une ambiance poétique dans une maison centenaire au coeur du Vieux-Longueuil, à proximité du métro et du centre-ville de Montréal; au coin du feu en hiver et sur la terrasse en été en dégustant les pâtisseries maison de Loulou.

De Montréal, pont Jacques-Cartier, sortie St-Charles. Ou rte 132, sortie 8. Rue St-Charles jusqu'à rue St-Jean à droite. Maison située derrière l'hôtel de ville de Longueuil.

7 ROUGEMONT *Gîte du Passant et Gîte à la Ferme*

F A

Farm at the foot of a mountain. Orchard, various animals: ponies, goats, rabbits, poultry. Fruit picking, gardening, antiques, excursions, cross-country skiing, snowshoeing. Special attention given to babies and elderly people. Good cuisine. Non-smokers only. We also offer a farm house (see p. 50).

From Montréal, Rte. 112 to Rougemont. Rte. 231 North, drive 5 km.

Lili Turgeon
1340 Grande Caroline
Rougemont J0L 1M0
(514) 469-3818

$ 35, $$ 45, ● 15
(rc : 1 ch, 1er : 2 ch) (3 sb)

J F M A M J J A S O N D

Ferme au pied de la montagne. Verger, élevage mixte: poney, chèvres, lapins, volailles. Cueillette de fruits, jardinage, antiquités, excursions, ski de randonnée, raquette, théâtre. Attention spéciale aux petits enfants et aînés. Bonne cuisine. Gîte non-fumeur. Offrons aussi le gîte à la ferme (voir p 50).

De Montréal, rte 112 jusqu'à Rougemont. Rte. 231 nord, faire 5 km.

8 ST-ANTOINE-SUR-RICHELIEU *Gîte du Passant et Gîte à la Ferme*

F a

Ancestral home surrounded by trees and greenery, near the Richelieu River. Vegetable garden, cows, goats, rabbits, poultry. Healthy and varied meals. Calm environment. Warm welcome. We also offer a farm house (see p. 50).

From Montréal, Hwy. 20 East, Exit 112. At the stop, turn left. Drive to St-Antoine. From the church, drive 3 km.

Antonia et Denis Marchessault
1610 du Rivage
St-Antoine-sur-Richelieu
J0L 1R0
(514) 787-2603

$ 45, $$ 45
(1er : 2 ch) (1 sb)

J F M A M J J A S O N D

Maison ancestrale entourée d'arbres et de verdure, près de la rivière Richelieu. Jardin potager, bovins, chèvres, lapins, volailles. Repas sains et variés. Environnement calme. Accueil chaleureux. Bienvenue à tous. Offrons aussi le gîte à la ferme (voir p 50).

De Montréal, aut. 20 est, sortie 112. À l'arrêt, à gauche. Se rendre à St-Antoine. De l'église, faire 3 km.

9 ST-BLAISE *Gîte du Passant*

F A

Two bodied stone farmhouse circa 1830 in exclusively agricultural milieu, on large wooded lot with flower and vegetable gardens, swimming pool, complete bathroom reserved for guests. Historical tours of the area. 3rd prize in the St-Blaise "houses of flowers" contest.

From Montréal, Hwy. 10 East Exit 22, Hwy. 35, towards St-Jean, Exit Pierre-Caisse. Turn left on Blvd. Industriel, right on Pierre-Caisse, left on Grand Bernier. At St-Blaise, Rue Principale is on your right.

L'EPIVENT
Mariette et Gilbert Leroux
2520 Principale
St-Blaise J0J 1W0
(514) 291-3304

$ 40, $$ 50-60, ● 0-5
(1er : 3 ch) (3 sb)

J F M A M J J A S O N D

Maison deux corps circa 1830. Environnement exclusivement agricole, grand parc boisé avec jardin fleuri et potager, verger et piscine creusée. Salle de bain complète réservée aux visiteurs. Circuits d'intérêt historique et patrimonial. 3e prix pour «maisons fleuries» de St-Blaise.

De Montréal, aut. 10 est, sortie 22. Aut. 35 direction St-Jean, sortie Pierre-Caisse. À gauche sur boul. Industriel, à droite sur Pierre-Caisse, à gauche sur Grand-Bernier. À St-Blaise, rue Principale à droite.

10 ST-DENIS-SUR-RICHELIEU *Gîte du Passant et Gîte à la Ferme* F a ℜ5

Alongside the Richelieu, you will love the comfort of our large Canadian house brightened with flowers. Fruit and vegetable production, raising small animals. Weaving workshop and swimming pool. Varied breakfast, with home-made and natural products. We also offer a farm house (see p. 50).

From Montréal, Hwy. 20 East, Exit 113. Rte. 133 North alongside the Richelieu river. Past the village of St-Denis, drive 5 km.

LA LAINE DES MOUTONS
Ema de Matos
110 ch. des Patriotes, rte 133
St-Denis-sur-Richelieu
J0H 1K0
(514) 787-2614

$ 25, $$ 40, ● 10-15
(1er : 3 ch) (2 sb)
J F M A M J J A S O N D

Le long du Richelieu, vous aimerez le confort de notre grande maison canadienne enjolivée de fleurs. Productions de fruits et légumes en serre, élevage de petits animaux de ferme. Atelier de tissage et piscine. Déjeuner varié, produits maison et naturels. Offrons aussi le gîte à la ferme (voir p 50).

De Montréal, aut. 20 est, sortie 113. Rte 133 nord longeant la rivière Richelieu. Après le village St-Denis, faire 5 km.

11 ST-JEAN-SUR-RICHELIEU *Auberge du Passant* F A ℜ0 VS MC

Modest and century-old house built in 1867 situated on the canal of the Richelieu river near the locks at the heart of tourist activities. Patio overlooking the river. Packages available (see advertisement p 150)

Eastern township Hwy. 10, Exit 22 St-Jean., Hwy. 35, Exit Boul. Seminaire. Straight to Champlain then turn right till 297 Richelieu, following the river all the way.

AUBERGE LES TROIS RIVES
Ginette et Michel Quintal
297 Richelieu
St-Jean-sur-Richelieu J3B 6Y3
(514) 358-8077

$ 35, $$ 55, ● 10
(1er : 2 ch, 2e : 1 ch) (1 sb)
J F M A M J J A S O N D

Maison rustique et sans prétention construite en 1867 située sur le canal et la rivière Richelieu, voisine des écluses, au coeur des activités touristiques. Terrasse ouverte sur la rivière. Forfaits disponibles (voir annonce p 150).

Aut. des Cantons de l'Est (10), sortie 22 St-Jean. Aut. 35 vers St-Jean jusqu'au boul. du Séminaire, tout droit jusqu'à la rue Champlain. À droite longer le bord de l'eau jusqu'au 297 Richelieu.

12 ST-PAUL-DE-L'ÎLE-AUX-NOIX *Gîte du Passant* F a ℜ2

Near the wine route, along the Richelieu, wide and wild, a site we are happy to share with you. A sunny house, with an inviting exterior. Ultra breakfast by the side of the pool. Rowboat, pedalo, boat, bike... Come and experience the water, the air, the REAL thing. For us, cooking is a relaxing art.

From Montréal, Hwy. 15 South (U.S.A.) Napierville Exit, no. 21 and Rte. 221, cross Napierville, drive 5 km. Across from the Morou vineyards, left, drive 3 km. At the stop sign, turn right and left on 73rd Street. At the stop sign, left, 2nd street on the right.

LE LONG DE L'EAU
R. Gauthier et P. Martin
8 rue Lenoir
St-Paul-de-l'Île-aux-Noix
J0J 1G0
(514)291-5900/(514)346-6886

$ 65, $$ 75
(1er : 2 ch) (2 sb)
J F M A M J J A S O N D

Près de la route des vins, le long du Richelieu large et sauvage, un site que nous voulons partager. Maison pleine de lumière, extérieur invitant. Déj. ultra au bord de la piscine. Chaloupe, pédalo, bateau, vélo... Vivez avec nous l'eau, l'air, le VRAI! Cuisiner, un art qui nous détend.

De Montréal, aut. 15 sud (U.S.A.), sortie Napierville, no 21 et rte 221, traverser Napierville, faire 5 km. Face au vignoble Morou, à gauche, faire 3 km. À l'arrêt, à droite et 73e rue à gauche. À l'arrêt, à gauche, 2e rue à droite.

13 STE-CHRISTINE-DE-BAGOT *Gîte du Passant*

F A ℜ1

A piano, a Schubert melody, a wood fire and good company set the mood of our home. In an agricultural region, away from the usual tourist attractions, you can walk in our fields and woods or contemplate the far-away mountains.

Hwy. 20, Exit 147, Rte 116 East, drive 32 km to Ste-Christine Exit. 3 km to village. At stop sign turn left, 2nd house on left.

LES BRAS DE MORPHÉE
Diane Duguay et Alain Lavoie
514 rang 1 est
Ste-Christine-de-Bagot
J0H 1H0
(819) 858-2022

$ 35, $$ 45, ☻ 5-10
(1er : 2 ch) (2 sb)
J F M A M J J A S O N D

Un piano, un air de Schubert, un feu qui crépite font vibrer l'âme de notre maison et surtout en bonne compagnie. Dans un environnement agricole, hors des sentiers touristiques, vous pourrez vous promener dans nos champs et boisés.

Aut. 20, sortie 147, rte 116 est, faire 32 km. Prendre la sortie Ste-Christine et faire 3 km jusqu'au village. À l'arrêt, tourner à gauche, 2e maison à gauche.

14 STE-JULIE *Gîte du Passant*

F a

Clean air, charming countryside, birds, walking and bicycle trails, downhill ski school and runs, cross country ski trails, arena, many summer theatres, cruise on the Richelieu. Ten minutes from Montréal. I will give you a warm welcome. Non-smokers only.

From Montréal or Québec City, Hwy. 20, Exit 102, Chemin Fer à Cheval going South, des Hauts-Bois Blvd., Gilles Vigneault Road, then des Brises Road.

GÎTE DES BRISES
Marie-Marthe Felteau
2 rue des Brises
Ste-Julie J0L 2S0
(514) 922-0502

$ 25, $$ 45
(1er : 3 ch) (1 sb)
J F M A M J J A S O N D

Air pur, paysage enchanteur, oiseaux, sentier de marche, de vélo, école de ski alpin, piste de ski de fond, ski alpin, aréna, plusieurs théâtres d'été, croisière sur le Richelieu. À 10 minutes de Montréal. Je vous donne mon accueil chaleureux. Gîte non-fumeur.

De Montréal ou de Québec, aut. 20, sortie 102, chemin Fer à Cheval vers le sud, boul. des Hauts-Bois, rue Gilles Vigneault, rue des Brises.

15 STE-JUSTINE-DE-NEWTON *Gîte du Passant*

F A ℜ2

On the Ontario border, a warm and friendly home welcomes you. Located on a hill, with a view of agricultural land and woods, it offers you the perfect setting to relax, walk, observe nature, meditate. Come and share this oasis of nature.

From Montréal, Hwy. 20 West, Exit 2 towards Beaudette. Rte. 325 North, drive 15 km. Past the little bridge, left on Rang 7. First farm on the right.

PÉVERIL
Ginette Pageon
3112, 7e Rang
Ste-Justine-de-Newton
J0P 1G0
(514) 764-3562

$ 40, $$ 60, ☻ 10
(1er : 2 ch) (2 sb)
J F M A M J J A S O N D

À la frontière de l'Ontario, ma maison est chaleureuse et le site enchanteur respire le calme et la tranquillité. Viens y faire le plein d'énergie. Sentiers pour promenade, jardins et boisés pour relaxer, méditer ou rêver. Bienvenue à toi.

De Montréal, aut. 20 ouest, sortie 2 vers Rivière Beaudette. Rte 325 nord, faire 15 km. Après le petit pont, à gauche sur le 7e rang. Première ferme à droite.

16 STE-JUSTINE-DE-NEWTON *Maison de Campagne* F A M7 ℜ2

On the Ontario border, this cute little house will charm you. Surrounded by agricultural land and trees, it is located on a hill and has a beautiful view. Peace and tranquillity will welcome you. Close by: beaches, golf, equestrian center, polo club. Welcome newly wed.

From Montréal, Hwy. 20 West, Exit 2, towards Rivière Beaudette. Rte. 325 North. 15 km after the bridge, turn left on Rang 7. First farm on your right.

PÉVERIL
Ginette Pageon
3112, 7e Rang
Ste-Justine-de-Newton
J0P 1G0
(514)764-3562/(514)371-2820

J F M A M J J A S O N D

À la frontière de l'Ontario, cette coquette maison de deux étages avec son poêle à bois vous séduira. Site enchanteur entouré de collines, terres cultivées et boisés. Vous y trouverez paix et tranquillité. Tout près: plages, golf, théâtre d'été, centre équestre. Bienvenue nouveaux mariés.

De Montréal, aut. 20 ouest, sortie 2 vers Rivière Beaudette. Rte 325 nord, faire 15 km. Après le petit pont, à gauche sur le 7e rang. Première ferme à droite.

NBR DE MAISONS	CH	PERS	$SEM-ÉTÉ	$SEM-HIVER	$WE-ÉTÉ	$WE-HIVER
1	2	4	300	300	150	150

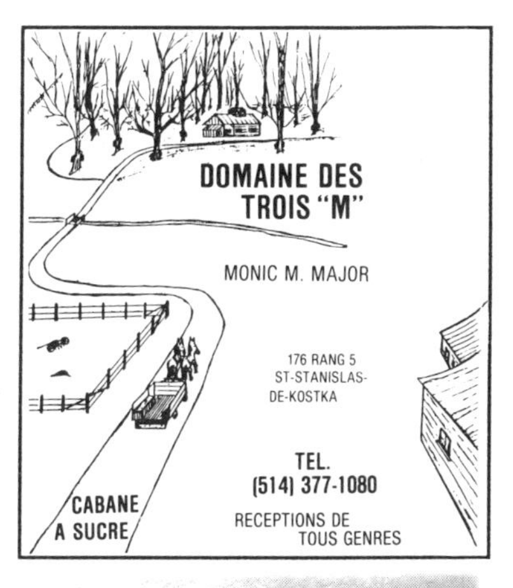

5 GÎTES DU HAUT-RICHELIEU, DANS UN CIRCUIT ALLÉCHANT :

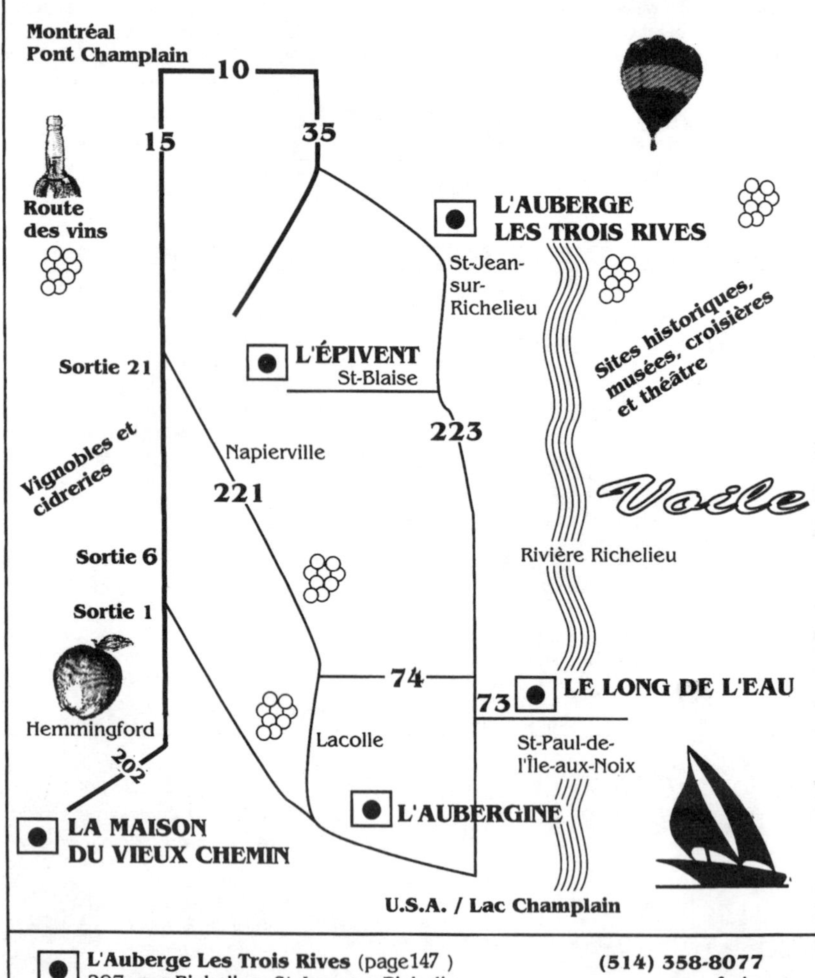

L'Auberge Les Trois Rives (page 147) 297, rue Richelieu, St-Jean-sur-Richelieu	**(514) 358-8077** sans frais
L'Épivent (page 146) 2520, rue Principale, St-Blaise	**(514) 291-3304**
Le long de l'eau (page 147) 8, rue Lenoir, St-Paul-de-l'Île-aux-Noix	**(514) 291-5900**
L'Aubergine (page 145) 21, rang Edgerton, Lacolle	**(514) 246-2740** (cel.) 946-4880
La Maison du Vieux Chemin (page 144) 818, Vieux Chemin, Hemmingford	**(514) 247-3670**

MONTRÉAL

*Les numéros sur la carte correpondent à la numérotation des gîtes de la région

**The numbers on the map correspond to the numbers of each establishment within the region.*

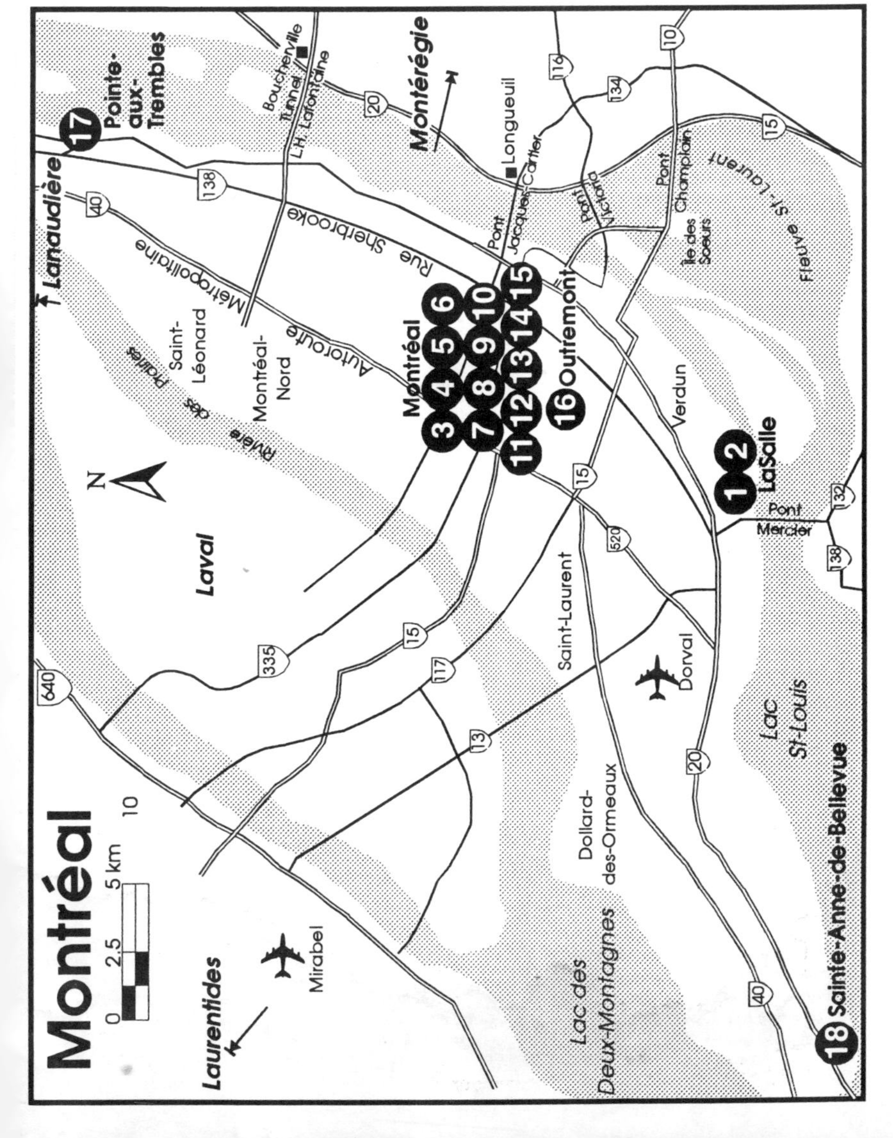

1 LASALLE *Gîte du Passant*

F A ℜ0.5

AU PIED DES RAPIDES
Lucille et Edwin MacKay
96, 2e Avenue
LaSalle H8P 2G2
(514) 366-0024

Far from the city uproar at 10 min. from downtown near public transport and highways, family home, lovely rooms, patio, generous breakfast, private parking, walking trails close to Lachine rapids or Parc Angrignon. Guide service available.

From Mirabel, Hwy. 15 South, Exit 62, on La Vérendrye for 4 km, left on Bishop-Power up to end, left on LaSalle Blvd. up to 2e Avenue. Or from Champlain Bridge, Exit Wellington, left, LaSalle Blvd. for 5 km to 2e Avenue.

$ 30-40, $$ 40-45, ● 10-15
(1er : 2 ch) (2 sb)
J F M A M J J A S O N D

Loin des bruits de la ville à 10 min. du centre-ville de Montréal. Près: transport public et voies rapides. Maison familiale, chambres coquettes, terrasse, déjeuner généreux, stationnement privé. Possibilité promenade au parc des rapides et boisé Angrignon. Hôtes servant de guide.

De Mirabel, aut. 15 sud, sortie 62. Suivre La Vérendrye, faire 4 km, à gauche à Bishop-Power au bout, à gauche boul. LaSalle jusqu'à 2e Avenue. Ou du pont Champlain, sortie Wellington par boul. LaSalle, faire 5 km jusqu'à 2e Avenue.

2 LASALLE *Gîte du Passant*

F A ℜ0.1

LE RELAIS DU VILLAGE DES RAPIDES
Yolande et Paul Coliton
7695 boul. LaSalle, LaSalle
H8P 1Y4 (514) 366-5492

We are 10 min. from downtown Montréal and close to a metro station. The well known Lachine rapids are nearby, as is the bicycle path network. A warm welcome & comfortable accommodation awaits you. Restaurants are within easy walking distance.

Hwy. 15, Exit 62, "Verdun, La Vérendrye". 4 km on La Vérendrye. Left on Bishop Power to LaSalle Blvd. Left to house (100 meters on left).

$ 30, $$ 40, ● 5
(rc : 2 ch) (1 sb)
J F M A M J J A S O N D

Situé à 10 minutes du centre-ville de Montréal et à 5 min. du métro Angrignon. Face au fleuve, aux Rapides-de-Lachine et à la piste cyclable. Gîte familial, endroit paisible et petit déjeuner complet. Restaurants et café-terrasse à proximité.

Aut. 15, sortie 62 «Verdun, La Vérendrye». Continuer 4 km sur La Vérendrye. À gauche sur Bishop Power jusqu'au Boul. LaSalle. À gauche jusqu'au 7695 (100 mètres).

3 MONTRÉAL, CENTRE *Gîte du Passant*

F A ℜ2

À L'ENVOLÉE
Charlotte Sabbah
225 boul. St-Joseph ouest
Montréal H2T 2P9
(514) 273-9829

In the heart of the multicultural Montréal come and enjoy international cuisine and nightlife, while being at the bottom of the most beautiful Mount-Royal sanctuary. 15 min. away from Old Montréal, and near all the trendy places Montréal is famous for.

Coming from North of Montréal, Hwy. Décarie, Jean-Talon Exit, turn left on Côte-Ste-Catherine, and left on St-Joseph. Our home is on the corner of Rue Esplanade and St-Joseph.

$ 45, $$ 65, ● 20
(1er : 3 ch) (1 sb)
J F M A M J J A S O N D

Un élégant pied à terre au coeur d'un des plus recherchés quartiers multiethniques montréalais. Au pied du Mont-Royal. Vous aurez le loisir de découvrir la gastronomie mondiale, les bars branchés et les cafés intimes qui font tout notre cachet.

Venant du nord du Montréal, aut. Décarie, sortie Jean-Talon, tourner à gauche sur Côte Ste-Catherine et à gauche sur rue St-Joseph. Le gîte est situé au coin des rues Esplanade et St-Joseph.

4 MONTRÉAL, CENTRE *Gîte du Passant*

F A 𝔑0.1

Come enjoy the Baroque charm and warm family atmosphere of this beautiful Victorian home (century stones and woodwork), an ideal resting at the very heart of bustling downtown. Be sure having reservation many days before. There are 3 rooms only.

Metro station Sherbrooke, Rigaud Exit, cross the park to reach Laval. Car: Sherbrooke St., St-Denis North, left on avenue des Pins, left again on Laval.

AUX PORTES DE LA NUIT
Chantal, Jean,
Marie-Christine, François
3496 avenue Laval, Montréal
H2X 3C8 (514) 848-0833

$ 40-50, $$ 50-60, ● 10-20
(2e : 3 ch) (2 sb)
J F M A M J J A S O N D

Venez goûter le charme baroque d'une maison victorienne aux pierres et boiseries séculaires. Son atmosphère chaleureuse et familiale en fait un véritable havre de paix, plonge au coeur de l'activité bourdonnante du centre-ville. Soyez sûr d'y avoir votre chambre. Il n'y en a que 3.

Métro Sherbrooke sortie Rigaud (3 min.). Traverser le parc jusqu'à l'avenue Laval. En auto, de rue Sherbrooke, prendre rue St-Denis nord, tourner à gauche avenue des Pins et à gauche sur avenue Laval.

5 MONTRÉAL, CENTRE *Gîte du Passant*

F a 𝔑0.1

Historic Victorian house with a private garden facing a cosy park. 3 min. walk from métro, 5 min. drive from downtown and Old Montréal. Outdoor market and many antique dealers in the area. Free private parking and easy access from Hwy. Bicycles available. Charming and friendly.

From East or West, take Exit Atwater on Ville-Marie express way (720). Take St-Antoine (one way) until you meet Agnès Street. It's one block past "Impérial Tobacco" building, turn left.

BONHEUR D'OCCASION
Francine Maurice
846 rue Agnès
Montréal H4C 2P8
(514) 935-5898

$ 50, $$ 60, ● 10
(rc : 3 ch) (2 sb)
J F M A M J J A S O N D

À 3 minutes du métro, belle d'époque sur rue paisible face à un joli parc. Jardin et stationnement privés, vélos à prêter. Voisin du Vieux-Montréal, du centre-ville, des voies rapides, de la piste cyclable, des boutiques d'antiquaires et d'un marché animé.
«C'est l'bonheur!».

De Mirabel ou Dorval, aut. 20 est et aut. Ville-Marie (720 est) sortie Atwater. Ou de la rive sud, accès par le pont Champlain, sortie Atwater. Puis d'Atwater, prendre rue St-Antoine vers l'ouest.

6 MONTRÉAL, CENTRE *Gîte du Passant*

F A 𝔑0.1

An elegant Victorian residence awaits discerning visitors, seeking a haven in the heart of all that makes Montréal a cultural, gastronomical and recreational capital of the world. Walk to summer festivals, downtown, nightlife and daytime activities. Warm welcome and personalised breakfast.

From airport: shuttle to bus station, 3 blocks North, 1 block East. Car: 4 blocks East of the intersection of Rue St-Denis and Rue Sherbrooke. 2 blocks East of metro station Sherbrooke.

CHEZ ALEXIS
Diane-Alexis Fournier
3445 rue St-André
Montréal H2L 3V4
(514) 598-0898

$ 50, $$ 65, ● 0
(2e : 2 ch) (1 sb)
J F M A M J J A S O N D

Le charme discret d'une élégante résidence victorienne, sur une rue tranquille, d'où une courte promenade vous mènera au coeur même des activités culturelles, gourmandes et touristiques montréalaises: festivals, le Vieux, théâtres, galeries, boutiques. Accueil et petit déjeuner personnalisés.

De l'aéroport: navette au terminus, 3 rues au nord, 1 rue à l'est. Voiture: 4 rues à l'est du carrefour des rues St-Denis et Sherbrooke. 2 rues à l'est du métro Sherbrooke.

7 MONTRÉAL, CENTRE *Gîte du Passant*

F a

Come and relax in our stylish house. Simple, friendly atmosphere, breakfasts like brunches, served in the large room reserved for guests. Quiet street, well-located in the heart of Montréal. Nearby: metro and bus. Private parking.

From the bus station or the Berri metro, take the metro to the Laurier station. East on Rue St-Joseph, then left on Garnier (5 min from the metro). Or from North of Montréal, Rue Papineau South, right on Rue St-Joseph, right on Rue Garnier.

CHEZ DANY
Carole et Danielle Dubarle
5050 rue Garnier
Montréal H2J 3S9
(514)598-9780/(514)523-8969

$ 43-48, $$ 58-63, ☻ 10
(rc : 3 ch) (2 sb)

J	F	M	A	M	J	J	A	S	O	N	D

Venez vous détendre dans notre belle maison de style. Atmosphère simple, souriante, petits déjeuners aux allures de brunch servis dans le vaste salon qui vous est réservé. Rue calme, bien située au coeur de Montréal. Près: métro et autobus. Stationnement privé.

Du terminus voyageur ou du métro Berri, prendre métro sortie Laurier. Rue St-Joseph vers l'est et rue Garnier à gauche (5 min du métro). Ou du nord de Montréal, rue Papineau vers le sud, rue St-Joseph à droite et rue Garnier à droite.

8 MONTRÉAL,CENTRE *Gîte du Passant*

F A ℜ0

Victorian house built in 1883 in the heart of the Plateau Mont-Royal on one of the most typical streets in the area. Antique Québecois furniture. Breakfast: a feast. The house is located between Rue Sherbrooke and Avenue Mont-Royal.

From Sherbrooke, take St-Hubert North. The house is located at the corner of Rachel, near the Mont-Royal metro. Or from Mirabel, take a shuttle to the bus station, then the metro to the Mont-Royal stop.

DORMIR À MONTRÉAL
Daniel
4154 rue St-Hubert
Montréal H2L 4A8
(514) 526-9302

$ 30-40, $$ 55-65
(1er : 1 ch, 2e : 2 ch) (2 sb)

J	F	M	A	M	J	J	A	S	O	N	D

Maison victorienne construite en 1883 au coeur du Plateau Mont-Royal sur une rue des plus typiques de ce quartier. Meubles antiques québécois. Le petit déjeuner: un banquet. Le gîte est situé entre les rues Sherbrooke et Mont-Royal.

De la rue Sherbrooke, rue St-Hubert direction nord. Le gîte est situé au coin de la rue Rachel près du métro Mont-Royal. Ou de Mirabel jusqu'au terminus et prendre le métro sortie Mont-Royal.

9 MONTRÉAL, CENTRE *Gîte du Passant*

F A ℜ0.25

Located on the main floor. Very near Rue Duluth with its many restaurants. Comfort and tranquillity are our strong points. Rooms with private bathroom. The bistro table in your room means you can have an intimate breakfast. Special off-season rates, and reductions for stays of 2 nights or longer.

Metro Berri or bus station: Rue Berri North, then right on Rue Roy, and left on St-Hubert. By car: Rue Sherbrooke to Rue St-Hubert. Stone house, on the main floor.

GÎTE DU PLATEAU
Lise et Robert
4072 rue St-Hubert
Montréal H2L 4A8
(514) 527-3735

$ 65, $$ 75, ☻ 5-10
(rc : 2 ch) (2 sb)

J	F	M	A	M	J	J	A	S	O	N	D

Situé au rez-de-chaussée. À deux pas la rue Duluth et de ses nombreux restaurants. Confort et tranquillité sont nos atouts. Chambres avec salle de bain privée. La table bistro dans votre chambre vous permet un petit déjeuner en toute intimité. Prix spéciaux hors saison et réduction pour séjour de 2 nuits et plus.

Métro Berri ou terminus autobus : rue Berri vers le nord puis à droite rue Roy et à gauche rue St-Hubert. En voiture : rue Sherbrooke jusqu'à rue St-Hubert. Maison de pierres au rez-de-chaussée.

10 MONTRÉAL, CENTRE *Gîte du Passant*

F A ℜ0.3

Two minutes from the metro, peaceful street and house in the heart of the Université de Montréal. 5 minutes from the Mont-Royal, St. Joseph's Oratory and restaurants. Super breakfast, magnificent garden to relax in. Private parking.

From Mirabel or Dorval, towards downtown, Queen Mary Exit. Go left, left on Descelles and right on Lacombe. Or from the South Shore, Champlain Bridge towards Décarie, Queen Mary Exit to Lacombe.

GÎTE QUARTIER LATIN
Rachelle Goyette
3055 avenue Lacombe
Montréal H3T 1L5
(514) 738-5423

$ 45-50, $$ 55-60, ● 5-10
(ss : 2 ch, 1er : 1 ch) (3 sb)

J F M A M J J A S O N D

À 2 min. du métro, maison et rue paisibles entourées de l'Université de Montréal. À 5 min. du Mont-Royal, de l'Oratoire St-Joseph et des restaurants. Super déjeuner, magnifique jardin pour se détendre. Stationnement privé.

De Mirabel ou Dorval, direction centre-ville, sortie Queen-Mary. Aller à gauche, à gauche sur rue Decelles et à droite sur rue Lacombe. Ou de la rive sud, pont Champlain direction Décarie, sortie Queen-Mary jusqu'à rue Lacombe.

11 MONTRÉAL, CENTRE *Gîte du Passant*

F A ℜ0.5

Located on the main floor, facing a little park. Discreet atmosphere in the centre of Montréal. Warm and calm atmosphere, close to cultural and tourist activities, near bus and metro. Easy parking. We await your visit with pleasure.

From the Jacques Cartier bridge, Blvd. Delorimier North, Blvd. St-Joseph left, Rue Bordeaux right. Or from the North of Montréal, Rue Papineau South, Blvd. St-Joseph left, Rue Bordeaux left.

LA BONNE ÉTOILE
Louise Lemire et
Christian Guéric
5193 Bordeaux, Montréal
H2H 2A6 (514) 525-1698

$ 50, $$ 60, ● 0-10
(rc : 2 ch) (1 sb)

J F M A M J J A S O N D

Situé au rez-de-chaussée en face d'un petit parc. Environnement discret au centre de Montréal. Atmosphère chaleureuse et tranquille, proche des activités culturelles et touristiques, à proximité autobus et métro. Stationnement facile. Au plaisir de vous rencontrer.

Du pont Jacques-Cartier, boul. Delorimier nord, boul. St-Joseph à gauche, rue Bordeaux à droite. Ou du nord de Montréal, rue Papineau sud, boul. St-Joseph à gauche, rue Bordeaux à gauche.

12 MONTRÉAL, CENTRE *Gîte du Passant*

F A ℜ0.1

Charming and friendly accommodation. Ideally located for easy access to Montréal's recreational and cultural events. Two blocks from a variety of ethnic restaurants. Quiet, varied and hearty breakfasts, living room, possibility of parking and very close to the metro.

From Mirabel, to the Voyageur Bus Terminal. Metro to Mont-Royal Station. Right on Rue Berri, Seventh house to the South. Or Rue Sherbrooke, Rue St. Denis North. Right on Rue Mont-Royal, right on Rue Berri.

LA DORMANCE
Chantale Savoye et
Eddy Lessard
4424 Berri, Montréal
H2J 2R1 (514) 844-1465

$ 45, $$ 60-65
(1er : 3 ch) (1 sb)

J F M A M J J A S O N D

Accueil chaleureux et amical. Étonnamment tranquille pour dormir. Près du métro, des activités culturelles et récréatives et des restaurants ethniques. Super déjeuners variés et complets. Salon à l'étage, bibliothèque. Jardin accessible. Possibilité stationnement.

De Mirabel, jusqu'au terminus Voyageur. Métro sortie Mont-Royal. À droite rue Berri, 7e maison vers le sud. Ou rue Sherbrooke, rue St-Denis direction nord. Mont-Royal à droite et Berri à droite.

13 MONTRÉAL, CENTRE *Gîte du Passant* F a ℜ0.5

After your place, our place. Share the peace and comfort of large bedrooms in an ancestral house with a patio, located on a residential street at the heart of tourist attractions. Right around the corner from Berri metro. Good generous breakfasts. Parking on the street. Have a good trip!

From the bus station, walk one street East. By car: St-Denis South, left on Sherbrooke, right on St-André, right on Blvd. de Maisonneuve. By metro: Berri-UQAM, Galeries Dupuis Exit.

«L'ADRESSE» DU CENTRE
Huguette et Marie
1673 St-Christophe
Montréal H2L 3W7
(514) 528-9516

$ 50, $$ 60, ● 15
(2e : 3 ch) (1 sb)
J F M A M J J A S O N D

Après chez vous, c'est chez nous. Partager tranquillité et confort des grandes chambres d'une maison ancestrale avec terrasse, située sur rue résidentielle au coeur des activités touristiques. À 2 pas métro Berri. Bons petits déjeuners copieux. Stationnement sur rue. Bon séjour.

Du terminus: marcher 1 rue à l'est. En voiture: rue St-Denis sud, rue Sherbrooke à gauche, rue St-André à droite, boul. de Maisonneuve à droite. En métro: Berri-UQAM sortie galerie Dupuis.

14 MONTRÉAL, CENTRE *Gîte du Passant* F A ℜ0.2

A 1866 house, cosy and quiet. Warm hospitality, near the famous St-Denis street area, with its restaurants, boutiques and open air cafés. 3 minutes from Laurier metro, 10 minutes from downtown district. A generous and varied breakfast starts the day. Bicycles for rent.

From the North, rue St-Denis South. At Gilford, turn right. 100 feet further, on the corner of De Grand-Pré/Gilford. From the South: rue St-Denis North to St-Joseph, turn right. Turn around the metro station, on Gilford cross St-Denis.

MAISON DE GRAND-PRÉ
Jean-Paul Lauzon
4660 rue de Grand-Pré
Montréal H2T 2H7
(514) 843-6458

$ 50, $$ 70
(1er : 3 ch) (2 sb)
J F M A M J J A S O N D

Maison de style datant de 1866, arbres, pelouse, près de la rue St-Denis, boutiques et restaurants. 3 min. de la station de métro Laurier. Parc à l'arrière de la maison. Le petit déjeuner est un événement en soi. Vélos à louer.

Du nord de Montréal, rue St-Denis vers le sud. À droite sur Gilford, 50 mètres coin De Grand-Pré. Venant du sud, St-Denis nord. Boul. St-Joseph à droite, contourner le métro Laurier, rue Gilford vers l'ouest.

15 MONTRÉAL, CENTRE *Gîte du Passant* F A ℜ0.1

Facing Montréal's largest green area. Discover the Canadian art of living in the warmth of a nicely decorated town house in the style of Laura Ashley's English cottage. Price includes room with private balcony, air conditioning, parking, computer and fax service and European style breakfast served on china and silverware.

From Rue Sherbrooke, at the Parc Lafontaine, Rue Émile-Duployé North, right on Rue Rachel, and right on Rue Papineau. Metro Sherbrooke: bus #24 East, Sherbrooke\Papineau stop.

WINDOWS ON THE PARK
BED AND BREAKFAST
4043 rue Papineau
Montréal H2K 4K2
(514) 598-9873
Télécopieur (514) 598-9873

$ 45, $$ 55
(2e : 2 ch) (1 sb)
J F M A M J J A S O N D

Découvrez l'art de vivre canadien dans une somptueuse maison de ville décorée dans le style cottage anglais de Laura Ashley, face au plus grand jardin de la métropole. Balcon privé, stationnement, climatisation, le service porcelaine et argenterie du petit déjeuner européen vous transportera du cottage au palais.

De la rue Sherbrooke, au parc Lafontaine, rue Émile-Duployé vers le nord, à droite rue Rachel et à droite sur rue Papineau. Métro Sherbrooke: bus #24 est, arrêt Sherbrooke/Papineau.

16 OUTREMONT, MONTRÉAL *Gîte du Passant* F A ℜ0.7

House built in 1866, located in the most beautiful neighbourhood on the slopes of the Mont-Royal. At the centre of tourist activities. Easily accessible from downtown. Brunch in a magnificent garden. Calm and peaceful place.

From downtown: Ave. du Parc alongside the mountain, veer left on Côte Ste-Catherine, drive to 792. Or from the metro Édouard Montpetit: walk down Rue Vincent d'Indy, turn left.

LA MAISON
MARTIN & GAGNON
L. Gagnon et M. Martin
792 ch. Côte Ste-Catherine
Outremont H3T 1A7
(514)735-6055

$ 50-55, $ 60-75 , ☻ 10
(1er : 2 ch, 2e : 1 ch) (2 sb)
J F M A M J J A S O N D

Maison datant de 1866 située dans le plus beau quartier sur le versant du Mont-Royal. Au centre des activités. Facilement accessible au centre-ville. Brunch dans un magnifique jardin. Lieu calme et discret.

Du centre-ville: ave du Parc longeant la montagne. Dévier à gauche sur Côte Ste-Catherine jusqu'au 792. Ou du métro Édouard-Montpetit; descendre rue Vincent d'Indy, tourner à gauche.

17 POINTE-AUX-TREMBLES, MONTRÉAL *Gîte du Passant* F a

Twenty minutes from downtown Montréal on the banks of the St-Lawrence River, this Victorian house built in 1911 will charm you with its large garden, its flowers and its in-ground swimming pool. Breakfast on the patio is like the city in the country. Private parking. Restaurant at 0.2 km.

From downtown Montréal or from Hwy. 20, drive along the river on Rue Notre-Dame going East. Or from Hwy. 40, St-Jean-Baptiste Exit going South to the river. Turn East on Notre-Dame.

LA VICTORIENNE
Aimée Roy
12560 rue Notre-Dame est
Pointe-aux-Trembles,
Montréal H1B 2Z1
(514) 645-8328

$ 35, $$ 45
(rc : 3 ch) (2 sb)
J F M A M J J A S O N D

À 20 min. du centre-ville de Montréal sur les bords du fleuve St-Laurent, cette maison victorienne datant de 1911 vous séduira par son grand jardin, ses fleurs et sa piscine creusée. Déjeuner sur la terrasse, c'est la ville à la campagne. Stationnement privé. Restaurant à 0.2 km.

Du centre-ville de Montréal ou de l'aut. 20, longer le fleuve sur la rue Notre-Dame vers l'est. Ou de l'aut. 40, sortie St-Jean-Baptiste vers le sud jusqu'au fleuve. Prendre rue Notre-Dame vers l'est.

18 STE-ANNE-DE-BELLEVUE *Gîte du Passant* F A ℜ0.5 VS

30 minutes from Montréal enjoy this charming university village. Situated on shores of Lake St-Louis. Garden terrace. A well informed hostess will be able to suggest various restaurants and touristic attractions in the area. European atmosphere accompanied by warm hospitality.

From Hwy. 40 take Exit 41. Or from Hwy. 20 take Exit Ste-Anne-de-Bellevue. Follow rue St-Pierre South to rue Ste-Anne. Turn left and continue till you come to Ave Perrault.

STE-ANNES BED &
BREAKFAST
Gisela Touchburn
27A avenue Perrault
Ste-Anne-de-Bellevue
H9X 2E1 (514) 457-9504

$ 25-30, $$ 40-50, ☻ 10
(1er : 2 ch) (1 sb)
J F M A M J J A S O N D

À 500 mètres de l'aut. 20 et 1 km de l'aut. 40. Dans un petit village universitaire au bord du lac St-Louis, une maison chaleureuse s'offre à vous. Atmosphère européenne, terrasse fleurie. Restaurants, boutiques et attraits touristiques à proximité. «Une vraie maison hospitalière et chaude de coeur» *cliente toulousaine - sept. 92.*

Autoroute 40, sortie 41 ou aut. 20, sortie Ste-Anne-de-Bellevue direction sud vers la rue Ste-Anne, à gauche et continuer jusqu'à ave Perrault.

MONTRÉAL RIVE-SUD, SOUTH SHORE

A FEW MINUTES FROM DOWNTOWN MONTREAL

LONGUEUIL ***(tout près du métro Longueuil / very near the subway)***

Claudette Biron, *235 St-Jacques, (514) 674-4203, page* 145

Refuge du Poète, *320 rue Longueuil, (514) 442-3688, page* 145

BOUCHERVILLE ***(à 5 minutes de Montréal / 5 minutes from Montreal)***

Le Relais des Iles Percées, *85 des Iles Percées*
(514) 655-3342, page 144

LE REPOS ET LE CALME À QUELQUES MINUTES DU CENTRE VILLE DE MONTRÉAL. IDÉAL POUR LONG SÉJOUR

Le Manoir Seigneurial

À 15 minutes de Montréal.
Sur le territoire du Festival de musique de Lanaudière.
Liaison directe du Métro Radisson au Manoir par autobus.
Forfaits pour courts ou longs séjours.

1001, Bas de l'Assomption Nord
L'Assomption (Québec) J0K 1G0
Tél.: (514) 589-7890

Votre hôte: Mario Milord

Gîte du Passant page 120

La Maison Dumoulin

À 40 minutes de Mirabel
45 minutes de Montréal

Au bord du lac
des Deux Montagnes

Décor de rêve

Forfaits voile disponibles

voir page:128

53, St-Sulpice, C.P. 1072, Oka (Québec) J0N 1E0
Tél.: 514-479-6753

◆ 1001, rue du Square Dorchester

Le Centre d'information touristique par excellence sur Montréal et le Québec.

En plus d'un comptoir de renseignements touristiques, le Centre Infotouriste regroupe une gamme complète de services (tours d'autobus, agence de voyages, location d'automobile, bureau de change, librairie, réservation de chambres d'hôtels, etc.) pour vous aider à mieux profiter de votre séjour à Montréal et au Québec.

INFO?TOURISTE

- 1001, rue du Square Dorchester (coin Peel et Ste-Catherine)
- Kiosque du Vieux-Montréal (Place Jacques-Cartier)
- Kiosques des Aéroports Internationaux de Montréal (Dorval et Mirabel)
- Kiosque du Stade Olympique (été 1992)

OUTAOUAIS

*Les numéros sur la carte correpondent à la numérotation des gîtes de la région
The numbers on the map correspond to the numbers of each establishment within the region.

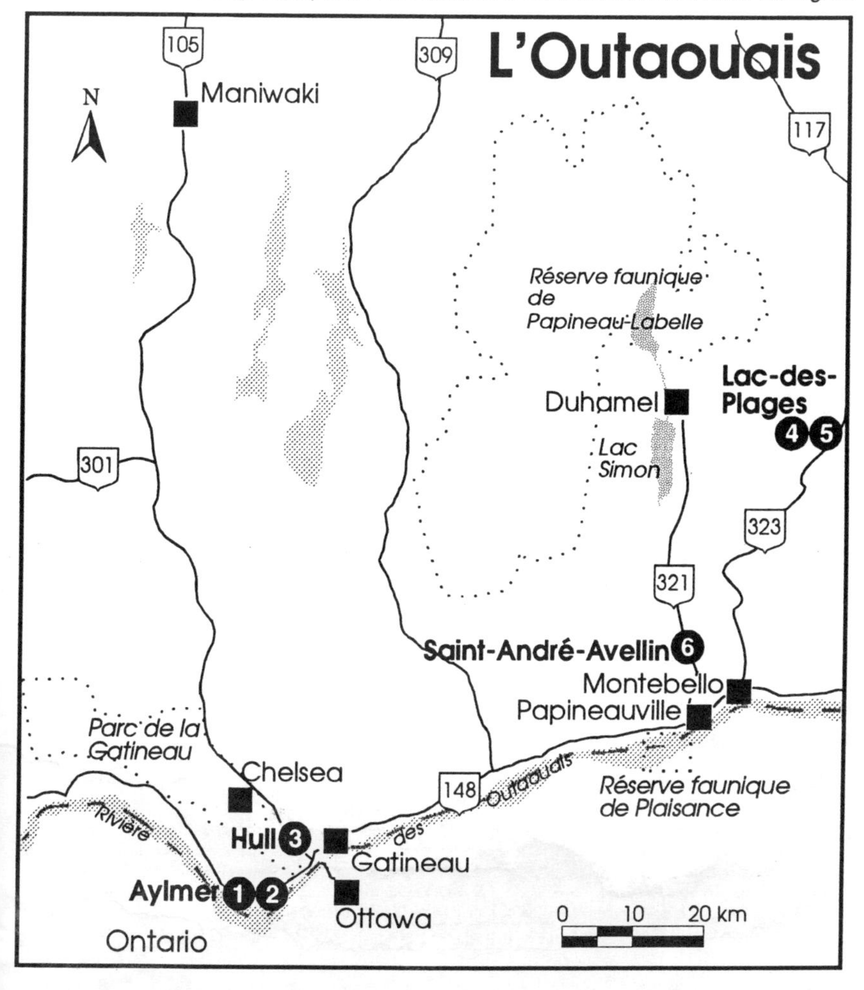

1 AYLMER *Gîte du Passant*

F A ℜ0.2 VS MC

Our comfortable Victorian home is located in a village on the Ottawa River, minutes from Ottawa's Parliament buildings and national sites. Enjoy the sunny bedrooms, home-baked breakfasts, veranda, gardens, local beach and cycling circuits.

From Rte. 417, Exit Island Park North or Kirkwood North. From Ottawa, cross any bridge, turn left on Rte. 148 West. Do not turn again. House is at bottom of street on left, close to river.

LA RAJOTIÈRE
Michèle Quenneville et Jean Veillette
14 rue Principale
Aylmer J9H 3K8
(819) 685-0650

$ 40, $$ 50, ● 10
(1er : 3 ch) (2 sb)
J F M A M J J A S O N D

Grande maison d'époque à quelques minutes d'Ottawa, du Parlement et des sites touristiques de la région. Chambres ensoleillées, salon, solarium, véranda, jardins. Petits cafés, plage et circuit cyclable régional à quelques pas de la maison.

Rte 417, sortie Island Park nord. D'Ottawa, traverser n'importe quel pont, tourner à gauche sur la 148 ouest. «La Rajotière» est au bas de la rue Principale, juste avant la rivière.

2 AYLMER *Gîte du Passant*

F A ℜ0.2 VS MC

Near Hull and Ottawa, hundred-year-old house at the heart of old Aylmer, calm and relaxing. Claire and Louise offer a breakfast of your choice: fresh products, golden toast, Québec maple syrup, served in a tea room designed for guests.

From Montréal, Rte. 148 West. At Aylmer, on Rue Principale, left on Court. Or from Ottawa, Rte. 417 Island Park Exit. Left on the 148 West. At Aylmer...

MAISON DES LILAS
Louise et Claire
36 rue Court
Aylmer J9H 4L7
(819) 684-6821

$ 50, $$ 50, ● 10
(1er : 4 ch) (2 sb)
J F M A M J J A S O N D

Près de Hull et d'Ottawa, maison centenaire, au coeur du vieux Aylmer, calme et reposante. Claire et Louise vous attendent avec déjeuner à la carte: produits frais, pain doré, sirop d'érable du Québec servi au salon de thé aménagé pour vous.

De Montréal, rte 148 ouest. À Aylmer sur la rue Principale, à gauche sur Court. Ou d'Ottawa, rte 417 sortie Island Park. À gauche rte 148 ouest. À Aylmer...

3 HULL *Gîte du Passant*

F a ℜ0.1 VS

Luxurious, welcoming Bed and Breakfast in the heart of all activities. 10 min. walk from museums, parliament, cycling path, skiing, parks. Air cond. rooms. Five person suite in basement with shower. Breakfast on the terrace. Free parking.

From Montréal, Rte. 148 West. At Hull, Blvd. Maisonneuve Exit, left at Verdun, left at Champlain. Or from Ottawa, Hwy. 417 Mann Exit towards Hull, Cartier-MacDonald bridge, Maisonneuve Exit...

COUETTE ET CROISSANT
Anne Picard Allard
330 rue Champlain
Hull J8X 3S2
(819) 771-2200

$ 40, $$ 52-60
(ss : 1 ch, 1er : 3 ch) (2 sb)
J F M A M J J A S O N D

Gîte luxueux, accueillant au coeur du patrimoine. À 10 min. des musées et de la capitale. Pistes cyclables, ski, parc. Chambres climatisées, T.V., suite pour 5 pers. au sous-sol avec salle d'eau et douche. Petit déjeuner servi sur la terrasse. Stationnement gratuit.

De Montréal, rte 148 ouest. À Hull, sortie boul. Maisonneuve, à gauche Verdun, à gauche Champlain. Ou d'Ottawa, aut. 417 sortie Mann vers Hull, Pont Cartier McDonald, sortie boul. Maisonneuve...

4 LAC-DES-PLAGES *Gîte du Passant*

F A 𝔑0.5

Young relaxed family invites you to our comfortable home. Panoramic view of the lake, stroll on the veranda, play around in the gentle lake, doze on the golden sandy beach. 35 km of cross-country ski trails. Swedish and Québecois culture. Canoe and bicycle available.

From Montréal, Hwy. 15 North towards St-Jovite, Rte. 323 South towards Lac-des-Plages. Or from Ottawa, Hwy. 50 East. At Masson, Rte. 148 East. At Montebello, Rte. 323 North.

LA MAISON CARLS-SCHMIDT
Maud et Martin
2061 Tour du Lac
Lac-des-Plages J0T 1K0
(819) 426-2379

$ 25-35, $$ 45-50, ● 0-10
(1er : 5 ch) (2 sb)

J F M A M J J A S O N D

Jeune famille décontractée vous invite dans sa confortable maison. Vue panoramique du lac, flânerie sur la galerie, ébats dans un lac à pente douce, somnolence sur la plage de sable blond. 35 km de pistes de ski de fond. Culture québécoise et suédoise. Vélos et canots disponibles.

De Montréal aut. 15 nord direction St-Jovite, rte 323 sud vers Lac-des-Plages. Ou d'Ottawa, aut. 50 est. À Masson, rte 148 est. À Montebello, rte 323 nord.

5 LAC-DES-PLAGES *Gîte du Passant*

F A 𝔑3 VS MC

Located between St-Jovite and Montebello, our comfortable country home offers peace and tranquility. Outdoor activities include swimming, canoeing, hiking, snowshoeing, cross-country and downhill skiing (40 minutes from Mont-Tremblant and Gray-Rocks).

From Montréal, Hwy. 15 North and Rte. 117 North to St-Jovite, Rte. 323 South to the intersection with Vendée Road. Or from Ottawa, Rte. 148 to Montebello, Rte. 323 North to Lac-des-Plages, 3 km to the intersection of Vendée Road.

L'AUVENT BLEU
J.F. Boissonnault et L. Martin
6 chemin Vendée
Lac-des-Plages J0T 1K0
(819) 687-2981

$ 35, $$ 55, ● 10
(1er : 3 ch) (2 sb)

J F M A M J J A S O N D

Près de St-Jovite ou Montebello, confortable maison de campagne où règne calme, paix et détente. Pour vos loisirs: baignade, randonnée pédestre, canotage, raquette, ski alpin et de randonnée. À proximité du Mont-Tremblant et de Gray-Rocks.

De Montréal, aut. 15 nord et rte 117 nord jusqu'à St-Jovite. Rte 323 sud jusqu'à l'intersection de Vendée. Ou de Hull, rte 148 jusqu'à Montebello, rte 323 nord jusqu'à Lac-des-Plages.

6 VINOY (ST-ANDRÉ-AVELLIN) *Gîte du Passant, Gîte à la Ferme*

F A 𝔑7 VS MC

Step back in time while enjoying modern conveniences. Large Victorian home, gardens, farm animals, maple bush, stream. Period furniture, cosy rooms, gourmet fare (country, vegetarian or special diet). Children's playground. Swimming, skiing nearby. We also offer a farm house (see p. 50).

From Montréal, Rte. 148 West or from Ottawa - Hull, Hwy. 50 then Rte. 148 East to Papineauville. North on Rte. 321. Right (5 km) on Montée Vinoy West, 12 km out of Saint-André-Avellin.

LES JARDINS DE VINOY
Suzanne Benoit et
André Chagnon
497 Montée Vinoy ouest
Vinoy (Saint-André-Avellin)
J0V 1W0 (819) 428-3774

$ 40, $$ 50, ● 10
(rc : 2 ch, 1er : 2 ch) (2 sb)

J F M A M J J A S O N D

Tout le charme d'antan, tout le confort d'aujourd'hui. Grande maison victorienne avec jardins, basse-cour, érablière, ruisseau. Meubles d'époque, chambres douillettes, table raffinée (champêtre, végétarienne ou de régime). Ski et baignade à proximité. Offrons aussi le gîte à la ferme (voir p 50).

De Montréal, rte 148 ouest ou d'Ottawa - Hull, aut. 50 et rte 148 est jusqu'à Papineauville. Rte 321 vers le nord. À droite, faire 5 km sur Montée Vinoy ouest, 12 km après Saint-André-Avellin.

Far better than I could have ever imagined. Better than a hotel. I didn't want to leave.

Ottau

This is a quaint and picturesque house with a host who is warm and friendly. We enjoyed our brief stay.

Bridgeville, Pennsylvar

Very nice, our host made us feel at home in Montreal.

Ithaca, New Y

QUÉBEC

*Les numéros sur la carte correpondent à la numérotation des gîtes de la région

The numbers on the map correspond to the numbers of each establishment within the region.

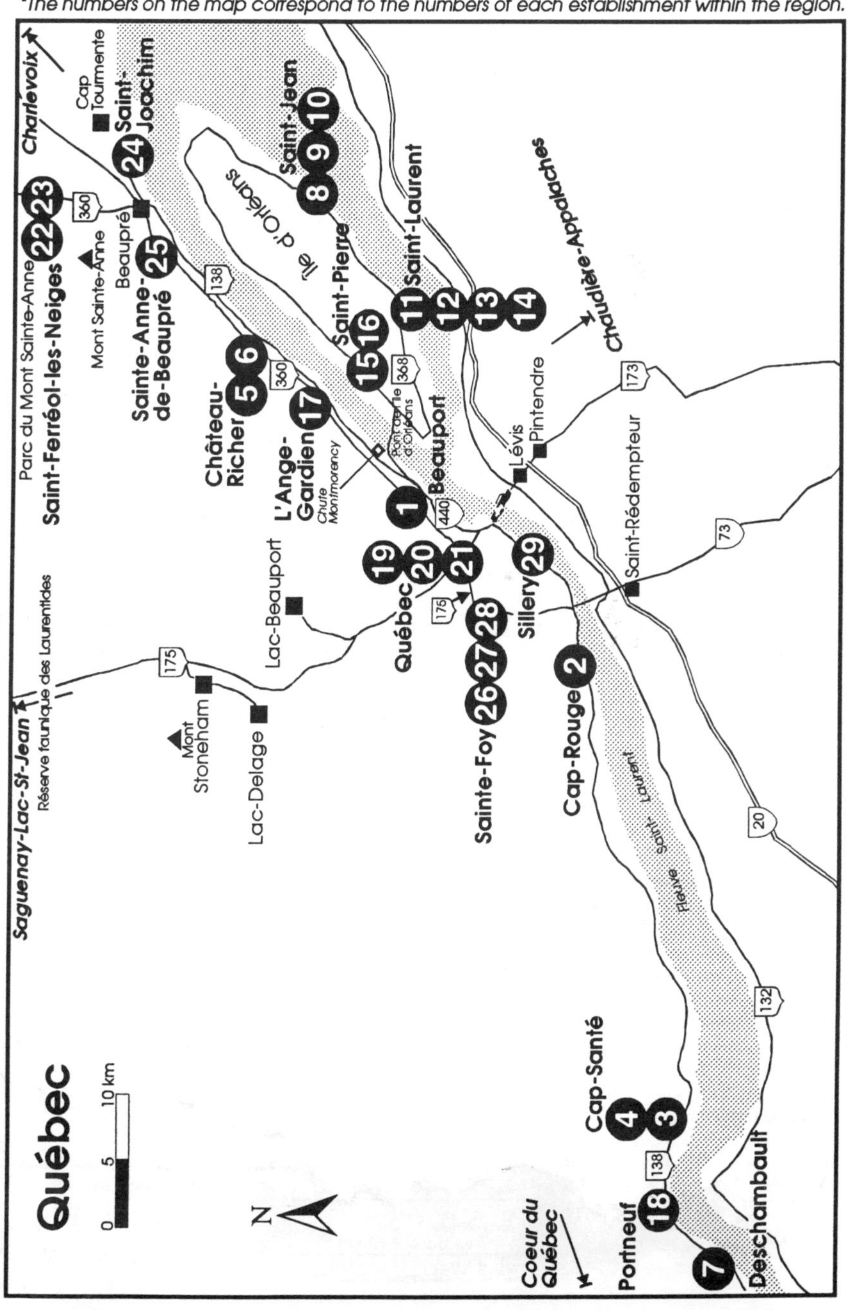

1 BEAUPORT *Gîte du Passant*

F a ℜ0.1

Located on the oldest street in Québec City, very close to the Montmorency Manor and falls, opposite the river and the Ile d'Orléans. 10 km from downtown Québec City, bus stop in front. Trails on the banks of the Montmorency River. Local arts and crafts.

From Montréal, drive towards Ste-Anne-de-Beaupré, Exit 322, turn left. Drive 2.3 km. Corner of Royal and Ave. Larue. Or from the North Shore, Montée-Québec-Boischatel, turn left, second street after the bridge.

EN HAUT DE LA CHUTE
Gisèle et Bertrand Tremblay
2515 avenue Royale
Beauport G1C 1S2
(418) 666-4755

$ 37, $$ 50
(rc : 1 ch, ss : 2 ch) (3 sb)
J F M A M J J A S O N D

Situé sur la plus vieille rue de Québec, à deux pas du manoir et des chutes Montmorency, face au fleuve et à l'Ile d'Orléans. À 10 km du centre-ville de Québec, arrêt d'autobus en face. Sentiers aux abords de la rivière Montmorency. Grand parc.

De Montréal, direction Ste-Anne-de-Beaupré, sortie 322, tourner à gauche. Faire 2.3 km. Coin Royal et avenue Larue. Ou de la Côte Nord, Montée-Québec-Boischatel, tourner à gauche, 2ème coin de rue après le pont.

2 CAP-ROUGE *Gîte du Passant*

F a ℜ1

Large, comfortable house 21 km from Old Québec City. Home-made full breakfast. Near a golf course, marina, cross-country ski trails, cycling paths, great shopping centre. Two rooms on a quiet residential street. Non-smokers only. Welcome to our home, only 9.5 km from the bridge.

From Montréal, Hwy. 20 East towards Québec City, Pierre Laporte Bridge, Aut. Duplessis Exit, Ch. Ste-Foy West Exit, continue to the river. Follow Ch. St-Félix, turn right on Rue du Golf.

L'HYDRANGÉE BLEUE
Louisette Tessier et
Yvan Denis
1451 du Golf
Cap-Rouge G1Y 2T6
(418) 657-5609

$ 35, $$ 45, ☻ 10
(1er : 2 ch) (1 sb)
J F M A M J J A S O N D

Grande maison confortable, quartier résidentiel. 2 chambres. À 21 km du Vieux-Québec. Déjeuner maison varié et à volonté. À proximité: golf, piste cyclable, marina, grand centre d'achat, ski de fond. Gîte non-fumeur. Nous vous attendons. À 9.5 km du pont.

De Montréal, aut. 20 est vers Québec, pont Pierre Laporte, sortie aut. Duplessis, sortie chemin Ste-Foy ouest jusqu'au fleuve. Suivre chemin St-Félix, tourner à droite sur rue du Golf.

3 CAP-SANTÉ *Gîte du Passant*

F a ℜ1

On one of the most beautiful streets in the country, magnificent home with a view of the river, large living room with fireplace, pretty, comfortable bedrooms, generous, healthy breakfast and warm atmosphere. 30 minutes from Québec. California massage with reservations.

From Québec City, Hwy. 40 West, Exit 269, turn right, drive 2 km. Turn right, Rte. 138, drive 1 km. Left on Vieux Chemin. Or from Montréal, Hwy. 40 East, Exit 269, turn left for 1 km...

L'HÉMÉROCALLE
Ghislaine Julien
102 Vieux Chemin
C.P. 11
Cap-Santé G0A 1L0
(418) 285-3545

$ 35, $$ 50-55
(1er : 3 ch) (2 sb)
J F M A M J J A S O N D

Sur une rue parmi les plus belles au pays, magnifique demeure avec vue sur le fleuve, grand salon et cheminée, jolies chambres confortables, copieux petit déjeuner santé et ambiance chaleureuse. À 30 minutes de Québec. Massage californien sur réservation.

De Québec, aut. 40 ouest, sortie 269, à droite, faire 2 km. À droite, rte 138, faire 1 km. À gauche Vieux Chemin. Ou de Montréal, aut. 40 est, sortie 269 à gauche, faire 1 km...

4 CAP-SANTÉ *Gîte du Passant*

F ℜ8

An excellent place to relax! Outdoor whirlpool, massage. Hearty, healthy breakfast. Dinner available. Theatre with reservations. Ideal for cycling. The charm of the country only 30 minutes from downtown. Reductions for stays of 3 days or more.

From Montréal, Hwy. 40 East or from Québec City, Hwy. 40 West, Exit 269, Rte. 358, towards St-Basile. Drive about 3 km. First road on the left, towards St-Basile, drive 1 km. First road on the right.

L'OASIS DE LA PLAINE
Diane Boilard
24 St-Francois est
Cap-Santé G0A 1L0
(418)285-0668/(418)873-5046

$ 30, $$ 45, ● 10-15
(1er : 3 ch) (2 sb)

J F M A M J J A S O N D

L'endroit de détente par excellence! Bain tourbillon extérieur, massage. Copieux déjeuner santé. Forfait souper théâtre sur réservation. Idéal pour le vélo. Le charme de la campagne à 30 min. du centre-ville. Réduction 3 jours et plus.

De Montréal, aut. 40 est ou de Québec, aut. 40 ouest, sortie 269, route 358, direction St-Basile. Faire environ 3 km. 1ère route à gauche, direction St-Basile, faire 1 km. 1er rang à droite.

5 CHÂTEAU-RICHER *Auberge du Passant*

F A ℜ0 VS MC

Between Mont Ste-Anne and Québec City, in the heart of the Beaupré region, treat yourself to an incomparable stay at our home, along with delicious meals from the Baker restaurant. You will find all the charm and the comfort of a country home.

East of Québec City, Rte. 138 East towards Ste-Anne-de-Beaupré. 18.5 km from the Montmorency Falls. Watch for the name "Baker" on the roof of the restaurant.

BAKER
Gaston Cloutier
8790 rue Royale
Château-Richer G0A 1N0
(418)824-4478/(418)666-5509

$ 40-70, $$ 45-75, ● 0-10
(1er : 5 ch) (2 sb)

J F M A M J J A S O N D

Entre le Mont Ste-Anne (12 min.) et Québec (18 min.), au coeur de la côte de Beaupré; offrez-vous un gîte incomparable jumelé à la table exceptionnelle du restaurant Baker. Vous y trouverez tout le charme et le confort des auberges de campagne.

À l'est de Québec, rte 138 est direction Ste-Anne-de-Beaupré. 18.5 km des chutes Montmorency. Surveiller à gauche le nom «Baker» sur le toit du restaurant.

6 CHÂTEAU-RICHER *Gîte du Passant*

F A ℜ3 VS MC

At only 15 min. from Old Québec, near Mont Ste-Anne. Discover a spacious Victorian house (1868). Cosy living room, fire places. Enjoy a full breakfast overlooking the St-Laurence River. Romantic atmosphere to unwind, shared or private bath.

From Québec City, Rte. 138 East. From the Ile d'Orléans Bridge, drive 15 km. Left at the Château Richer, right on Ave. Royale, left on Côte de la Chapelle. Up the hill to Pichette, first street on left.

LE PETIT SÉJOUR
Lise Badeau et
Jean-Marc Fontaine
394 Pichette
Château-Richer G0A 1N0
(418) 824-3654

$ 35-50, $$ 50-80, ● 0-10
(rc : 1 ch, 1er : 4 ch) (3 sb)

J F M A M J J A S O N D

À 15 min. du Vieux-Québec et à 10 min. du Mont Ste-Anne. Séjournez dans une maison victorienne (1868). Copieux petit déjeuner avec vue sur le fleuve et la côte. Grand salon: murs de pierres et foyers. Chambres: salle de bain privée et semi-privée.

De Québec, rte 138 est. Du pont de l'Ile d'Orléans, faire 15 km. À gauche à Château-Richer, à droite sur avenue Royale, à gauche Côte de la Chapelle. 100 pieds max. à gauche sur Pichette.

7 DESCHAMBAULT *Auberge du Passant*

F a ● ℜ2

Monument dating from the Régime Français at the heart of a historic village. Our home is very close to Cap Lauzon, the ideal place for a view of the St-Lawrence River. We offer carefully prepared cuisine and good times. Evening meal available with reservations.

From Montréal or Québec City, Hwy. 40, take Exit 257 Deschambault. At the Rte. 138, turn right. Our house is 500 meters further on the right.

MAISON DE LA VEUVE GROLO
Donald Vézina
200 ch. du Roi, route 138
Deschambault G0A 1S0
(418) 286-6831

$ 40 $$ 55, ● 15
(1er : 4 ch) (2 sb)

J F M A M J J A S O N D

Monument classé du Régime francais au coeur d'un village historique. Notre maison est à 2 pas du Cap Lauzon, un site offrant une des plus belles vues sur le St-Laurent. Nous vous offrons une cuisine soignée et l'occasion de vivre de beaux moments. Repas du soir servi sur réservation.

De Montréal ou Québec, aut. 40, prendre la sortie 257 Deschambault. À la rte 138, tourner à droite. Notre maison est à 500 mètres sur la droite.

8 ÎLE D'ORLÉANS, ST-JEAN *Maison de Campagne*

F a M1 ℜ0.2

Renovated cabin and mobile home on an enchanting farm site on the Ile d'Orleans. Magnificent view of the river. Come and observe or participate in the dairy farm activities, visit the maple orchard, or go swimming in the family pool. We will be happy to have you. One on the houses has a wood stove.

From Québec City, Hwy. 40 East, towards Ste-Anne-de-Beaupré, Île d'Orléans Exit. After the bridge, at the traffic lights, go straight through, drive 20 km.

FERME LACHANCE
Françoise Lachance
1081 chemin Royal
St-Jean, Île d'Orléans
G0A 3W0
(418) 829-3259

J F M A M J J A S O N D

Chalet rénové et maison-mobile en retrait de la ferme sur un site enchanteur à l'Île d'Orléans. Vue magnifique sur le fleuve. Venez observer les activités de la ferme ou y participer, visiter l'érablière ou vous baigner à la piscine familiale. On vous recevra avec plaisir. Une maison avec un poêle à bois.

De Québec, aut. 40 est direction Ste-Anne-de-Beaupré, sortie Île d'Orléans. Après le pont, aux feux de circulation, aller tout droit, faire environ 20 km.

NBR DE MAISONS	CH	PERS	$SEM-ÉTÉ	$SEM-HIVER	$WE-ÉTÉ	$WE-HIVER
2	2	5 à 6	375	300	150	125

9 ÎLE D'ORLÉANS, ST-JEAN *Gîte du Passant*

F A ℜ0.1

Ancestral home, where calm and tranquillity are the most important things. View of the river. Renovated rooms with sinks. Very near a family restaurant and a summer theatre. Generous breakfast. A good place to discover!

From Québec City, Rte. 138 East, Ile d'Orléans Exit. From the bridge, straight ahead for 20 km. Past the "Theatre Paul Hébert", first street on the left, at the top of the hill, first white house on the right.

LA MAISON SUR LA CÔTE
Marie et Tony Fleming
1477 chemin Royal
St-Jean, Île d'Orléans
G0A 3W0
(418) 829-2971

$ 40, $$ 50, ● 15
(1er : 4 ch) (2 sb)

J F M A M J J A S O N D

Maison ancestrale où règne le calme et la tranquillité. Vue sur le fleuve. Chambres finies bois naturel avec lavabo. À 20 min. de Québec et à quelques pas d'un restaurant familial et d'un théâtre d'été. Copieux petit déjeuner maison. Un gîte à découvrir!

De Québec, rte 138 est, sortie Ile d'Orléans. Du pont, aller tout droit, faire 20 km. Passer «Théâtre Paul Hébert», 1ère rue à gauche, en haut de la côte, 1ère maison blanche à droite.

10 ÎLE D'ORLÉANS, ST-JEAN *Gîte du Passant* F a ℜ0.1

A calm and peaceful place to discover on the banks of the river. We will be pleased to welcome you warmly and serve you a high quality breakfast in our ancestral home. We would be happy to meet you.

From Québec City, Rte. 440 East towards Ste-Anne-de-Beaupré, Ile d'Orleans Exit. After the bridge, at the traffic lights, drive straight ahead for 16 km. House on the left.

LE GÎTE LA CHANCE
Liliane Doyon et
Yves Moisan
1123 chemin Royal
St-Jean, Île d'Orléans
G0A 3W0 (418) 829-3425

$ 45, $$ 55, ● 15
(1er : 2 ch) (2 sb)

J F M A M J J A S O N D

À découvrir au bord du fleuve un endroit calme et paisible. Dans une maison ancestrale, il nous fera plaisir de vous accueillir chaleureusement et de vous servir un déjeuner de bonne qualité. Nous serons heureux de faire votre connaissance.

De Québec, rte 440 est direction Ste-Anne-de-Beaupré, sortie Île d'Orléans. Après le pont, aux feux de circulation, aller tout droit et faire 16 km. Maison à votre gauche.

1 ÎLE D'ORLÉANS, ST-LAURENT *Gîte du Passant* F a ♿ ℜ0.5

The St. Lawrence at your feet! Between the rhythm of the waves breaking on the beach and the silent strength of the rising tide, we offer an interlude of peace and rest. Air conditioned. Appetizing breakfast, welcome worthy of our most honoured traditions...

From Québec City, Rte. 440 East towards Ste-Anne-de-Beaupré, Ile d'Orléans Exit. After the bridge, at the traffic lights, go straight for 11 km. House on the right.

GÎTE "EAU VIVE"
Micheline et Michel Turgeon
909 chemin Royal
St-Laurent, Île d'Orléans
G0A 3Z0
(418) 829-3270

$ 45, $$ 50-60, ● 10
(rc : 3 ch) (2 sb)

J F M A M J J A S O N D

Le St-Laurent à vos pieds! Entre la cadence des vagues se brisant sur la plage et la force tranquille de la marée montante, c'est une halte de repos et de paix. Climatisé et confortable. Déjeuner qui flatte le palais; accueil digne de nos plus belles traditions...

De Québec, rte 440 est direction Ste-Anne-de-Beaupré, sortie Ile d'Orléans. Après le pont, aux feux de circulation, aller tout droit et faire 11 km. Maison sur votre droite.

2 ÎLE D'ORLÉANS, ST-LAURENT *Gîte du Passant* F a ℜ2

We offer you the charm of the island, with its attractions and its customs. Large property with access to the river, near the marina. Traditional breakfasts with fruits in season. Two rooms with view on St. Lawrence River. We will do everything possible to make your stay an enjoyable one.

From Québec City, Hwy. 40 East towards Ste-Anne-de-Beaupré, Ile d'Orléans Exit. Drive straight for approximately 7 km.

LA MANSARDE
Germaine et
Paul-Henri Bouffard
1403 chemin Royal
St-Laurent, Île d'Orléans
G0A 3Z0 (418) 828-2780

$ 35, $$ 50, ● 5-10
(1er : 2 ch) (1 sb)

J F M A M J J A S O N D

Le charme de l'Ile, ses attraits et ses coutumes vous sont offerts. Vaste terrain avec accès au fleuve, près de la marina. Déjeuners traditionnels accompagnés de fruits de la saison. Deux chambres avec vue sur le fleuve. Nous ferons tout pour agrémenter votre séjour.

De Québec, aut. 40 est direction St-Anne-de-Beaupré, sortie Ile d'Orléans. Aller tout droit, faire environ 7 km.

13 ÎLE D'ORLÉANS, ST-LAURENT *Gîte du Passant*

F a

On the St. Lawrence River, cute flowered house where hospitality and a family atmosphere are very important. Calm and relaxation are guaranteed, and you will sleep to the sound of the waves and the wind. A copious breakfast will complete your stay at "La Nuitée". Non-smokers only.

From Québec City, Hwy. 40 East towards Ste-Anne-de-Beaupré, Ile d'Orleans Exit. After the bridge, at the traffic lights, drive straight ahead for 11 km. House on the river side.

LA NUITÉE
Réjeanne et Michel Galibois
925 chemin Royal
St-Laurent, Île d'Orléans
G0A 3Z0
(418) 829-3969

$ 45, $$ 50, ● 10
(1er : 3 ch) (2 sb)

J F M A M J J A S O N D

Sur le Saint-Laurent, coquette maison fleurie où hospitalité et atmosphère familiale sont à l'honneur. Le calme et le repos vous sont assurés et vous dormirez au gré des vagues et du vent. Un petit déjeuner copieux complète cette escale à la Nuitée. Gîte non-fumeur.

De Québec, aut. 40 est direction Ste-Anne-de-Beaupré, sortie Ile d'Orléans. Après le pont, aux feux de circulation, aller tout droit et faire 11 km. Maison côté fleuve.

14 ÎLE D'ORLÉANS, ST-LAURENT *Gîte du Passant*

F a ℜ1

In a house at least 150 years old, I will make you a large breakfast accompanied by warm friendship in a relaxing atmosphere of yesteryear. Two rooms with private bathrooms. 25 km from Québec City and close to Mont Ste-Anne.

From Québec City, Hwy. 40 East towards Ste-Anne-de-Beaupré, Ile d'Orléans Exit. At the traffic lights, keep straight. Drive 7 km.

LA VIEILLE MAISON FRADET
Raymonde Fradet
1584 chemin Royal
St-Laurent, Île d'Orléans
G0A 3Z0 (418) 828-9501

$ 35, $$ 45-55, ● 10
(rc : 1 ch, 1er : 2 ch) (4 sb)

J F M A M J J A S O N D

Dans une vieille maison de plus d'un siècle et demi, je vous réserve un "gros" petit déjeuner accompagné d'une chaude amitié dans une atmosphère d'antan et de détente. 2 chambres avec salle de bain privée. À 25 km de Québec et près du Mont Ste-Anne.

De Québec, aut. 40 est direction Ste-Anne-de-Beaupré, sortie Ile d'Orléans. Aux feux de circulation, aller tout droit. Faire 7 km.

15 ÎLE D'ORLÉANS, ST-PIERRE *Gîte du Passant*

F a ℜ0 VS

A bewitched island, full of earthen riches and artistic touches. A two-century-old house, furnished with antiques, where the family table is king. We serve group meals in the evening with our own farm products. A special kind of reality. Come experience moments from another time.

From Québec City, Rte. 440 East towards Ste-Anne-de-Baupré, Ile d'Orléans Exit. After the bridge, at the traffic lights, turn left. Past the St-Pierre church.

LA MAISON SUR LES PENDANTS
Francine et Gilles
1463 chemin Royal
St-Pierre, Île d'Orléans
G0A 4E0 (418) 828-1139

$ 45, $$ 55, ● 5-15
(1er : 4 ch) (2 sb)

J F M A M J J A S O N D

Une île dite ensorcelée, pleine de richesses de la terre et de mains d'artistes. Une maison bicentenaire, meublée à l'ancienne, où la table familiale règne. Nous servons le repas du soir en groupe avec nos produits de la ferme. Venez vivre des moments d'autrefois.

De Québec, rte 440 est, direction Ste-Anne-de-Beaupré, sortie Ile d'Orléans. Après le pont, aux feux de circulation, à gauche. Passer l'église de St-Pierre.

16 ÎLE D'ORLÉANS, ST-PIERRE *Gîte du Passant* F A ℜ2

Large and beautiful ancestral residence, near the oldest church in Québec. Warm and peaceful atmosphere. 150 000 square feet of property. Some farm animals and American buffalo. Art workshop. Magnificent view. Near Québec City and Mont Ste-Anne.

From Québec City, Rte. 138 East, Ile d'Orléans Exit. At the traffic lights, turn left. At the center of the village of St-Pierre, turn left between the two churches.

LE VIEUX PRESBYTÈRE
L. Lapointe et H. L'Heureux
1247 Mgr. D'Esgly
St-Pierre, Île d'Orléans
GOA 4E0
(418) 828-9723

$ 40-57, $$ 47-69, ● 0-8
(rc : 1 ch, 1er : 4 ch) (3 sb)
J F M A M J J A S O N D

Belle et grande résidence ancestrale, voisine de la plus vieille église du Québec. Atmosphère chaleureuse et paisible. Domaine de 150 000 pi. ca. Quelques animaux de la ferme et bisons d'amérique. Atelier d'art. Vue magnifique. Près de Québec et du Mont Ste-Anne.

De Québec, rte 138 est, sortie Ile d'Orléans. Aux feux de circulation, tourner à gauche. Au centre du village de St-Pierre, tourner à gauche entre les deux églises.

17 L'ANGE-GARDIEN *Gîte du Passant* F A ℜ4.5 VS

15 minutes from Québec City, opposite the Ile d'Orléans. Old world charm and calm country atmosphere are part of our home. Three hundred year-old historic monument with modern comfort in the rooms, living room area, fridge in each, tables and B.B.Q.

From Québec City, Rte. 440 East towards Ste-Anne-de-Beaupré. Past the Montmorency Falls, at the second traffic lights, Rue Casgrain left, Rue Royale right and Rue de la Mairie left.

MAISON LABERGE
France Maës
24 rue de la Mairie
L'Ange-Gardien G0A 2K0
(418) 822-0152

$ 40, $$ 55-70, ● 0-10
(1er : 3 ch) (3 sb)
J F M A M J J A S O N D

À 15 minutes de Québec, face à l'Ile d'Orléans. Charme du passé et calme atmosphère champêtre vous attendent chez nous. Monument historique de 300 ans et confort moderne des chambres, coin salon, frigo dans chacune, chaises longues, tables et B.B.Q.

De Québec, Rte. 440 est direction Ste-Anne-de-Beaupré. Après les chutes Montmorency, aux deuxième feux de circulation, rue Casgrain à gauche, rue Royale à droite et rue de la Mairie à gauche.

18 PORTNEUF-STATION *Gîte du Passant* F a ℜ5

Comfortable, sunny, Victorian-inspired house. Warm and welcoming atmosphere. Landscaped garden: trees, flowers, veranda, shadow and light... a pleasant way to relax. We will be happy to share with you. Welcome.

Halfway between Québec City and Trois-Rivières (40 km). On Hwy. 40 Exit 261, drive North for 1 km. Or on Rte. 138, take Rue Provencher at Portneuf-ville. Drive straight ahead North for 2 km.

LA DAME EN BEIGE
Marthe Vézina et
Pierrette Pelletier
761 St-Louis
Portneuf-Station G0A 2Z0
(418) 286-4085

$ 40, $$ 60, ● 10
(1er : 3 ch) (1 sb)
J F M A M J J A S O N D

Maison d'inspiration victorienne confortable et ensoleillée. Atmosphère accueillante et chaleureuse. Parterre aménagé: arbres, fleurs, «galeries», ombre et lumière... détente agréable. Nous serons heureuses de partager avec vous. Bienvenue.

À mi-chemin entre Québec et Trois-Rivières (40 km). Par l'autoroute 40, sortie 261 direction nord et faire 1 km. Ou par la rte 138, prendre la rue Provencher à Portneuf-Ville. Aller tout droit vers le nord et faire 2 km.

19 QUÉBEC *Gîte du Passant*

F A ℜ0.5

Situated close to downtown Québec City, convenient for those tourists who wish to walk to scenic old Québec City. Public transit at the corner takes you to the center of the city in five minutes.

Hwy. 20, Pierre Laporte bridge, downtown Québec, Laurier Blvd. - Québec downtown. 8.1 km after the bridge, turn left on Brown Ave. Or Hwy. 40, St-Sacrement South Ave., Ste-Foy Road, turn left, drive 1.5 km to Brown Ave.

B & B BEDONDAINE
Sylvie et Gaétan
953 avenue Brown
Québec G1S 2Z6
(418) 681-0783

$ 45, $$ 60, ● 15
(2e : 1 ch) (1 sb)

J F M A M J J A S O N D

Situé au centre-ville de Québec, à quelques pas des lieux touristiques pour ceux qui désirent visiter à pied, pour les autres, le transport en commun les mènera à l'intérieur des murs du Vieux-Québec en 5 minutes.

Aut. 20, pont Pierre Laporte, boul. Laurier, direction centre-ville. À 8.1 km du pont, tourner sur ave Brown. Ou aut. 40, ave St-Sacrement sud, à gauche sur ch. Ste-Foy, faire 1.5 km.

20 QUÉBEC *Gîte du Passant*

F A ℜ1

Ancestral home built in the beginning of the 18th century, at the heart of our heritage and located near Old Québec City, and very near the main points of interest. In the summer, relax in the little flower garden, and in winter, by the fireside. Enjoy breakfast in a warm decor and relaxed atmosphere.

Hwy 20, cross the Pierre Laporte Bridge, Blvd. Champlain Exit. At the 6th lights, turn left on Rue Champlain. Or from Hwy. 40, before the Pierre Laporte Bridge, Blvd. Champlain Exit. At the 6th light, turn left on Rue Champlain.

HAYDEN'S, WEXFORD HOUSE
Michelle Paquet Rivière
450 rue Champlain, Québec
G1K 4J3 (418) 648-1416
Télécopieur (418) 648-8995

$ 42, $$ 58, ● 10
(2e : 3 ch) (2 sb)

J F M A M J J A S O N D

Maison ancestrale début du 18e siècle au coeur du patrimoine et à quelques pas du Vieux-Québec et des principaux points d'intérêt. En été, relaxez dans le petit jardin fleuri et en hiver, près du foyer. Savourez le petit déjeuner dans un décor chaleureux et une ambiance de détente.

Aut. 20, pont Pierre Laporte, sortie boul. Champlain. Aux 6e feux de circulation, à gauche rue Champlain. Ou aut. 40, avant pont Pierre Laporte, sortie boul. Champlain. Aux 6e feux de circulation, à gauche rue Champlain.

21 QUÉBEC *Gîte du Passant*

F A ℜ0.5 VS

Five minutes from Old Québec City on a tree-lined residential street, we offer a peaceful setting conducive to relaxation. Breakfast is home-made, organically grown, and served to classical music. Tourist information and documentation is available. Non-smokers only.

From Québec City, Pierre Laporte Bridge towards Ste-Anne-de-Beaupré, Hwy. 40 to Exit 315. At the lights, turn left then right onto 1st Ave. Left onto 22nd Rue, right at Benoit XV, left onto 21st Rue.

Odile Côté et David Leslie
324, 21e Rue
Québec G1L 1Y7
(418) 648-8168

$ 45, $$ 55, ● 5-15
(1er : 3 ch) (1 sb)

J F M A M J J A S O N D

À 5 minutes du Vieux-Québec, dans un endroit paisible, paré d'arbres, nous vous offrons de bons moments de repos. Déjeuner composé d'aliments de culture organique, accompagné d'une douce musique. Informations touristiques offertes. Gîte non-fumeur.

De Québec, pont Pierre Laporte, direction Ste-Anne-de-Beaupré, aut. 40, sortie 315. À la lumière, à gauche. 1ère Avenue à droite. 22e Rue à gauche. Boul. Benoit XV à droite. 21e Rue à gauche.

22 ST-FERRÉOL *Maison de Campagne* F A M0.1 ℜ0.5 VS MC

Located at the base of Mont-Sainte-Anne, 30 min. from downtown Québec City, Country Houses, modern or antique (200 years old), can accommodate from 5 to 12 persons. They include: sauna or double jacuzzi, fireplace, washing machine and dryer, dishwasher, fully equipped kitchen, TV, cable and firewood.

1 km past Mont-Sainte-Anne, village of St-Ferréol-les-Neiges.

CHALETS VILLAGE
Gilles Éthier
1813-27-52-53 ave. Royale
St-Ferréol-les-Neiges
(418) 650-2030
1-800-461-2030(après 19H00)

J F M A M J J A S O N D

Situées au pied du Mont-Sainte-Anne à 30 min. du centre-ville de Québec et à la porte de Charlevoix, «maisons de campagne» modernes ou antiques (200 ans) accueillent de 5 à 12 pers. Inclus: sauna ou bain tourbillon double, foyer, laveuse, sécheuse, lave-vaisselle, cuisine équipée, TV, cable et bois de chauffage.

1 km après le Mont-Sainte-Anne, village de St-Ferréol-les-Neiges.

Adresse postale:
C.P. 275, Ste-Anne-de-Beaupré
G0A 3C0

NBR DE MAISONS	CH	PERS	$SEM-ÉTÉ	$SEM-HIVER	$WE-ÉTÉ	$WE-HIVER
4	2 à 5	2 à 12	595 à 795	950 à 1 500	295 à 675	675 à 875

23 ST-FERRÉOL-LES-NEIGES *Gîte du Passant* F A ℜ1

Holiday spot for all 4 seasons, 2 min. from the Mont Ste-Anne Park and 30 min. from Québec City. Modern comfort, fireplace, spacious rooms in Swiss and Austrian style, queen or twin beds, sinks. Winter rate $ 65 (double occupancy). If possible call in advance.

From Québec City towards Ste-Anne-de-Beaupré on Rte. 138. At Beaupré, Rte. 360 towards St-Ferréol-les-Neiges for 5 km past Mont Ste-Anne, near the church. Close to 7 falls park and Cap Tourmente.

LES AROLLES
Eveline et Louis Hébert
3489 ave. Royale, route 360
St-Ferréol-les-Neiges
G0A 3R0
(418) 826-2136

$ 40, $$ 60
(1er : 4 ch) (2 sb)

J F M A M J J A S O N D

Relais sport et nature 4 saisons, à 2 min. du Mont Ste-Anne et 30 min. de Québec. Confort des années 90, foyer, chambres spacieuses «aux airs» suisses et autrichiens, lits queen ou jumeaux, lavabo. Non-fumeur. Tarif hiver 65 $ en double, téléphoner à l'avance si possible.

De Québec, rte 138 est direction Ste-Anne-de-Beaupré. À Beaupré, rte 360 vers St-Ferréol-les-Neiges, faire 5 km après le Mont Ste-Anne. Près de l'église. À proximité des 7 chutes et du Cap Tourmente.

24 ST-JOACHIM *Gîte du Passant* F a ℜ2

In the country, three-century-old house offering its living rooms with fireplace and games room. Large bedrooms and rooms reserved for guests. Picnic area. Large vegetable garden. Evening meal and packages available. 10 km from Mont Ste-Anne and 3 km from Cap-Tourmente.

From Québec City, 40 km on Rte. 138 East, of from Baie St-Paul, Rte. 138 West, follow signs for St-Joachim. At the traffic lights, turn on Rue Prévost, left on Royale. At St-Joachim, at the stop sign, straight ahead for 1 km.

LA VIEILLE FORGE DU CAP TOURMENTE
L. Gagné et J.-P. Ayotte
26 chemin du Cap Tourmente
St-Joachim G0A 3X0
(418) 827-8207

$ 36, $$ 56-66, ☻ 12
(rc : 1 ch, 1er : 4 ch) (4 sb)

J F M A M J J A S O N D

À la campagne, maison tricentenaire offrant salon avec foyer et espace de jeu. Grandes chambres et pièces réservées aux invités. Aire de pique-nique. Grand potager. Forfaits disponibles. 10 km du Mont Ste-Anne et 3 km du Cap Tourmente.

De Québec, 40 km sur rte 138 est ou de Baie St-Paul, rte 138 ouest. Suivre indications pour St-Joachim. Aux feux de circulation, tourner sur rue Prévost, à gauche sur Royale. À St-Joachim, à l'arrêt, aller tout droit et faire 1 km.

25 STE-ANNE-DE-BEAUPRÉ *Gîte du Passant*

F a ℜ1 VS MC

Carole and Raymond welcome you to their warm attic located between the mountain and the river, opposite the l'Ile d'Orléans. We serve good country style breakfasts. Skiing, mountain biking at Mt Ste-Anne, walking at Cap Tourmente. Farm animals.

From Québec City, Rte. 360 East towards Ste-Anne-de-Beaupré. At the end of Château-Richer, take the street opposite the motel "Roland Hélicon" (Rue Paré). At the end, right on Ave. Royale.

LA MAISON D'ULYSSE
Carole Trottier
9140 avenue Royale
Ste-Anne-de-Beaupré
G0A 3C0
(418) 827-8224

$ 40, $$ 50-60, ● 12
(1er : 3 ch) (2 sb)

J F M A M J J A S O N D

Carole et Raymond vous accueillent dans une chaleureuse mansarde sise entre la montagne et le fleuve, face à l'Ile d'Orléans. Bon déjeuner campagnard. Ski, vélo de montagne au Mont Ste-Anne, randonnée pédestre au Cap Tourmente. Animaux de ferme.

De Québec, rte 360 est vers Ste-Anne-de-Beaupré. À la limite de Château-Richer, prendre la rue en face du motel «Roland Hélicon» (rue Paré). Au bout, avenue Royale à droite.

26 STE-FOY *Gîte du Passant*

F A 🚗 ℜ0.5 VS

Enjoy Québec hospitality. Quiet district, warm atmosphere, comfortable rooms, hearty breakfast. Near all facilities: Shopping centers, easy public transport, cinemas, special eateries. Customers are invited to refrain smoking in the house. One room with washbasin.

From Montréal, Hwy. 20 East towards Québec City, Pierre Laporte Bridge, take Blvd. Laurier to "Laurier Shopping Center", turn right on Jean Dequen Street. First house on right on Lapointe Street.

LA MAISON LECLERC
Nicole Chabot et
Conrad Leclerc
2613 rue Lapointe
Ste-Foy G1W 3K3
(418)653-8936/(418)657-3595

$ 30, $$ 45, ● 5-10
(ss : 1 ch, rc : 2 ch) (2 sb)

J F M A M J J A S O N D

Profitez de l'hospitalité québécoise. Quartier calme, atmosphère chaleureuse, chambres confortables, copieux petit déjeuner, près centres d'achat, transport public, cinémas, restaurants. La clientèle est invitée à s'abstenir de fumer dans la maison. Une chambre avec lavabo.

De Montréal, aut. 20 est direction Québec, pont Pierre Laporte, sortie boul. Laurier. Au centre d'achat "Place Laurier", tourner à droite à la rue Jean Dequen jusqu'à la rue Lapointe.

27 STE-FOY *Gîte du Passant*

F 🚗 ℜ0.3

House located in the heart of the town of Ste-Foy, 1 km from the Pierre Laporte Bridge. Very near the largest shopping centres in Québec City, the bus station, the post office, banks, hospitals. We speak Spanish very well.

After the Pierre Laporte Bridge going towards the Québec City downtown, Blvd. Laurier, turn left on Rue De l'Eglise, and right on Légaré, then right again at the next street.

MAISON DINA
Dina Saez-Velozo
2850 Fontaine
Ste-Foy G1V 2H8
(418) 652-1013

$ 35, $$ 50, ● 12
(ss : 2 ch, rc : 1 ch) (2 sb)

J F M A M J J A S O N D

Maison située dans le coeur de la ville de St-Foy à 1 km du pont Pierre Laporte. Très près des plus grands centres d'achat de Québec, de la gare d'autobus inter provinciale, du bureau de poste, banques, hôpitaux. Nous parlons très bien l'espagnol.

Après pont Pierre Laporte direction centre-ville de Québec, boul. Laurier, tourner à gauche rue de l'Église, à droite rue Légaré et à la prochaine rue encore à droite.

28 STE-FOY *Gîte du Passant*

F a 🚗 ℜ0.1

Canadian-style house located in a calm residential neighborhood, near services, shopping center, public transport and expressways. 15 min. from Old Québec. Warm atmosphere, comfortable rooms. Welcome.

From Montréal, Hwy. 20 East towards Québec City, Pierre Laporte Bridge. At the first light, turn right on Rue Lavigerie, at the third street, right on Rue de la Seine.

Monique et André
Saint-Aubin
3045 rue de la Seine
Ste-Foy G1W 1H8
(418) 658-0685

$ 35-40, $$ 50, ● 10
(rc : 2 ch, **1er** : 1 ch) (3 sb)

J F M A M J J A S O N D

Maison de style canadien située dans un quartier résidentiel, tranquille, près des services, centre d'achat, transport public et voies rapides. À 15 minutes du Vieux-Québec. Atmosphère chaleureuse, chambres confortables. Bienvenue chez nous.

De Montréal, aut. 20 est, direction Québec, pont Pierre Laporte, sortie boul. Laurier. À la première lumière, tourner à droite sur la rue Lavigerie et à droite à la 3e rue sur de la Seine.

29 SILLERY *Gîte du Passant*

F A 🚗 ℜ0.2

New townhouse development in Sillery. The old established central area of Québec City. Convenient for many attractions. 10 min. Old Québec. Large bedrooms. Full breakfast, home-made specialities. Personalized tourist information. Welcome home.

Hwy. 20, Pierre Laporte Bridge, Laurier Blvd. towards Québec City. Pass Laval University, turn left on Maguire St. At left at the private entrance "Habitât Maguire".

B & B BIENVENUE
QUÉBEC SILLERY
Lili et Claude
1067 Maguire
Sillery G1T 1Y3
(418) 681-3212

$ 25-40, $$ 45-60, ● 10
(ss : 1 ch, **1er** : 1 ch) (2 sb)

J F M A M J J A S O N D

Maison de ville moderne calme dans secteur choyé. Sillery à 10 min. du Vieux-Québec, près des principaux artères. Chambre spacieuse. Déjeuner complet. Disponibilité pour information touristique personalisée. Bienvenue chez nous pour un séjour à Québec.

Aut. 20, pont Pierre Laporte, boul. Laurier direction Québec. Après l'université Laval, tourner à gauche sur avenue Maguire et à gauche à l'enseigne «Habitât Maguire», prendre entrée privée.

Bienvenue à St-Ferréol-les-Neiges, magnifique village en bordure du Parc du Mont Ste-Anne

SEPT-CHUTES

Site touristique
d'interprétation
et de plein-air

Une journée de découverte !

Centrale hydroélectrique 1916-1984.
Centre d'interprétation historique.
Forge datant de 1929.
Chutes (130 m), sentiers (7 km).
Aires de pique-nique et de jeux.
Restaurant licencié.

Ouverture:
Du 15 mai au 11 octobre 1993.

Un prix d'entrée est exigé.

4520 avenue Royale
St-Ferréol-les-Neiges, G0A 3R0
Info.: (418) 826-3139

GÎTE DU PASSANT Mont-Sainte-Anne

B&B
Les Arolles
Couette et Café

à proximité:
golf, équitation, ski, vélo.
(418) 826-2136

3489, ave Royale, St-Ferréol-les-Neiges
Québec G0A 3R0

LE GÎTE DU PASSANT CHEZ MARTINE FORTIN ET SERGE BOUCHARD

824, Route 169 Chambord (Québec) G0W 1G0
TéL.: (418) 342-8446 ou (418) 342-8388

Possibilités de: randonnée en canoë l'été
séjour en forêt avec les amérindiens*
connaissances des cultures amérindiennes
balades en traîneau à chiens l'hiver

pour connaître les tarifs, communiquez avec nous !
sur réservations seulement
*minimum de 5 personnes exigé

voir page 180

Le Cochon Dingue
Un resto digne et dingue

Nos déjeuners

Un repas qu'on prend plaisir à prolonger!!!

À la parisienne, à l'américaine, à la québecoise ou encore à la carte... nos déjeuners accompagnés d'un excellent café ou de notre chocolat chaud maison vous feront partir du bon pied.

Cuits chaque jour dans nos fourneaux avec amour!

Tartes, gâteaux aux multiples saveurs , carrés aux framboises, tarte au sucre d'érable, difficile de choisir parmi ces desserts ... cochons!

Le steak frite à l'européenne. Notre formule Dingue, un régal en bonne compagnie!

La formule comprend: crème du jour, salade verte, frites allumettes **à volonté** et une entrecôte nappée de la sauce dingue pour les appétits en folie!

Le plein d'énergie à l'européenne pour satisfaire les fringales.

Croque-monsieur, sous-marins, bagels etc...Servis avec salade de carottes, pot de cornichons et à votre choix, salade verte ou frites alumettes.
De quoi vous rassasier!

46, boul. Champlain
QUÉBEC, 692-2013
Face à la traverse de Lévis

46, boul. St-Cyrille
QUÉBEC, 523-2013
Près de la rue Cartier

1326, av. Maguire
SILLERY, 684-2013
Entre le boul Laurier et le ch. St-Louis

SAGUENAY-LAC-SAINT-JEAN

*Les numéros sur la carte correpondent à la numérotation des gîtes de la région

The numbers on the map correspond to the numbers of each establishment within the region.

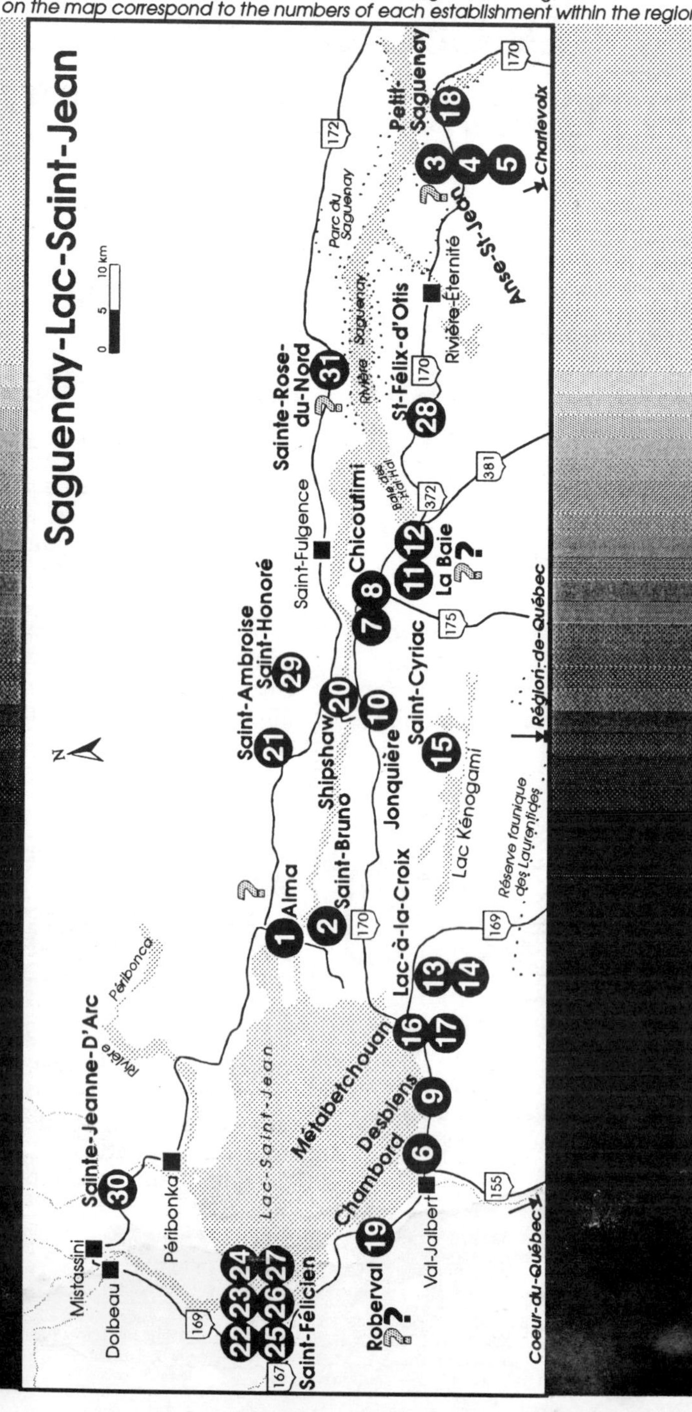

1 ALMA *Gîte du Passant*

F a ℜ1.2

It will be pleasure to have you, large property ideal for picnics. Bicycle rack. Reading room. Generous breakfast and good cheer await you. Welcome sport fishers.

From Québec City, Rtes. 175 North and 169 towards Hébertville. At the exit of the Parc des Laurentides, towards Alma. House near the 6th Rang. Or from La Tuque, Rte. 155 North, at Chambord, Rte. 169 towards Alma.

LE GÎTE DU BLEUET
Georgette et Roland Dufour
3100 Dupont sud, route 169
Alma G8B 5V2
(418) 662-7017

$ 30, $$ 40, ● 5-10
(1er : 3 ch) (2 sb)
J F M A M J J A S O N D

Vous recevoir est notre plaisir, grand terrain idéal pour pique-niques. Remise pour vélos. Salle de détente et lecture. Déjeuner copieux et bonne humeur vous attendent. Bienvenue aux pêcheurs.

De Québec, rtes 175 nord et 169 vers Hébertville. À la sortie du Parc des Laurentides, direction Alma. Maison près du 6e rang. Ou de La Tuque, rte 155 nord, à Chambord, rte 169 vers Alma.

2 ALMA, ST-BRUNO *Gîte du Passant*

F a ℜ2

Come and experience our warm friendship and hospitality, and the comfort of our large, beautifully decorated home. Hearty, home-made breakfast. Well located for touring the region. Bicycle shelter. It will be a pleasure to have you with us.

From Québec City or La Tuque: take Rte. 169 towards Alma. From the intersection of 169/170, drive 4 km 2nd house on the left, or from Alma: Dupont Avenue South to the beginning of St-Bruno.

LA MAISON
CHALEUREUSE
Lucille et Bruno Tremblay
991 route 169
Alma, St-Bruno G0W 2L0
(418)668-7625/(418)668-8182

$ 30, $$ 40
(rc : 3 ch) (2 sb)
J F M A M J J A S O N D

Venez goûter notre chaude amitié, l'hospitalité, le confort de notre vaste demeure joliment décorée. Déjeuner copieux et fait maison. Bien centrée pour visiter la région. Abri pour bicycles. C'est un plaisir de vous accueillir chez nous.

De Québec ou La Tuque, prendre la rte 169 vers Alma. De l'intersection 169/170, faire 4 km, 2e maison à gauche. Ou d'Alma, avenue Dupont sud jusqu'au début de St-Bruno.

3 ANSE-ST-JEAN *Gîte du Passant et Gîte à la Ferme*

F ℜ1

Our village is worth the trip. House surrounded by the Saguenay and St-Jean Rivers as well as the Barachois stream. We welcome visitors with open arms, and are happy to take you to see the sights in the nearby Parc Saguenay. Delicious home-made bread. Aperitifs offered... We also offer a farm house (see p. 51).

From Québec City, Rte. 138 East to St-Siméon. Rte. 170 North towards Anse-St-Jean. At the village church, turn left, cross the covered bridge, drive 1 km, first farm on the right.

FERME DES
3 COURS D'EAU
Odile et Marc Boudreault
34 St-Thomas nord
Anse-St-Jean G0V 1J0
(418) 272-2944

$ 22-25, $$ 35-40, ● 12-15
(1er : 3 ch) (2 sb)
J F M A M J J A S O N D

Notre village vaut le déplacement. Maison entourée des rivières Saguenay, St-Jean et du ruisseau Barachois. C'est avec plaisir que nous recevons des visiteurs à qui nous aimons faire visiter les sites qui entourent le Parc Saguenay. Goûter notre pain maison. Apéro offert. Offrons aussi le gîte à la ferme (voir p 51).

De Québec, rte 138 est jusqu'à St-Siméon. Rte 170 nord direction Anse-St-Jean. À l'église du village, tourner à gauche, traverser le pont couvert, faire 1 km. 1ère ferme à droite.

4 ANSE-ST-JEAN *Gîte du Passant* F a

At "La Pantouflarde", we will be pleased to have you. Halfway between the Malbaie and Chicoutimi, 5 km from Mont-Édouard, come and relax to the murmur of the river on the road to your vacation, a peaceful stop in the heart of nature.

From Québec City, Rte. 138 East towards St-Siméon. Rte. 170 towards Anse-St-Jean. Rue St-Jean-Baptiste, a lantern on the balcony means you're in the right place.

LA PANTOUFLARDE
Françoise Potvin et
Marc Allard
129 St-Jean-Baptiste
Anse-St-Jean G0V 1J0
(418)272-2182/(418)545-4815

$ 30, $$ 40, ● 10-15
(1er : 3 ch) (1 sb)
J F M A M J J A S O N D

À la Pantouflarde, recevoir est un plaisir. À mi-chemin entre La Malbaie et Chicoutimi, à 5 km du Mont-Édouard, venez vous détendre au murmure de la rivière. Sur la route des vacances, une halte paisible au coeur de la nature.

De Québec, rte 138 est vers St-Siméon. Rte 170 direction Anse-St-Jean. Rue St-Jean-Baptiste, une lanterne sur la galerie vous indique que vous êtes au bon endroit.

5 ANSE-ST-JEAN *Gîte du Passant* F A ℜ0.1 VS

Come and relive the times of the schooners and their loving captains, recounting tales of their magnificent voyages. Come and enjoy the beauties of the Saguenay fjord, walks in the summer and downhill skiing with set price in the winter.

From Québec City, Rte. 138 towards St-Siméon. Rte. 170 towards Anse-St-Jean. Rue St-Jean-Baptiste towards the quay, the "captain's house" is the white house on the right past the church.

MAISON DU CAPITAINE
Rollande et Germain
274 St-Jean-Baptiste
Anse-St-Jean G0V 1J0
(418) 272-3491

$ 30, $$ 45, ● 10-15
(rc : 1 ch, 1er : 4 ch) (2 sb)
J F M A M J J A S O N D

Venez revivre chez nous le temps des petites goélettes et de ses capitaines amoureux, racontant dans leurs plus belles langues leurs voyages magnifiques. Venez goûter les beautés du fjord du Saguenay. Randonnées pédestres, ski alpin avec forfait.

De Québec, rte 138 est vers St-Siméon. Rte 170 direction Anse-St-Jean. Rue St-Jean-Baptiste vers le quai, la «Maison du capitaine» est la maison blanche à droite passé l'église.

6 CHAMBORD *Gîte du Passant* F A ℜ1

Take advantage of a magnificient view over the Lac St-Jean and the calm beach. Listen to the roar of the Val-Jalbert falls only 1 km away, smell the freshly cut hay while resting in hammocks and listening to ghost stories.

From Parc des Laurentides, Rte. 169 to Roberval. Pass through Chambord, continue up to the 824. Its at 5 min. Or from La Tuque, Rtes. 155 North and 169 on your left.

Martine Fortin et
Serge Bouchard
824 route 169
Chambord G0W 1G0
(418)342-8446/(418)342-8388

$ 35, $$ 45, ● 10
(1er : 3 ch) (2 sb)
J F M A M J J A S O N D

Profitez d'une vue saisissante du lac St-Jean et de la plage tranquille, écoutez gronder les chutes de Val-Jalbert à 1 km, humez l'odeur du foin coupé en vous prélassant dans les hamacs et laissez vous raconter des histoires de fantômes.

Du Parc des Laurentides, rte 169 vers Roberval. Après Chambord, c'est à 5 min. Ou de La Tuque, rtes 155 nord et 169 à gauche.

7 CHICOUTIMI *Gîte du Passant*

F a ♿ 🐕 ℜ6

Discover an oasis of greenery and intimacy, where a beautiful river flows around the house. Life here is more in tune with the seasons. With your head amongst the stars, you drift off to sleep to the gentle sounds of the water, as the bedroom has the audacity to be right over the river.

From Québec City, Rte. 175 North, Du Parc Exit. At the second traffic lights, Rte. 170 towards La Baie, drive 5 km (Petro-Canada), left on Rang Ste-Famille, drive 0.6 km and the 2nd road on the right. Last house.

LE GOÛT DE L'EAU
Ruth Tremblay et
Christian Ponge
3483 rang Ste-Famille
Chicoutimi G7H 5B1
(418) 543-6306

$ 30, $$ 40, ● 10
(rc : 1 ch) (1 sb)

J F M A M J J A S O N D

Découvrez une oasis de verdure, d'intimité où une belle rivière court autour de la maison. On y vit plus près des saisons. La tête dans les étoiles on s'endort au chant des remous comme en bateau car la chambre a l'audace de se trouver au-dessus de l'eau.

De Québec, rte 175 nord, sortie du Parc. Aux 2ᵉ feux de circulation, rte 170 direction La Baie, faire 5 km (Petro-Canada), à gauche sur rang Ste-Famille, faire 0.6 km et 2ᵉ chemin à droite. Dernière maison.

8 CHICOUTIMI *Gîte du Passant*

F 🐕 ℜ2

In the Yacola household, "joie de vivre" and a warm welcome. Chicoutimi, city of flowers, close to summer theatres, museums, cruises, golf courses, restaurants and «the fabulous history of a realm». I will be happy to have you.

From Québec City, Rte. 175 North to Chicoutimi. At the first traffic lights (near the shopping centre), turn left on Rue des Saguenéens. Right on Rue Bégin. At the first traffic lights, left on Rue des Oblats.

Pierrette Yacola
2 rue des Oblats
Chicoutimi G7J 2A3
(418) 549-0842

$ 30, $$ 40
(rc : 2 ch) (1 sb)

J F M A M J J A S O N D

À la maison Yacola, joie de vivre et accueil chaleureux. Chicoutimi, ville fleurie, près des théâtres d'été, musées, croisières, golf, restaurants et de «la fabuleuse histoire d'un royaume». Je vous attends avec plaisir.

De Québec, rte 175 nord jusqu'à Chicoutimi. Aux premiers feux de circulation, (près des centres d'achats), tourner à gauche sur rue des Saguenéens. Rue Bégin à droite. Aux premiers feux de circulation, tourner à gauche rue des Oblats.

9 DESBIENS *Gîte du Passant*

F a 🚗 ℜ4

Welcome to our home for your stay in Lac-St-Jean. Tree and flower garden, pool and patio. A little muscular relaxation: physical fitness room. Located at the centre of the major tourist attractions in Lac-St-Jean, and 45 minutes from the Saguenay. The most beautiful beach in Lac St-Jean 10 minutes away.

From La Tuque, Rte. 155 North to Chambord. Turn right on Rte. 169, drive 6 km. Or from the Parc des Laurentides, Rte. 169 towards Roberval.

GÎTE DU BOULEAU
BLANC
Monique et Samuel Deschênes
362, 13e avenue
Desbiens G0W 1N0
(418) 346-5274

$ 30, $$ 40, ● 15
(1er : 3 ch) (1 sb)

J F M A M J J A S O N D

Bienvenue chez nous pour votre séjour au Lac-St-Jean. Jardin d'arbres, de fleurs, piscine et patio. Un peu de détente musculaire: une salle de conditionnement physique. Situé au centre des activités et endroits touristiques majeurs du Lac-St-Jean et à 45 min. du Saguenay. Plage du lac St-Jean à 10 min.

De La Tuque, rte 155 nord jusqu'à Chambord. Tourner à droite à la rte 169, faire 6 km. Ou du Parc des Laurentides, rte 169 direction Roberval.

10 JONQUIÈRE *Gîte du Passant*

F a ℜ0.5

Come and experience the Saguenay at our little family's rhythm. We offer tours of the most beautiful parts of the Saguenay, accompanied by a bit of fresh air, either on the water or on a bicycle, and a fabulous show in the evening. Very sunny place and comfortable bedrooms.

From Québec City, Rte. 175 North and Rte. 170 West towards Jonquière. Drive 7 km to the light "Faubourg Sagamie", turn right on Rue Mathias, to Rue La Croix, third house.

Sylvie Lapointe et
Claude Ellefsen
2602 de La Croix
Jonquière G7S 1P4
(418) 548-1889

$ 30, $$ 40, ● 5-10
(ss : 2 ch) (2 sb)

J F M A M J J A S O N D

Venez vivre la sagamie au rythme de notre petite famille. On vous propose un tour guidé des plus beaux coins du Saguenay, accompagné d'un peu de plein air, sur l'eau ou à vélo, et en soirée un spectacle fabuleux. Gîte très ensoleillé et chambres confortables.

De Québec, rte 175 nord et rte 170 ouest direction Jonquière. Faire 7 km jusqu'à la lumière «Faubourg Sagamie», tourner à droite rue Mathias, jusqu'à la rue de La Croix, troisième maison.

11 LA BAIE *Gîte du Passant*

F a ℜ2

2 km West of Ville-de-la-Baie and 12 km East of Chicoutimi. You are welcome in our ancestral home. You will enjoy staying with us. We will serve you breakfast with fresh farm products.

From Parc des Laurentides, Rtes. 175 North and 170 East towards Ville-de-la-Baie. At Rue Victoria, turn left and drive 2 km. Or from Chicoutimi, Rte. 372 towards Ville-de-la-Baie.

LA MAISON DES
ANCÊTRES
Judith et Germain Simard
270 chemin St-Joseph
Ville-de-la-Baie G7B 3N9
(418)544-2925/(418)544-1454

$ 30-35, $$ 40-45, ● 10-15
(rc : 2 ch, 1er : 3 ch) (2 sb)

J F M A M J J A S O N D

À 2 km de Ville-de-la-Baie. À 12 km de Chicoutimi. Nous serons heureux de vous accueillir dans notre maison ancestrale. Petit déjeuner copieux, produits frais de la ferme et fromage frais du jour. Au plaisir de vous rencontrer.

Du Parc des Laurentides, rtes 175 nord et 170 est vers Ville-de-la-Baie. À la rue Victoria, tourner à gauche et faire 2 km. Ou de Chicoutimi, rte 372 vers Ville-de-la-Baie.

12 LA BAIE *Gîte du Passant*

F ℜ3

I have been told I am a real "Saguenayenne", with colourful language and easy conversation. I will welcome you in my large farmhouse, in the heart of the Saguenay, ready to show you all the activities our region has to offer year round. Salmon fishing 5 minutes away.

From Québec City, Rtes. 175 North, then 170 East to the Chemin des Chutes on the right. Follow the signs for "Bec Scie". The first farm on the right, with a red roof.

Marguerite Tremblay
"Simard"
530 chemin des Chutes
Ville-de-la-Baie G7B 3N8
(418) 544-1074

$ 28, $$ 40, ● 5-8
(rc : 2 ch, 1er : 3 ch) (3 sb)

J F M A M J J A S O N D

On dit que je suis une vraie «Saguenayenne», que j'ai le langage imagé et la parole facile. Je vous attends dans ma grande maison de ferme, au coeur du Saguenay et de toutes les activités qu'offrent notre région en toute saison. Pêche au saumon à 5 min.

De Québec, rtes 175 nord et 170 est jusqu'au chemin des Chutes à droite. Suivre indication «Bec Scie». 1ère ferme à droite, toit rouge.

13 LAC-À-LA-CROIX *Gîte du Passant*

F a 🚗 ℜ9

House located in the village of Lac-à-la-Croix, 9 km from Rte. 169. Comfortable renovated house with a magnificent garden. 300 m from Lac St-Jean. Ideal for fishing, canoe trips or simply for relaxing.

From the Parc des Laurentides, Rte. 169, take the 2nd exit on the left. About 9 km from the village. Or from Rte. 155, turn right on Rte. 169. After the village of Métabetchouan, take the 2nd exit on the right.

Brigitte et Antoine
525 Duchêne
Lac-à-la-Croix G0W 1W0
(418) 349-2669

$ 35, $$ 40, ● 10
(1er : 2 ch) (2 sb)
J F M A M J J A S O N D

Maison située dans le village de Lac-à-la-Croix à 9 km de la rte 169. Maison rénovée et confortable avec un magnifique jardin. Située à 300 mètres du lac St-Jean. Idéal pour pêche, promenade en canot ou tout simplement pour relaxer.

Du Parc des Laurentides, rte 169, prendre la 2e sortie à gauche. Environ 9 km du village. Ou de la rte 155, prendre à droite la rte 169. Après le village de Métabetchouan, prendre la 2e sortie à droite.

14 LAC-À-LA-CROIX *Gîte du Passant et Gîte à la Ferme*

F a 🚗 ℜ8

Century-old farmhouse where we like to keep up traditions: a toast to friends, home-made meals, cows in their pyjamas in the fall. Well-located for touring the region. Traditional recipes to be shared. Cross-country skiing on the farm and near the mountain. We also offer a farm house (see p. 51).

From the Parc des Laurentides, Rte. 169, first Rang on the left before the village of Hébertville. Drive 11 km.

Céline et Georges Martin
1311 rang 3
Lac-à-la-Croix G0W 1W0
(418) 349-2583

$ 28, $$ 42, ● 12
(rc : 1 ch, 1er : 2 ch) (2 sb)
J F M A M J J A S O N D

Maison de ferme centenaire où l'on aime perpétuer les coutumes: verre de l'amitié, repas maison, vaches en pyjama à l'automne. Bien centré pour visiter la région. Recettes traditionnelles à partager. Ski de fond sur la ferme et près de la montagne. Offrons aussi le gîte à la ferme (voir p 51).

Du Parc des Laurentides, rte 169, 1er rang à gauche avant le village d'Hébertville. Faire 11 km.

15 LAC-KÉNOGAMI, ST-CYRIAC *Gîte du Passant*

F A ℜ3

Located at the centre of the region, on the shores of Lac Kénogami, my home offers a real haven of relaxation: 2 large bedrooms, a hearty breakfast, as much as you like, served outside on the veranda, canoe, pedalo or bike trips, swimming, sunbathing, rest. Warm hospitality. 3 nights: 10% discount.

Get to Jonquière via Blvd. du Royaume, Rte. 170. Drive down the Rue St-Dominique South 10 to 12 km. At the "Ultramar" garage, take the fork to the right. Drive 3.5 km to the house on the left.

LA MAISON DU
LAC-KÉNOGAMI
Henriette Gauthier
3959 chemin de l'Église
Lac-Kénogami G7X 7V6
(418)547-8036/(418)543-4710

$ 30, $$ 45, ● 10-15
(1er : 2 ch) (2 sb)
J F M A M J J A S O N D

Situé au centre de la région, sur le bord du Lac-Kénogami, mon gîte vous offre une vraie «halte repos»: 2 grandes chambres, un copieux déjeuner servi «à volonté» sous la véranda, randonnée en canoë, pédalo ou bicyclettes, natation, bain de soleil, repos. Chaleureuse hospitalité. Réd. 10% pour 3 nuits et plus.

Rendez vous à Jonquière via le boul. du Royaume, rte 170. Descendre rue St-Dominique sud, faire 10 à 12 km. Au garage «Ultramar», prendre la fourche à droite. Faire 3.5 km, maison à gauche.

16 MÉTABETCHOUAN *Auberge du Passant*

F A VS MC ℜ0

At the heart of the village of Métabetchouan, a few minutes from the beautiful beach on Lac-St-Jean, the Auberge Lamy is a magnificent Victorian house, with fine cuisine and hosts who are a fine reflection of the famous hospitality of the region.

From Québec City, from the Parc des Laurentides, Rte. 169 towards Roberval. At Métabetchouan, across from the post office. Or from Trois-Rivières, on Rte. 155 towards Chambord.

AUBERGE LAMY
L. Roy et G. Pelletier
56 rue St-André
Métabetchouan G0W 2A0
(418) 349-8633

$ 60, $$ 84
(1er : 6 ch) (2 sb)

J F M A M J J A S O N D

Au coeur du village de Métabetchouan, à quelques minutes d'une belle plage du Lac-St-Jean, l'Auberge Lamy c'est une magnifique maison victorienne, une table de fine cuisine et des aubergistes qui reflètent bien l'hospitalité de la région du Saguenay-Lac-St-Jean.

De Québec, du parc des Laurentides, rte 169 direction Roberval. À Métabetchouan en face du bureau de poste. Ou de Trois-Rivières, par la rte 155 direction Chambord.

17 MÉTABETCHOUAN *Gîte du Passant*

F a ℜ0.5

View and access to the lake, fishing trip in a boat with Jean-Charles when the weather's good. Soothing décor, flowers, pergola, small game hunting in season, wild fruit, summer theatre, golf. Snack in the evening, fisherman's breakfast.

From the Parc des Laurentides, Rte. 169 towards Roberval. At Métabetchouan, first exit, keep turning right from now on.

Berthe et Jean-Charles Fortin
31, 2e rue Foyer du Lac
Métabetchouan G0W 2A0
(418) 349-2138

$ 35, $$ 40, ● 8-10
(rc : 1 ch, 1er : 2 ch) (2 sb)

J F M A M J J A S O N D

Vue et accès au lac, tour de pêche en chaloupe avec Jean-Charles par beau temps. Décor paisible, fleurs, pergola, chasse au petit gibier en saison, fruits sauvages, théâtres d'été, golf. Goûter en soirée, déjeuner du pêcheur.

Du Parc des Laurentides, rte 169 direction Roberval. À Métabetchouan, 1ère sortie, prendre toujours les rues à droite.

18 PETIT-SAGUENAY *Gîte du Passant*

F ℜ1.5

Come see the flowered village! I am a "saguenoise", and I will give you a welcome appropriate to our friendly region. In a relaxing place, you will sleep the whole night through, and appreciate a good breakfast. Nature lovers will be impressed with our mountains. Hiking trail.

From Québec City, Rte. 138 East to St-Siméon. Rte. 170 North, towards Petit-Saguenay. Drive along the river, cross the bridge, take Rue du Tremblay and Rue du Quai.

LA MAISON DES VIGNES
Laure-Alice Tremblay
25 du Quai, route 170
Petit Saguenay G0V 1N0
(418) 272-2543

$ 25, $$ 40, ● 10-15
(1er : 3 ch) (2 sb)

J F M A M J J A S O N D

Venez voir le village fleuri! Je suis une «saguenoise», chez moi vous serez accueillis chaleureusement dans un endroit reposant, pour dormir vos nuits entières et profiter d'un bon déjeuner. Les amants de la nature seront comblés par nos montagnes. Sentiers pédestres.

De Québec, rte 138 est jusqu'à St-Siméon. Rte 170 nord direction Petit-Saguenay. Longer la rivière, traverser le pont, prendre rue du Tremblay et rue du Quai.

19 ROBERVAL *Gîte du Passant* F ℜ7

Come relax by splendid Lac St-Jean, this inland sea. Take advantage of a well-deserved quiet moment and stretch out on our private beach near the house. It gives us great pleasure to have you as our guests.

From the Parc des Laurentides, Rte. 169. We are 3.5 km from the Val Jalbert bridge. Or from La Tuque, Rte. 155 to Chambord. Turn left to Roberval, Rte. 169.

LA MAISON AU TOIT ROUGE
Yolande et Raynald Girard
1345 boul. de l'Anse, rte 169
Roberval G8H 2N1
(418) 275-3290

$ 30, $$ 40, ● 10
(1er : 2 ch) (2 sb)

J F M A M J J A S O N D

Venez vous reposer devant le splendide lac St-Jean, cette mer intérieure. Profitez d'un moment de détente bien mérité et faites une halte en vous prélassant sur notre plage privée à proximité de la demeure. C'est une immense joie de vous accueillir.

Du Parc des Laurentides, rte 169. C'est à 3.5 km du pont de Val Jalbert. Ou de La Tuque, rte 155 jusqu'à Chambord. Tourner à gauche vers Roberval, rte 169.

20 SHIPSHAW *Gîte du Passant* F ℜ6

18 km from Chicoutimi and near the historic site of St-Jean Vianney, a house on beautiful grounds with flowers and woods for picnics, camping or hikes. Varied breakfast made with organic foods. Try the "health galette". Children will feel at home with us. Living room with fireplace.

From Québec City, Rte. 175 North to Chicoutimi. Dubuc Bridge and Rte. 172 West.

Reine Gravel
4080 route régionale 172
Shipshaw G0V 1V0
(418) 542-7926

$ 25, $$ 40, ● 5-12
(ss : 2 ch, rc : 1 ch) (2 sb)

J F M A M J J A S O N D

À 18 km de Chicoutimi et près du site historique de St-Jean Vianney, maison sur grand terrain fleuri et boisé pour pique-nique, camping ou randonnée. Déjeuner diversifié à base d'aliments biologiques. Dégustez la galette santé. Les enfants se sentiront bien chez nous. Salle de séjour avec foyer.

De Québec, rte 175 nord jusqu'à Chicoutimi. Pont Dubuc et rte 172 ouest.

21 ST-AMBROISE *Gîte du Passant* F a ℜ0.5

In the heart of the village, we would like to invite you to make yourself at home in our home. The house is big and friendly enough to warm your heart and our meals will fill your stomach. The cook's breakfasts are generous with a touch of Brittany.

From Québec City, Rte. 175 North to Chicoutimi. Take Pont Dubuc and Rte. 172 West to St-Ambroise.

Marcelle Bergeron et
Daniel Legall
25 Pedneault, rte 172 ouest
St-Ambroise G0V 1R0
(418) 672-4136

$ 28, $$ 45, ● 9
(1er : 3 ch) (2 sb)

J F M A M J J A S O N D

Au coeur du village, nous avons le goût de vous recevoir et que vous soyez aussi à l'aise que chez vous. La maison est grande, vous y aurez le coeur au chaud et l'estomac gâté. Les déjeuners du cuisinier sont copieux et savoureux avec une touche bretonne.

De Québec, rte 175 nord jusqu'à Chicoutimi. Pont Dubuc et rte 172 ouest jusqu'à St-Ambroise.

22 ST-FÉLICIEN *Gîte du Passant*

F a ℜ0.5

On the riverside, there is a place where the living is easy our place. Separate entrance. Living room with fireplace. Spacious bedrooms with sinks. Generous breakfast. Near major tourist attractions: cruises, zoo. In the evening, relax around the piano.

From the Parc des Laurentides Rte. 169 towards Roberval. At St-Félicien, after the second traffic light, cross the bridge and turn right immediately on Bellevue South. Or from Dolbeau, turn left on Bellevue South.

AU BORD DE LA RIVIÈRE
Gisèle Girard et
Gilbert Gagnon
1191 Bellevue sud
St-Félicien G8K 1G5
(418) 679-4472

$ 35, $$ 50, ● 5-15
(ss : 2 ch) (1 sb)

J F M A M J J A S O N D

Au bord de la rivière, il y a un endroit tranquille et enchanteur où il fait bon vivre, c'est chez nous. Entrée indépendante. Salle de séjour avec foyer. Chambres spacieuses avec lavabo. Copieux petit déjeuner. Près d'attraits touristiques majeurs: croisière, zoo. En soirée, détente autour du piano.

Du parc des Laurentides, rte 169 vers Roberval jusqu'à St-Félicien. Après le 2e feux de circulation, à droite, traverser le pont et immédiatement à droite sur Bellevue sud. Ou de Dolbeau, à gauche sur Bellevue sud.

23 ST-FÉLICIEN *Gîte du Passant*

F a ℜ0.1

Located downtown, near a bus station, and an information centre. A warm welcome awaits you from a retired couple. Breakfast served with home-made bread and jellies. You will learn much about our culture. With pleasure.

From the Parc des Laurentides, Rte. 169 towards Roberval. At St-Félicien, at the first traffic lights, left on Notre-Dame. Or from Dolbeau, at the first traffic lights, left on Sacré-Coeur and at the second traffic lights, right on Notre-Dame.

AU JARDIN FLEURI
Thérèse et
Jean-Marie Tremblay
1179 Notre-Dame
St-Félicien G8K 1Z7
(418) 679-0287

$ 30, $$ 40, ● 5-10
(1er : 4 ch) (2 sb)

J F M A M J J A S O N D

Situé au centre-ville et à proximité du terminus d'autobus et du kiosque d'information. Un accueil chaleureux vous attend de la part d'un couple à la retraite. Déjeuner servi avec pain de ménage et gelées maison. Au plaisir.

Du Parc des Laurentides, rte 169 vers Roberval. À St-Félicien, aux 1er feux de circulation, à gauche sur Notre-Dame. Ou de Dolbeau, aux 1er feux de circulation, à gauche sur Sacré-Coeur et aux 2e feux de circulation, à droite sur Notre-Dame.

24 ST-FÉLICIEN *Gîte du Passant*

F ℜ0.7

Our house is located in a residential area. We have 2 bedrooms in the basement with 1 bathroom and a large sitting room with a TV. We have a large garden, with a patio and a swing. Near a children's park. Located 6 km from the zoo, the water slides and the auto museum.

From the Parc des Laurentides, Rte. 169 towards Roberval. At St-Félicien, right after the second traffic lights after the bridge, at the "Belzile" station, right Blvd. Laflamme. Turn on the Rue Charlebois and Crémazie.

CHEZ MADO
Madeleine et Normand
Leclerc
1305 Crémazie
St-Félicien G8K 1P1
(418) 679-4402

$ 30, $$ 40, ● 5-8
(ss : 2 ch) (2 sb)

J F M A M J J A S O N D

Notre maison est située dans un quartier résidentiel. Nous avons 2 chambres au sous-sol avec 1 salle de bain et une grande salle de repos avec TV. Nous possédons un grand jardin, patio et balançoire. À proximité d'un parc pour enfants. Situé à 6 km du zoo, des glissades d'eau et du musée de l'auto.

Du Parc des Laurentides, rte 169 vers Roberval. À St-Félicien, à droite après le 2e feux de circulation, après le pont à la station «Belzile», à droite boul. Laflamme. Tourner à la rue Charlebois et Crémazie.

25 ST-FÉLICIEN *Gîte du Passant* F 𝔑4

Rediscover tranquillity in a former farmhouse. Large living room and balcony next to bedrooms, private entrance, spot for relaxation outside. Many activities nearby. A warm welcome awaits.

From the Parc des Laurentides, Rte. 169 towards Roberval to St-Félicien. At the first traffic lights, left on Rue Notre-Dame. Drive 2.5 km. Rang Double Sud on your left, drive 1 km, farm on the left.

FERME DALLAIRE
Gisèle et Fernand Dallaire
678 rang Double sud
St-Félicien G8K 2N8
(418) 679-0728

$ 30, $$ 35-40, ● 7-10
(1er : 3 ch) (2 sb)
J F M A M J J A S O N D

Retrouvez la tranquillité dans une ancienne maison de ferme. Grand salon et balcon adjacent aux chambres, sortie privée, coin de détente à l'extérieur. Une foule d'activités aux alentours. Un accueil chaleureux vous est réservé.

Du Parc des Laurentides, rte 169 vers Roberval jusqu'à St-Félicien. Aux 1er feux de circulation à gauche rue Notre-Dame. Faire 2.5 km. Rang Double sud à gauche, faire 1 km, ferme à gauche.

26 ST-FÉLICIEN *Gîte du Passant* F a 𝔑2

If you like the charm of the country and the relaxation that goes with it, you will love your stay with us. Welcome children. Two bedrooms in the basement (one with sink) and one on the main floor; living room at your disposal. City 3 km away and zoo 6 km.

From the Parc des Laurentides, Rte. 169 towards Roberval to St-Félicien. At the first traffic lights, turn left on Rue Notre-Dame, drive 2.6 km. Right on Rang Double, drive 0.7 km.

FERME HÉBERT
Céline et Jean-Jacques Hébert
1070 rang Double
St-Félicien G8K 2N8
(418) 679-0574

$ 30, $$ 35-40, ● 5-10
(ss : 2 ch, rc : 1 ch) (2 sb)
J F M A M J J A S O N D

Si vous aimez le charme de la campagne et la détente qu'elle procure, vous profiterez pleinement de votre séjour. Maison ouverte aux enfants. Deux chambres au sous-sol (une avec lavabo) et une chambre au rez-de-chaussée; salle de séjour à votre disposition. Ville à 3 km et zoo à 6 km.

Du Parc des Laurentides, rte 169 vers Roberval jusqu'à St-Félicien. Aux 1er feux de circulation, à gauche sur Rue Notre-Dame. Faire 2.6 km, rang Double à droite, faire 0.7 km.

27 ST-FÉLICIEN *Gîte du Passant* F 𝔑2

With my easy smile and the simplicity of the people of the Lac St-Jean region, I've got a warm welcome ready for you. Bedrooms with fans, generous breakfast, relaxing spot, country calm and sitting room with wood-burning stove. We will be happy to have you. Nearby: zoo, water slides, horseback riding centre.

From the Parc des Laurentides, Rte. 169 towards Roberval to St-Félicien. At the first traffic lights, Rue Notre-Dame left, drive 1 km.

Lucienne Tremblay
677 rang Double
St-Félicien G8K 2N8
(418) 679-0169

$ 30, $$ 40, ● 5-15
(1er : 2 ch) (2 sb)
J F M A M J J A S O N D

Avec mon sourire facile et la simplicité des gens du Lac St-Jean, je vous réserve un accueil des plus chaleureux. Chambres avec ventilateurs, déjeuner copieux, halte de relaxation, tranquillité de la ferme et salle de séjour avec poêle à bois. Au plaisir de vous voir. Près: zoo, glissades d'eau, centre équestre.

Du parc des Laurentides, rte 169 vers Roberval jusqu'à St-Félicien. Aux premiers feux de ciculation, rue Notre-Dame à gauche, faire 1 km.

28 ST-FÉLIX-D'OTIS *Gîte du Passant* F ℜ0.3

Near the Rivière Eternité, Lac Otis and the Zec Brébeuf. Beaches, swimming, canoeing and windsurfing are available activities. 20 km from Ville-de-la-Baie and from its fabulous history of a realm. Setting for the film, "Black Robe". 10 km from ice fishing and 20 km from the Mont-Edouard ski centre.

From the Parc des Laurentides, Rtes. 175 North then 170 East to St-Félix-d'Otis. Or from St-Siméon, Rte. 170 North towards Chicoutimi.

Dorina Joncas
291 rue Principale, route 170
St-Félix-d'Otis G0V 1M0
(418) 544-5953

$ 25, $$ 35, ● 8
(1er : 2 ch) (1 sb)
J F M A M J J A S O N D

À proximité de Rivière Éternité, du lac Otis et de la Zec Brébeuf. Plages, baignade, canot et planche à voile. À 20 km de Ville-de-la-Baie et de sa fabuleuse histoire d'un Royaume et des décors du film «La Robe Noire». À 10 km de la pêche blanche et 20 km du centre de ski Mont-Edouard.

Du Parc des Laurentides, rtes 175 nord et 170 est jusqu'à St-Félix-d'Otis. Ou de St-Siméon, rte 170 nord direction Chicoutimi.

29 ST-HONORÉ *Gîte du Passant* F a ℜ1

This is an invitation to a rest in an intimate atmosphere, the simple pleasure of opening the window and feasting your eyes on generous Mother Nature, to fully savour the calm by the fireside, and breathe the perfume of the seasons and our delicious breakfasts.

From Québec City, Rte. 175 North towards Chicoutimi. Cross the Dubuc Bridge, Rte. 172 West to the sign for St-Honoré (3 km). At St-Honoré, left in front of the church, drive 0.8 km.

AU COMPTE-MOUTONS
Louise Massé
1141 rue Hôtel-de-ville
St-Honoré G0V 1L0
(418) 673-7400

$ 30, $$ 42, ● 10
(1er : 3 ch) (2 sb)
J F M A M J J A S O N D

C'est une invitation au repos dans des atmosphères intimistes, au plaisir d'ouvrir la fenêtre et les yeux sur une nature généreuse, à goûter pleinement le calme au coin du feu, à humer les parfums des saisons et des petits déjeuners.

De Québec, rte 175 nord vers Chicoutimi. Traverser le pont Dubuc, rte 172 ouest jusqu'au panneau indicateur St-Honoré (3 km). À St-Honoré, à gauche devant l'Eglise et faire 0.8 km.

30 STE-JEANNE-D'ARC *Gîte du Passant* F ℜ6

Come and share the calm of the back country on a little farm. Calfs, cows, geese, chickens, ducks, sheep. Antique house and furniture. Bedrooms with fans. For breakfast, pancakes with blueberry syrup, etc. Snowmobile and cycling trail nearby. Bicycles available on loan.

From the Parc des Laurentides, Rte. 169 towards Roberval to Ste-Jeanne-d'Arc. Do not go into the village, but continue on Rte. 169 for 7.5 km, turn left towards St-Augustin, drive 0.9 km. At the first bend, keep going straight, and drive 1.7 km, turn right, drive 5 km.

Denise Bouchard
et Bertrand Harvey
230 rang 7 d'Almas
Ste-Jeanne-d'Arc G0W 1E0
(418) 276-2810

$ 25, $$ 40, ● 10
(1er : 4 ch) (2 sb)
J F M A M J J A S O N D

Venez partager avec nous le calme de l'arrière pays sur une petite ferme. Veaux, vaches, oies, poules, canards, moutons. Maison et meubles anciens. Chambres avec ventilateurs. Au déjeuner, des crêpes au sirop de bleuet etc. Route des motoneigistes et cyclistes à proximité. Vélo à prêter.

Du parc des Laurentides, rte 169 vers Roberval direction Ste-Jeanne-d'Arc. Ne pas entrer dans le village, continuer sur la rte 169, faire 7.5 km, à gauche vers St-Augustin, faire 0.9 km. À la 1ère courbe, continuer tout droit et faire 1.7 km, à droite, faire 5 km.

31 STE-ROSE-DU-NORD *Gîte du Passant*

F a 🐕 ℜ3

Our nest by the fjord is a natural haven. The tranquillity is conducive to inspiration and contemplation, with the rich splendour of the countryside. Ste-Rose will leave all nature lovers with an unforgettable memory and a desire to come back, all year round.

From Québec City, Rte. 175 North towards Chicoutimi. From Chicoutimi. Rte. 172 East towards Ste-Rose-du-Nord. Or from Tadoussac, take Rte. 138 East and drive 7 km to Rte. 172, 67 km on the 172 West.

UN NID SUR LE FJORD
Gabrielle de Launière
640 boul. Tadoussac
route 172
Ste-Rose-du-Nord G0V 1T0
(418) 675-2589

$ 35, $$ 40, ● 10
(1er : 4 ch) (2 sb)

J F M A M J J A S O N D

Un nid sur le fjord, c'est un relais au naturel. Calme propice à l'inspiration et à la contemplation, riche en paysage d'une grande splendeur, Ste-Rose laisse à tous les amants de la nature un souvenir inoubliable et le goût d'y revenir, en toute saison.

De Québec, rte 175 nord vers Chicoutimi. De Chicoutimi, rte 172 est vers Ste-Rose-du-Nord. Ou de Tadoussac, prendre la route 138 est et faire 7 km jusqu'à la rte 172, 67 km sur 172 ouest.

voir page 180

TABLEAUX DES ACTIVITÉS

ACTIVITY CHARTS

Les tableaux qui suivent indiquent les activités pouvant être pratiquées à moins de 30 minutes en voiture de chacun des gîtes. Dans certains cas les activités sont offertes par le propriétaire du gîte. Les numéros à gauche du tableau réfèrent à la numérotation des gîtes utilisées dans le guide.

The following charts show activities available within a 30 minute drive of the Gîte. Certain activities are provided by the hosts. The number on the left corresponds to the Gîte's number in the guide.

	Galerie d'art, musée *Art gallery, museum*	Théâtre d'été *Summer theatre*	Croisière *Boat cruise*	Baignade *Swimming*	Golf	Piste ou voie cyclable *Cycling path*	Initiation aux activités de ferme *Introduction to farming activities*	Équitation *Horseback riding*	Centre de ski alpin *Downhill ski center*	Sentier de ski de randonnée *Cross-country ski trail*	PAGE
ABITIBI-TÉMISCAMINGUE											p 52
1 Île Nepawa				●			●	●		●	p 53
2 Île Nepawa				●			●	●			p 53
BAS ST-LAURENT											p 54
1 Bic	●	●	●	●	●	●		●	●	●	p 55
2 Bic	●	●	●		●	●		●		●	p 55
3 Dégelis			●	●	●	●		●	●	●	p 55
4 Kamouraska	●	●		●	●	●			●	●	p 56
5 Kamouraska	●	●		●	●	●					p 56
6 Kamouraska	●	●		●	●	●					p 56
7 L'Îsle-Verte	●	●	●	●	●	●	●	●	●	●	p 57
8 L'Îsle-Verte	●	●	●	●	●	●		●	●	●	p 57
9 L'Îsle-Verte	●	●	●		●	●			●	●	p 57
10 Rimouski	●	●	●	●	●	●	●	●	●	●	p 58
11 Rivière-Ouelle	●	●		●	●	●		●	●	●	p 58
12 St-Alexandre, Kamouraska	●	●	●	●	●		●	●		●	p 58
13 St-Fabien	●	●	●	●	●	●			●	●	p 59
14 St-Fabien-sur-Mer	●	●	●	●	●	●		●	●	●	p 59
15 St-Gabriel, Rimouski				●		●	●	●	●	●	p 59
16 St-Jean-de-Dieu		●		●	●		●				p 60
17 St-Mathieu, Rimouski	●	●	●	●	●	●	●		●	●	p 60
18 St-Mathieu, Rimouski	●	●	●	●	●	●			●	●	p 60
19 St-Pacôme	●	●		●	●	●		●	●	●	p 61
20 St-Simon, Rimouski	●	●	●	●	●	●			●	●	p 61
21 Ste-Luce	●	●		●	●		●		●	●	p 61
22 Trois-Pistoles	●	●	●	●	●	●					p 62
23 Trois-Pistoles	●	●	●	●	●	●					p 62
CHARLEVOIX											p 65
1 Baie-St-Paul	●	●		●	●	●		●	●	●	p 66
2 Baie-St-Paul	●	●		●	●	●	●	●	●	●	p 66
3 Baie-St-Paul	●	●	●	●	●	●		●	●	●	p 66
4 Baie-St-Paul	●				●			●	●	●	p 67
5 Baie-Ste-Catherine		●	●	●	●			●			p 67
6 Baie-Ste-Catherine	●		●	●	●			●			p 67
7 Cap-à-l'Aigle	●	●		●	●						p 68

	Galerie d'art, musée *Art gallery, museum*	Théâtre d'été *Summer theatre*	Croisière *Boat cruise*	Baignade *Swimming*	Golf	Pistes ou voies cyclables *Cycling paths*	Initiation aux activités de ferme *Introduction to farming activities*	Équitation *Horseback riding*	Centre de ski alpin *Downhill ski center*	Sentiers de ski de randonnée *Cross-country ski trail*	PAGE
8 Cap-à-l'Aigle	●	●	●	●	●			●	●	●	p 68
9 Cap-à-l'Aigle	●	●		●	●	●		●	●	●	p 68
10 Clermont	●	●	●	●	●				●	●	p 69
11 Les Éboulements	●	●	●	●	●	●		●			p 69
12 Pointe-au-Pic	●	●	●	●	●	●		●	●	●	p 69
13 St-Irénée	●	●	●	●	●				●	●	p 70
14 St-Irénée	●	●	●	●	●				●	●	p 70
15 St-Siméon, Port-au-Persil	●		●	●	●			●			p 70
16 St-Urbain	●	●	●	●	●	●		●			p 71
17 Ste-Agnès	●	●		●	●			●	●	●	p 71
CHAUDIÈRE-APPALACHES											p **73**
1 Isle-aux-Grues	●	●	●		●	●					p 74
2 Kinnear's Mills	●			●	●		●		●	●	p 74
3 Lévis	●	●	●	●	●	●					p 74
4 Pintendre	●	●	●	●	●	●	●	●	●	●	p 75
5 St-Adalbert	●	●		●	●	●	●	●	●	●	p 75
6 St-Benjamin, Beauce	●	●		●	●			●	●	●	p 75
7 St-Georges, Beauce	●	●		●	●	●		●	●	●	p 76
8 St-Honoré, Beauce	●	●		●	●	●	●	●	●	●	p 76
9 St-Marcel-de-l'Islet	●	●		●	●	●	●	●	●	●	p 76
10 St-Michel, Bellechasse	●	●	●	●	●	●		●	●	●	p 77
11 St-Michel, Bellechasse	●	●	●	●	●						p 77
12 St-Rédempteur	●	●	●	●	●	●		●		●	p 77
13 St-Roch-des-Aulnaies	●	●		●	●			●	●	●	p 78
14 St-Roch-des-Aulnaies	●	●	●	●	●						p 78
COEUR DU QUÉBEC											p **82**
1 Drummondville	●	●		●	●	●		●			p 83
2 Drummondville, St-Germain	●	●		●	●					●	p 83
3 Grandes-Piles	●	●	●	●	●			●	●	●	p 83
4 Hérouxville	●	●	●	●	●	●	●	●	●	●	p 84
5 Hérouxville	●	●	●	●	●	●	●	●	●	●	p 84
6 Louiseville	●	●	●	●	●	●	●	●	●	●	p 84
7 Notre-Dame-de-Ham	●	●			●			●			p 85
8 Notre-Dame-de-Montauban				●	●	●				●	p 85
9 Notre-Dame-de-Pierreville	●	●	●	●	●	●	●	●		●	p 85
10 Notre-Dame-de-Pierreville	●	●	●	●	●	●					p 86
11 Pointe-du-Lac	●	●	●	●	●	●				●	p 86
12 St-Fortunat	●	●		●	●			●		●	p 86
13 St-Pierre-les-Becquets				●	●			●			p 87
14 St-Sévère	●	●	●	●	●				●	●	p 87
15 Ste-Thècle	●	●	●	●	●			●	●	●	p 87
16 Ste-Thècle	●	●	●	●	●			●	●	●	p 88
DUPLESSIS											p **89**
1 Havre St-Pierre	●	●	●	●		●				●	p 90
2 Havre St-Pierre	●	●	●	●		●				●	p 90
3 Longue-Pointe-de-Mingan	●		●	●							p 90
4 Longue-Pointe-de-Mingan	●		●	●		●					p 91
5 Mingan	●		●	●							p 91
6 Natashquan				●							p 91
7 Rivière-au-Tonnerre			●	●		●					p 92
ESTRIE											p **93**
1 Ayer's-Cliff	●	●	●	●	●	●	●	●	●	●	p 94

	Galerie d'art, musée *Art gallery, museum*	Théâtre d'été *Summer theatre*	Croisière *Boat cruise*	Baignade *Swimming*	Golf	Piste ou voie cyclable *Cycling path*	Initiation aux activités de ferme *Introduction to farming activities*	Équitation *Horseback riding*	Centre de ski alpin *Downhill ski center*	Sentier de ski de randonnée *Cross-country ski trail*	PAGE
2 Bishopton		●		●	●	●	●	●		●	p 94
3 Bonsecours	●	●	●	●	●	●	●	●	●	●	p 94
4 Bromont		●		●	●	●		●	●	●	p 95
5 Bromont	●	●		●	●	●		●	●	●	p 95
6 Bromont	●	●		●	●	●		●	●	●	p 95
7 Bromont, Shefford	●	●		●	●	●	●		●	●	p 96
8 Coaticook	●	●		●	●	●	●	●	●	●	p 96
9 Dunham	●			●	●	●		●	●	●	p 96
10 Farnham	●	●		●	●	●	●		●	●	p 97
11 Lac Brome, Foster	●	●		●	●	●		●			p 97
12 Lac Brome, Fulford		●	●	●	●	●	●	●	●	●	p 97
13 Lac Mégantic	●	●	●	●	●	●		●	●	●	p 98
14 Magog	●	●	●	●	●		●	●	●	●	p 98
15 Mansonville	●	●			●	●		●	●	●	p 98
16 North-Hatley	●	●	●	●	●	●		●	●	●	p 99
17 Notre-Dame-des-Bois		●		●	●		●			●	p 99
18 Pike-River	●	●	●	●	●	●	●			●	p 99
19 Ste-Anne-de-la-Rochelle	●	●		●	●	●	●	●	●	●	p 100
20 Ste-Edwidge				●	●		●	●		●	p 100
21 Sutton	●	●		●	●	●		●	●	●	p 100
22 Waterloo	●	●		●	●	●		●	●	●	p 101
23 Waterloo	●	●	●	●	●	●		●	●	●	p 101
24 Waterloo	●	●		●	●	●		●	●	●	p 101
25 Wottonville	●	●		●	●		●	●		●	p 102
GASPÉSIE											p 103
1 Amqui		●	●	●	●			●	●	●	p 104
2 Anse-au-Griffon	●	●	●	●		●		●			p 104
3 Bonaventure, Thivierge	●		●	●	●	●	●		●	●	p 104
4 Cap-aux-Os, Forillon	●	●	●	●		●		●	●	●	p 105
5 Cap-aux-Os, Forillon	●	●	●	●		●		●			p 105
6 Cap-Chat	●	●		●	●			●	●		p 105
7 Cap d'Espoir, Percé	●	●	●	●	●	●		●		●	p 106
8 Chandler				●	●	●		●		●	p 106
9 Gaspé	●	●	●	●	●			●	●	●	p 106
10 Hope-West, Paspébiac	●	●	●	●	●	●	●	●	●	●	p 107
11 Hope-West, Paspébiac	●	●	●	●	●	●	●	●	●	●	p 107
12 La Martre	●			●	●	●		●	●	●	p 107
13 La Martre		●	●	●	●	●		●	●	●	p 108
14 Les Boules	●	●	●	●	●			●			p 108
15 Maria	●	●	●	●	●	●	●		●	●	p 108
16 Matane	●	●	●	●	●	●		●	●	●	p 109
17 Matane	●	●	●	●	●	●		●	●	●	p 109
18 Matane, St-Ulric	●	●	●	●	●			●	●	●	p 109
19 New-Carlisle	●	●	●	●	●	●	●		●	●	p 110
20 New-Carlisle	●			●	●	●					p 110
21 New-Richmond	●	●	●	●	●	●			●	●	p 110
22 Nouvelle	●	●	●	●	●	●		●			p 111
23 Percé	●	●	●	●	●	●		●			p 111
24 Percé	●	●	●	●		●					p 111
25 Percé	●	●	●	●	●						p 112
26 Petite-Vallée		●		●						●	p 112
27 Petite-Vallée		●		●						●	p 112
28 Port-Daniel	●	●		●	●			●		●	p 113

	Galerie d'art, musée *Art gallery, museum*	Théâtre d'été *Summer theatre*	Croisière *Boat cruise*	Baignade *Swimming*	Golf	Pistes ou voies cyclables *Cycling paths*	Initiation aux activités de ferme *Introduction to farming activities*	Équitation *Horseback riding*	Centre de ski alpin *Downhill ski center*	Sentiers de ski de randonnée *Cross-country ski trail*	PAGE
29 Rivière-à-Claude				●		●					p 113
30 St-Alexis-de-Matapédia	●			●				●			p 113
31 St-Alexis-de-Matapédia	●			●				●			p 114
32 St-Joseph-Lepage	●	●		●	●	●		●	●	●	p 114
23 St-Octave-de-Métis	●	●	●	●	●			●	●	●	p 114
34 Ste-Angèle-de-Mérici	●	●		●	●			●			p 115
35 Ste-Anne-des-Monts		●	●	●	●			●	●	●	p 115
36 Ste-Flavie	●	●	●	●	●	●			●	●	p 115
37 Ste-Flavie	●		●	●	●	●				●	p 116
38 Ste-Flavie	●			●	●						p 116
ILES-DE-LA-MADELEINE											**p 117**
1 Fatima	●	●	●	●	●			●		●	p 118
2 Fatima	●		●	●	●			●			p 118
LANAUDIÈRE											p 119
1 Joliette	●	●		●	●	●				●	p 120
2 L'Assomption	●	●		●	●						p 120
3 St-Donat		●	●	●	●	●			●	●	p 120
4 St-Gabriel-de-Brandon		●		●	●	●		●		●	p 121
5 St-Ignace-de-Loyola	●		●		●	●	●				p 121
6 St-Michel-des-Saints				●	●			●	●	●	p 121
7 St-Zénon				●	●			●			p 122
LAURENTIDES											**p 123**
1 Bellefeuille	●	●		●	●				●	●	p 124
2 Christieville, Morin Heights	●	●		●	●	●		●	●	●	p 124
3 Labelle				●	●			●	●	●	p 124
4 Lac-Carré		●	●	●	●	●		●	●	●	p 125
5 Lac-Carré		●	●	●	●	●		●	●	●	p 125
6 Lac-Carré	●	●	●	●	●	●		●	●	●	p 125
7 La Conception, Lac Xavier			●	●	●			●			p 126
8 Lac-Nominingue	●			●	●	●			●	●	p 126
9 Lac-Supérieur	●	●	●	●	●	●		●	●	●	p 126
10 Lac-Supérieur		●	●	●	●	●		●	●	●	p 127
11 L'Annonciation	●			●	●	●		●	●	●	p 127
12 Montfort	●	●		●	●	●		●	●	●	p 127
13 Mont-Rolland	●	●	●	●	●	●		●	●	●	p 128
14 Mont-Tremblant	●	●	●	●	●	●		●	●	●	p 128
15 Oka			●	●	●	●		●		●	p 128
16 Prévost	●	●		●	●	●		●	●	●	p 129
17 Prévost	●	●	●	●	●	●	●	●	●	●	p 129
18 St-Augustin-de-Mirabel	●	●	●	●	●	●		●	●	●	p 129
19 St-Canut, Mirabel	●	●	●	●	●	●	●	●	●	●	p 130
20 St-Faustin	●	●	●	●	●	●		●	●	●	p 130
21 St-Faustin	●	●	●	●	●	●		●	●	●	p 130
22 St-Jérôme	●	●	●	●	●			●	●	●	p 131
23 St-Jovite		●	●	●	●	●	●	●	●	●	p 131
24 St-Philippe	●	●	●	●	●	●	●	●	●	●	p 131
25 Ste-Marthe-sur-le-Lac		●		●	●	●		●	●	●	p 132
26 Val-David	●	●	●	●	●	●			●	●	p 132
27 Val-David	●	●	●	●	●	●	●	●	●	●	p 132
28 Val-Morin		●	●	●	●			●	●	●	p 133
29 Vendée	●		●	●	●	●			●	●	p 133
LAVAL											**p 135**
1 Laval	●			●	●	●					p 136
2 Laval-des-Rapides	●			●	●	●					p 136

	Galerie d'art, musée *Art gallery, museum*	Théâtre d'été *Summer theatre*	Croisière *Boat cruise*	Baignade *Swimming*	Golf	Piste ou voie cyclable *Cycling path*	Initiation aux activités de ferme *Introduction to farming activities*	Équitation *Horseback riding*	Centre de ski alpin *Downhill ski center*	Sentier de ski de randonnée *Cross-country ski trail*	PAGE
MANICOUAGAN											p **137**
1 Baie-Trinité	●		●								p 138
2 Baie-Trinité	●		●	●							p 138
3 Baie-Trinité	●		●								p 138
4 Godbout	●		●	●		●					p 139
5 Ragueneau	●	●		●	●	●	●	●	●	●	p 139
6 Sacré-Coeur		●	●	●	●		●	●		●	p 139
7 Sacré-Coeur	●	●	●	●	●		●	●		●	p 140
8 Sacré-Coeur		●	●	●	●	●		●		●	p 140
9 Sacré-Coeur		●	●	●	●	●		●			p 140
10 Ste-Anne-de-Portneuf				●						●	p 141
11 Ste-Anne-de-Portneuf				●						●	p 141
12 Tadoussac		●	●	●	●	●		●			p 141
13 Tadoussac	●	●	●	●	●	●		●			p 142
14 Tadoussac	●	●	●	●	●	●		●			p 142
MONTÉRÉGIE											p **143**
1 Boucherville	●	●	●	●	●	●				●	p 144
2 Hemmingford	●		●	●	●	●		●		●	p 144
3 Howick	●			●	●	●	●			●	p 144
4 Lacolle		●	●	●	●	●		●		●	p 145
5 Longueuil	●	●	●		●	●				●	p 145
6 Longueuil	●	●	●			●					p 145
7 Rougemont		●		●	●		●	●	●	●	p 146
8 St-Antoine-sur-Richelieu		●	●		●	●	●			●	p 146
9 St-Blaise	●	●	●	●	●	●		●		●	p 146
10 St-Denis-sur-Richelieu	●	●	●		●	●	●			●	p 147
11 St-Jean-sur-Richelieu	●	●	●	●	●	●		●	●	●	p 147
12 St-Paul-de-l'Île-aux-Noix	●	●	●	●	●	●		●			p 147
13 Ste-Christine-de-Bagot	●	●		●	●	●			●	●	p 148
14 Ste-Julie		●	●	●	●	●			●	●	p 148
15 Ste-Justine-de-Newton		●	●	●	●	●		●	●	●	p 148
16 Ste-Justine-de-Newton		●	●	●	●	●		●	●	●	p 149
MONTRÉAL, Région de											p **151**
1 LaSalle	●	●	●		●	●				●	p 152
2 LaSalle	●	●	●	●	●	●				●	p 152
3 Montréal, centre	●	●	●	●		●					p 152
4 Montréal, centre	●		●			●					p 153
5 Montréal, centre	●	●	●	●	●	●				●	p 153
6 Montréal, centre	●	●	●	●	●	●					p 153
7 Montréal, centre	●	●	●	●		●				●	p 154
8 Montréal, centre	●		●			●					p 154
9 Montréal, centre	●	●	●	●		●				●	p 154
10 Montréal, centre	●		●	●	●	●					p 155
11 Montréal, centre	●	●	●	●	●	●				●	p 155
12 Montréal, centre	●					●					p 155
13 Montréal, centre	●	●	●	●		●				●	p 156
14 Montréal, centre	●	●	●	●		●				●	p 156
15 Montréal, centre	●		●	●		●				●	p 156
16 Outremont, Montréal	●	●	●	●		●				●	p 157
17 Pointe-aux-Trembles, Mtl	●		●	●	●	●					p 157
18 Ste-Anne-de-Bellevue	●	●	●	●	●	●	●	●	●	●	p 157

	Galerie d'art, musée *Art gallery, museum*	Théâtre d'été *Summer theatre*	Croisière *Boat cruise*	Baignade *Swimming*	Golf	Piste ou voie cyclable *Cycling path*	Initiation aux activités de ferme *Introduction to farming activities*	Équitation *Horseback riding*	Centre de ski alpin *Downhill ski center*	Sentier de ski de randonnée *Cross-country ski trail*	PAGE
OUTAOUAIS											**p 161**
1 Aylmer	●	●	●	●	●	●		●	●	●	p 162
2 Aylmer	●		●	●	●	●			●	●	p 162
3 Hull	●	●	●	●	●	●			●	●	p 162
4 Lac-des-Plages				●	●	●			●	●	p 163
5 Lac-des-Plages				●	●				●	●	p 163
6 Vinoy, St-André-Avellin	●	●	●	●	●	●	●	●	●	●	p 163
QUÉBEC, Région de											**p 165**
1 Beauport	●	●	●	●	●	●		●	●	●	p 166
2 Cap-Rouge	●	●	●	●	●	●		●	●	●	p 166
3 Cap-Santé	●	●		●	●	●				●	p 166
4 Cap-Santé		●		●	●	●		●	●	●	p 167
5 Château-Richer	●	●	●	●	●	●		●	●	●	p 167
6 Château-Richer	●	●	●	●	●	●		●	●	●	p 167
7 Deschambault	●	●			●			●		●	p 168
8 Île d'Orléans, St-Jean	●	●	●	●	●	●	●		●	●	p 168
9 Île d'Orléans, St-Jean	●	●	●	●	●			●	●	●	p 168
10 Île d'Orléans, St-Jean	●	●	●	●	●	●	●	●			p 169
11 Île d'Orléans, St-Laurent		●	●	●	●				●	●	p 169
12 Île d'Orléans, St-Laurent	●	●	●	●	●				●	●	p 169
13 Île d'Orléans, St-Laurent	●	●	●	●	●				●		p 170
14 Île d'Orléans, St-Laurent	●	●	●	●	●					●	p 170
15 Île d'Orléans, St-Pierre	●	●	●	●	●	●	●	●	●	●	p 170
16 Île d'Orléans, St-Pierre	●	●	●	●	●	●	●	●	●	●	p 171
17 L'Ange-Gardien	●	●	●	●	●	●	●	●	●	●	p 171
18 Portneuf-Station	●	●		●	●			●		●	p 171
19 Québec	●	●	●	●	●	●		●	●	●	p 172
20 Québec	●	●	●	●	●	●		●	●	●	p 172
21 Québec	●	●	●	●	●	●		●	●	●	p 172
22 St-Ferréol-les-Neiges	●	●	●	●	●	●		●	●	●	p 172
23 St-Ferréol-les-Neiges	●		●	●	●	●		●	●	●	p 173
24 St-Joachim	●	●	●	●	●	●		●	●	●	p 173
25 Ste-Anne-de-Beaupré	●	●	●	●	●	●		●	●	●	p 173
26 Ste-Foy	●	●	●	●	●	●		●	●	●	p 174
27 Ste-Foy	●	●	●	●	●	●					p 174
28 Ste-Foy	●	●	●	●	●	●		●	●	●	p 174
29 Sillery	●	●	●	●	●	●			●	●	p 175
SAGUENAY-LAC ST-JEAN											**p 178**
1 Alma	●	●	●	●	●			●			p 179
2 Alma, St-Bruno	●	●	●	●	●	●		●	●	●	p 179
3 Anse-St-Jean		●	●	●			●	●	●		p 179
4 Anse-St-Jean			●	●				●	●	●	p 179
5 Anse-St-Jean			●	●		●		●	●		p 180
6 Chambord	●	●	●	●	●			●	●	●	p 180
7 Chicoutimi	●	●	●	●	●	●		●			p 180
8 Chicoutimi	●	●	●	●	●	●		●	●	●	p 181
9 Desbiens		●	●	●				●	●	●	p 181
10 Jonquière	●	●	●	●	●	●			●	●	p 181
11 La Baie	●	●	●	●	●	●	●	●	●	●	p 182
12 La Baie	●	●	●	●	●	●	●	●	●	●	p 182
13 Lac-à-la-Croix	●		●	●	●			●	●	●	p 182
14 Lac-à-la-Croix	●	●	●	●	●	●			●	●	p 183
15 Lac-Kénogami, St-Cyriac	●	●	●	●				●		●	p 183
16 Métabetchouan	●	●	●	●	●				●	●	p 183
17 Métabetchouan		●	●	●	●	●		●	●	●	p 184
18 Petit-Saguenay		●	●	●				●	●	●	p 184
19 Roberval			●	●	●					●	p 184
20 Shipshaw	●	●	●	●	●	●		●	●	●	p 185
21 St-Ambroise	●	●	●	●	●	●		●	●	●	p 185
22 St-Félicien		●	●	●	●						p 186

	Galerie d'art, musée *Art gallery, museum*	Théâtre d'été *Summer theatre*	Croisière *Boat cruise*	Baignade *Swimming*	Golf	Pistes ou voies cyclables *Cycling paths*	Initiation aux activités de ferme *Introduction to farming activities*	Équitation *Horseback riding*	Centre de ski alpin *Downhill ski center*	Sentiers de ski de randonnée *Cross-country ski trail*	PAGE
23 St-Félicien	●	●	●	●	●			●	●	●	p 186
24 St-Félicien	●	●	●	●	●	●		●	●	●	p 186
25 St-Félicien		●	●	●	●				●	●	p 187
26 St-Félicien			●	●	●			●			p 187
27 St-Félicien	●	●	●	●	●	●		●	●	●	p 187
28 St-Félix-d'Otis	●	●	●	●	●	●	●	●	●	●	p 188
29 St-Honoré	●	●	●					●	●	●	p 188
30 Ste-Jeanne-d'Arc				●		●					p 188
31 Ste-Rose-du-Nord	●	●	●	●		●			●	●	p 189

AUX ORGANISATEURS DE GROUPES: LES VILLAGES D'ACCUEIL

Les villages d'accueil sont conçus pour des groupes uniquement. Pour plus d'information, contactez directement les villages d'accueil. Ces regroupements n'étant pas membres de la Fédération des Agricotours du Québec, ils ne sont donc pas tenus de répondre aux normes de la Fédération et n'ont pas fait l'objet de visites de contrôle.

FOR GROUPS ORGANIZERS: THE HOST VILLAGES

The Host Villages are designed uniquely for groups. For more information contact directly each individual center. These centers are not members of the Fédération des Agricotours du Québec and therefore are not subject to their regulations nor to their quality control inspections.

INDEX (Hébergement)

DONNEZ VOS IMPRESSIONS (HÉBERGEMENT)
WE WANT YOUR OPINION (LODGING)

Afin de continuer à améliorer la qualité du réseau et des services offerts, vous pouvez adresser vos commentaires et suggestions à:

In order to improve the quality of our network and services it offers, please send your comments and suggestions to:

FÉDÉRATION DES AGRICOTOURS, C.P. 1000, Succ. M, MONTRÉAL (Qc) H1V 3R2

	Très Satisfaisant *Very satisf.*	Satisfaisant *Satisfactory*	Passable *Fair*	Décevant *Disappointing*
Hospitalité des hôtes *Hospitality from hosts*				
Environnement / *Surroundings*				
Confort / *Comfort*				
Propreté / *Cleanliness*				
Repas / *Meals*				
Itinéraire / *Directions*				
Réservation / *Reservation*				

Nombre de gîtes visités au cours des 12 derniers mois:
Number of bed & breakfasts visited during these past 12 months: ____________

Les prix étaient-ils conformes à la publicité?
Were prices as advertised? Oui / *Yes* ☐ Non / *No* ☐

NOM DE L'ÉTABLISSEMENT VISITÉ / *NAME OF THE VISITED ESTABLISHMENT:*

____

MUNICIPALITÉ / *MUNICIPALITY*

____

Date du séjour / *Date of stay:*

____

Votre adresse / *Your address*

____

____

Votre nom / *Your name:*

____

Profession / *Profession:*

____

Âge / *Age*

8-19☐ 20-29☐ 30-39☐ 40-49☐ 50-59☐ +60☐

Commentaires / *Comments:*____________

____

____

____

MERCI! / *THANKS!*

DONNEZ VOS IMPRESSIONS (HÉBERGEMENT)
WE WANT YOUR OPINION (LODGING)

Afin de continuer à améliorer la qualité du réseau et des services offerts, vous pouvez adresser vos commentaires et suggestions à:

In order to improve the quality of our network and services it offers, please send your comments and suggestions to:

FÉDÉRATION DES AGRICOTOURS, C.P. 1000, Succ. M, MONTRÉAL (Qc) H1V 3R2

	Très Satisfaisant *Very satisf.*	Satisfaisant *Satisfactory*	Passable *Fair*	Décevant *Disappointing*
Hospitalité des hôtes *Hospitality from hosts*				
Environnement / *Surroundings*				
Confort / *Comfort*				
Propreté / *Cleanliness*				
Repas / *Meals*				
Itinéraire / *Directions*				
Réservation / *Reservation*				

Nombre de gîtes visités au cours des 12 derniers mois:
Number of bed & breakfasts visited during these past 12 months: ____________

Les prix étaient-ils conformes à la publicité?
Were prices as advertised? Oui / *Yes* ☐ Non / *No* ☐

NOM DE L'ÉTABLISSEMENT VISITÉ / *NAME OF THE VISITED ESTABLISHMENT:*

____

MUNICIPALITÉ / *MUNICIPALITY*

____

Date du séjour / *Date of stay:*

____

Votre adresse / *Your address*

____

____

Votre nom / *Your name:*

____

Profession / *Profession:*

____

Âge / *Age*
8-19☐ 20-29☐ 30-39☐ 40-49☐ 50-59☐ +60☐

Commentaires / *Comments:*____________

____

____

____

MERCI! / *THANKS!*

DONNEZ VOS IMPRESSIONS (TABLES CHAMPÊTRES)
WE WANT YOUR OPINION (COUNTRY STYLE DINING)

Afin de continuer à améliorer la qualité du réseau et des services offerts, vous pouvez adresser vos commentaires et suggestions à:

In order to improve the quality of our network and services it offers, please send your comments and suggestions to:

FÉDÉRATION DES AGRICOTOURS, C.P. 1000, Succ. M, MONTRÉAL (Qc) H1V 3R2

	Très Satisfaisant *Very satisf.*	Satisfaisant *Satisfactory*	Passable *Fair*	Décevant *Disappointing*
Hospitalité des hôtes *Hospitality from hosts*				
Environnement / *Surroundings*				
Confort / *Comfort*				
Propreté / *Cleanliness*				
Qualité du repas / *Meal quality*				
Présentation des aliments/ *Foods presentation*				
Réservation / *Reservation*				
Itinéraire / *Directions*				
Rapport qualité-prix / Quality-price ratio				

Nombre de tables champêtres visitées au cours des 12 derniers mois:
Number of country style dinings visited during these past 12 months: ______

Les prix étaient-ils conformes à la publicité?
Were prices as advertised? Oui / *Yes* ☐ Non / *No* ☐

NOM DE LA TABLE CHAMPÊTRE / *TABLE CHAMPÊTRE NAME:* ______

MUNICIPALITÉ / *MUNICIPALITY* ______

Nombre de personnes de votre groupe?
Number of persons in the group? ______

Date du séjour / *Date of stay:* ______

Votre adresse / *Your address* ______

Votre nom / *Your name:* ______

Profession / *Profession:* ______

Âge / *Age*
8-19☐ 20-29☐ 30-39☐ 40-49☐ 50-59☐ +60☐

Commentaires / *Comments:* ______

MERCI! / *THANKS!*

BON DE COMMANDE POUR LA PROCHAINE ÉDITION (1994)
ORDER FORM FOR THE NEXT EDITION (1994)

Je désire recevoir le guide suivant pour 1994:
Please send me the following guide(s) for 1994:

	Qtée / Qty		Total
Gîtes du Passant, Auberges du Passant, Gîtes à la Ferme, Maisons de Campagne, Tables Champêtres et Promenades à la Ferme au Québec	______	8.95$	______$
Best Bed & Breakfasts in Québec (including Country Inns, Farm Houses, Country Houses, Farm Excursions & Country Style Dinings)	______	8.95$	______$
Taxe sur les Produits et Services (*GST*)		7 %	______$
TOTAL CI-JOINT / *TOTAL AMOUNT ENCLOSED*			______$

NOM / *NAME:*

____

ADRESSE / *ADDRESS:*

____

VILLE / *CITY*

____

CODE POSTAL / *POSTAL CODE* ______________ **TÉLEPHONE / *PHONE NUMBER*** ______________

☐ VISA ☐ MASTER CARD # ______________ Exp: ________

Signature: ______________________

☐ Ci-joint un chèque ou un mandat fait à l'ordre de:
Enclosed is a cheque or money order payable to:

DISTRIBUTION ULYSSE
4176 St-Denis
Montréal (Qc) H2W 2M5

ULYSSE

L'ÉDITEUR DU VOYAGE

4176, Saint-Denis, Montréal, Québec H2W 2M5
☎ (514) 843-9882 Fax : (514) 843-9448

■ **GUIDES DE VOYAGE ULYSSE**

- ☐ Québec 1993 — 24,95 $
- ☐ Québec Nuit et Jour — 11,95 $
- ☐ Montréal en métro — 19,95 $
- ☐ Balades gourmandes autour de Montréal — 19,95 $
- ☐ Colombie-Britannique et les rocheuses canadiennes — 24,95 $
- ☐ Ontario — 19,95 $
- ☐ Nouvelle-Angleterre — 29,95 $
- ☐ Plages de la Nouvelle-Angleterre et Boston — 19,95 $
- ☐ Randonnée pédestre dans le N-E des États-Unis 2e Édition — 19,95 $
- ☐ Plages de la côte-est de la Floride — 22,95 $
- ☐ Floride — 34,95 $
- ☐ République Dominicaine — 22,95 $
- ☐ Disney World — 19,95 $
- ☐ Costa Rica 2e Édition — 22,95 $
- ☐ Cancún et le Yucatán — 24,95 $
- ☐ Mexique Côte Pacifique — 24,95 $
- ☐ Montréal Nuit et Jour — 5,95 $
- ☐ Randonnée Pédestre Québec — 19,95 $
- ☐ Nouvelle-Angleterre à vélo — 24,95 $

■ **JOURNAUX DE VOYAGE ULYSSE**

- ☐ Journal de voyage Ulysse (classique) — 9,95 $
- ☐ Journal de voyage Ulysse (imitation cuir) — 16,95 $
- ☐ Journal de voyage Ulysse 80 Jours (souple) — 14,95 $
- ☐ Journal de voyage Ulysse 80 Jours (rigide) — 19,95 $
- ☐ Journal de voyage Ulysse (spirale) — 11,95 $
- ☐ Journal de voyage Ulysse (format poche) — 7,95 $

■ **ULYSSES TRAVEL GUIDES**

- ☐ Ontario — $ 19,95
- ☐ Dominican Replublic — $ 22,95
- ☐ Ulysses Travel Journal — $ 9,95
- ☐ Montreal Night and Day — $ 5,95
- ☐ Hiking North-East of USA — $ 19,95
- ☐ Hiking Québec — $ 19,95

QUANTITÉ	TITRE	PRIX	TOTAL
		Sous-total	
		Poste et manutention	3.00 $
		Sous total	
		T.P.S. 7 %	
		TOTAL	

Nom : ____________________
Adresse : ____________________
Ville : ____________________
Code Postal : ____________________
Paiement : ☐Mandat-poste ☐Visa ☐MC ☐Chèque
Numéro de carte : ____________________
Expiration : ____________________
Signature : ____________________